Plus de 30 tests pour se préparer et réussir !

3e année MATHÉMATIQUE

Colette Laberge

Plus de 30 tests pour se préparer et réussir !

3e année MATHÉMATIQUE

Illustrations : Agathe Bray-Bourret et Julien Del Busso
Conception graphique et mise en pages : Folio infographie
Couverture : Bruno Paradis d'après un concept de Cyclone Design
Illustration de la couverture : EyeWire Images
Correction d'épreuves : Richard Bélanger

Imprimé au Canada

ISBN 978-2-89642-412-2

Dépôt légal – Bibliothèque et Archives nationales du Québec, 2011

1re impression

Canada

Visitez le site des Éditions Caractère
editionscaractere.com

Plus de 30 tests pour se préparer et réussir est un ouvrage qui s'adresse aux parents qui veulent aider leurs enfants à progresser dans leur cheminement scolaire. Ce livre vise à tester les connaissances de votre enfant et à déterminer quelles notions sont bien apprises et lesquelles nécessitent un peu plus de travail.

Nous avons divisé le livre en 17 sections qui couvrent l'essentiel du Programme de formation de l'école québécoise. Votre enfant pourra ainsi revoir à fond la majorité des notions apprises au cours de l'année scolaire. Vous n'avez pas à suivre l'ordre des sections. Vous pouvez travailler les sujets selon ce que votre enfant a déjà vu en classe.

Le principe est simple : un premier test portant sur une notion spécifique vous donnera une idée de ce que votre enfant connaît et des éléments devant être travaillés. Si le premier test est réussi, le suivant, qui porte sur un autre sujet, peut alors être entamé. Si vous voyez que votre enfant éprouve quelques difficultés, une série d'exercices lui permettra d'acquérir les savoirs essentiels du Programme du ministère de l'Éducation, du Loisir et du Sport. Un deuxième test est donné après la première série d'exercices dans le but de vérifier la compréhension des notions chez votre jeune. Si ce test est réussi, le suivant devient alors son prochain défi, sinon, une autre série d'exercices lui permettra de s'exercer encore un peu plus. Chacun des 17 chapitres de cet ouvrage est ainsi divisé.

Les exercices proposés sont variés et stimulants. Ils favorisent une démarche active de la part de votre enfant dans son processus d'apprentissage et s'inscrivent dans la philosophie du Programme de formation de l'école québécoise.

Cet ouvrage vous donnera un portrait global des connaissances de votre enfant et vous permettra de l'accompagner dans son cheminement scolaire.

Le corrigé de cette nouvelle édition fournit les explications nécessaires pour résoudre les problèmes mathématiques afin de mieux vous outiller pour aider votre enfant.

Bons tests !

Colette Laberge

1. Encercle le nombre en chiffres qui correspond à celui en lettres.

a) huit mille cent soixante-quinze	9775	8175	9925
b) Six mille cent vingt et un	6121	6221	6431
c) mille trois cents	1400	1600	1300
d) vingt-cinq mille	25 000	35 000	45 000
e) douze mille deux cent quatre-vingt	12 547	12 280	13 280

2. Arrondis les nombres suivants à la dizaine près.

a) 24 311 ________________ b) 9974 ________________

c) 10 138 ________________ d) 9781 ________________

3. Compare les nombres à l'aide des symboles <, = ou >.

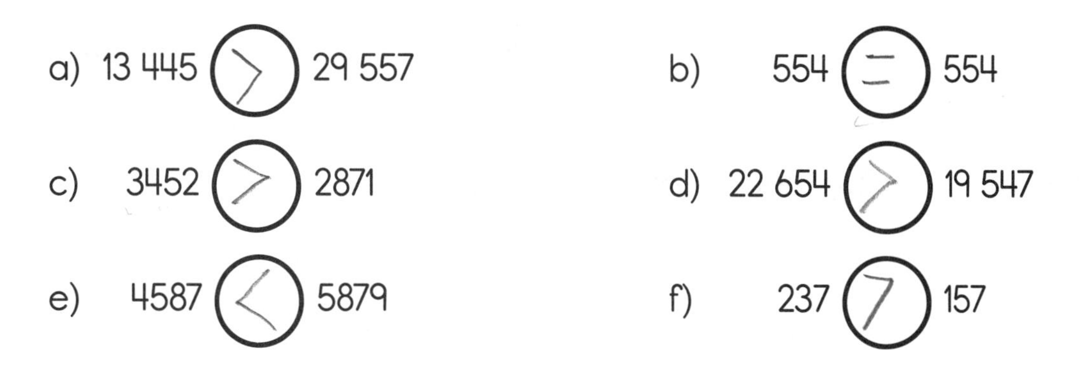

a) 13 445 ◯ 29 557 b) 554 ◯ 554

c) 3452 ◯ 2871 d) 22 654 ◯ 19 547

e) 4587 ◯ 5879 f) 237 ◯ 157

4. Décompose les nombres suivants en milliers, en centaines, en dizaines et en unités.

a) 9013 ________________________ b) 2380 ________________________

c) 4241 ________________________ d) 22 658 ________________________

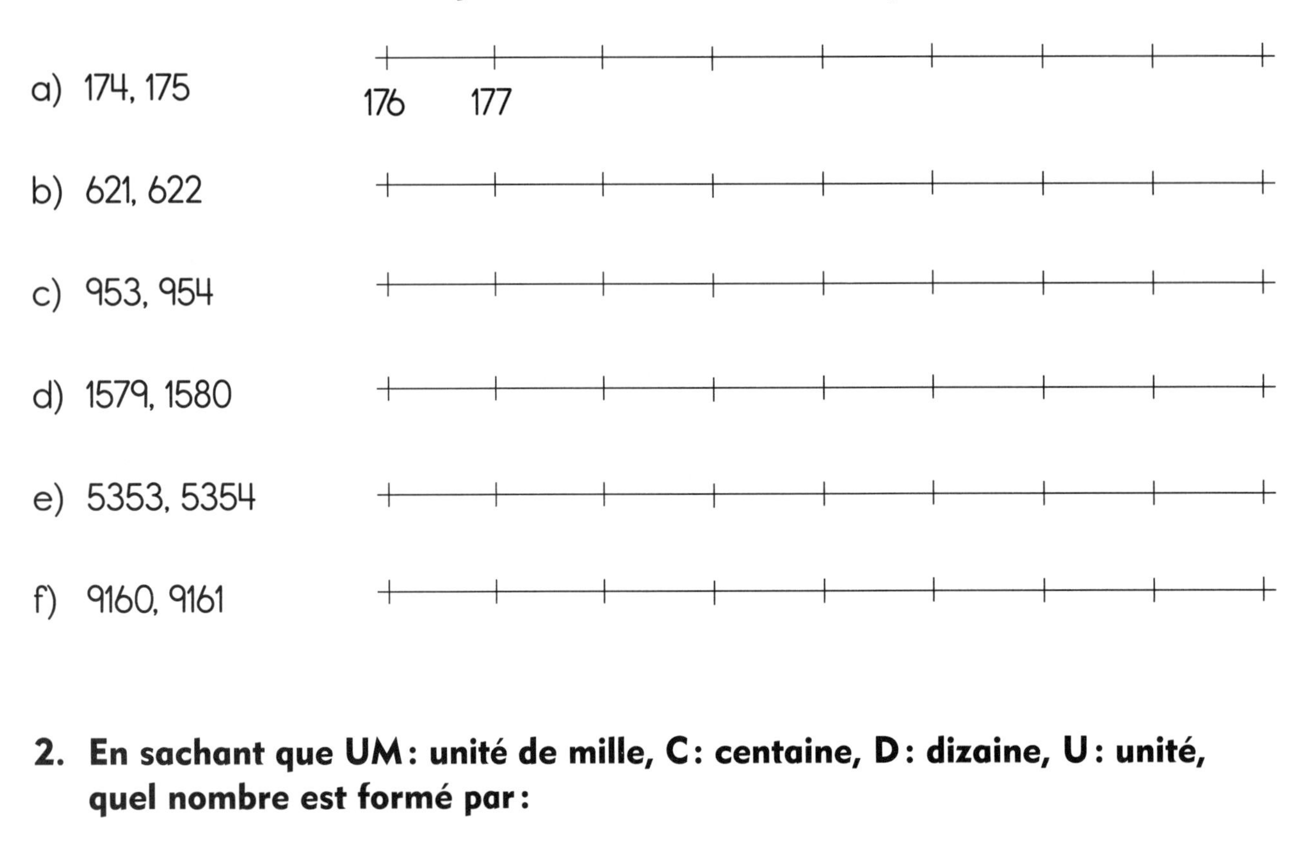

1. Écris les nombres manquants sur la droite numérique.

a) 174, 175 — 176, 177

b) 621, 622

c) 953, 954

d) 1579, 1580

e) 5353, 5354

f) 9160, 9161

2. En sachant que UM : unité de mille, C : centaine, D : dizaine, U : unité, quel nombre est formé par :

a) 6 D et 4 U? ____________

b) 1 UM, 3 C, 2 D et 4 U? ____________

c) 2 UM, 6 C, 4 D et 4 U? ____________

d) 9 UM, 2 C, 4 D et 9 U? ____________

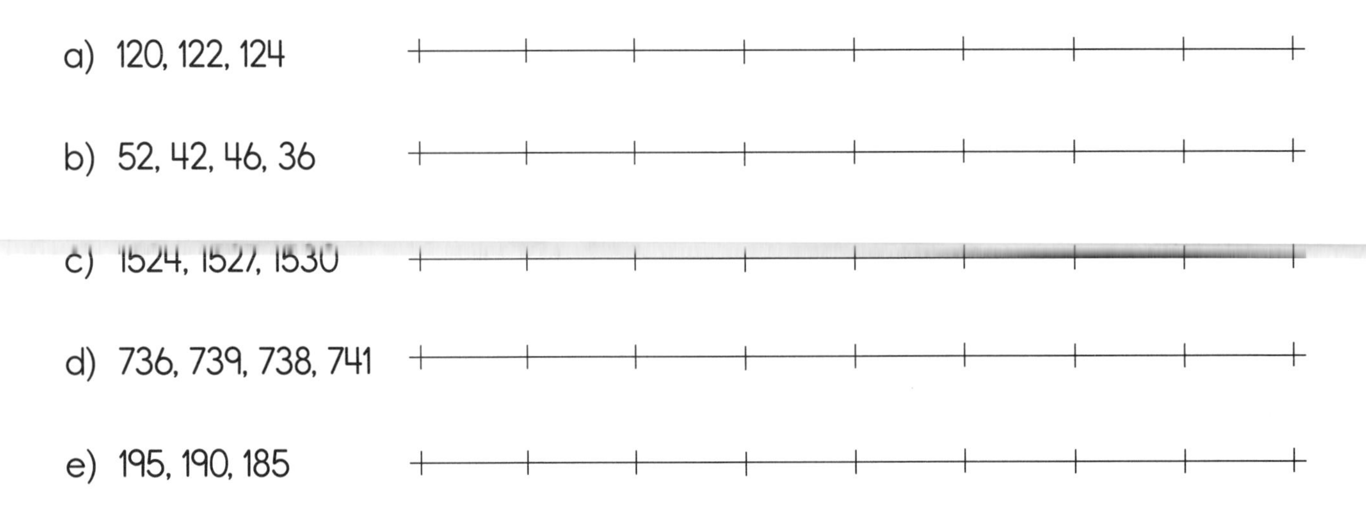

3. Trouve la régularité et continue la suite.

a) 120, 122, 124

b) 52, 42, 46, 36

c) 1524, 1527, 1530

d) 736, 739, 738, 741

e) 195, 190, 185

4. Quelle est la valeur des chiffres soulignés dans les nombres ?

a) 59 ______________ b) 174 ______________ c) 1458 ______________

d) 21 ______________ e) 658 ______________ f) 2994 ______________

g) 87 ______________ h) 985 ______________ i) 4879 ______________

j) 13 ______________ k) 333 ______________ l) 7830 ______________

5. Classe les nombres suivants dans l'ordre croissant.

a) 1258, 1358, 9874, 1478, 3698 ______________________________

b) 136, 125, 978, 224, 111 ______________________________

c) 9874, 9547, 9621, 9521 ______________________________

d) 5321, 5231, 5497, 5014 ______________________________

6. Décompose les nombres selon la méthode demandée.

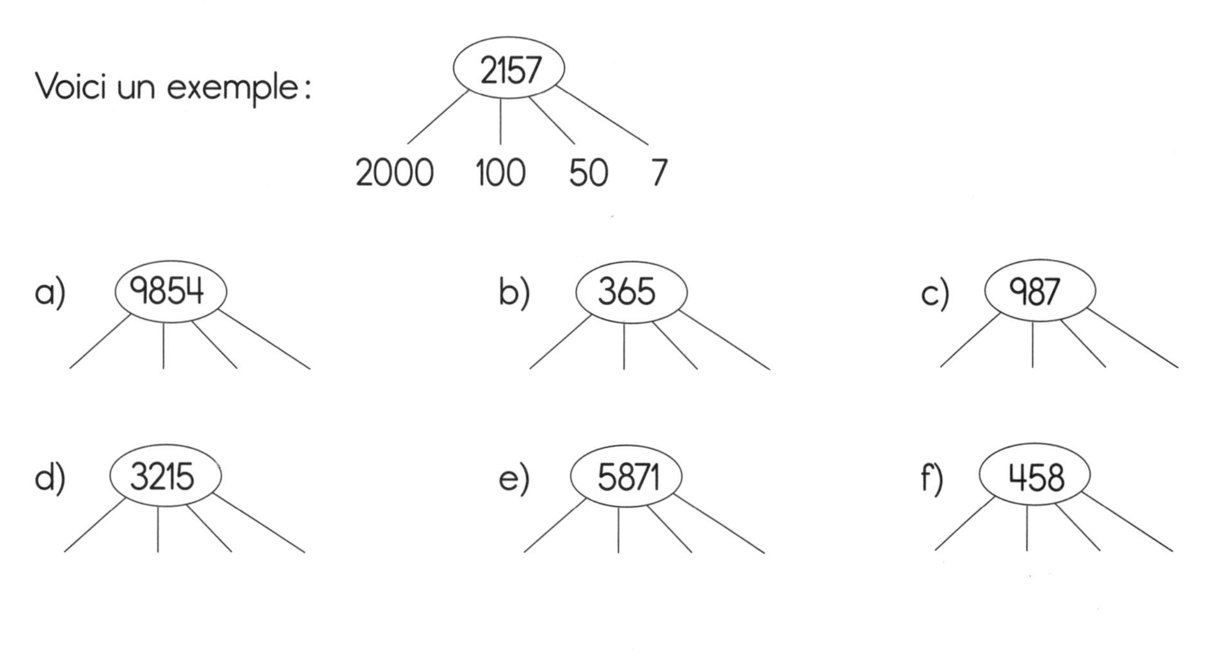

7. Complète le tableau avec les nombres manquants.

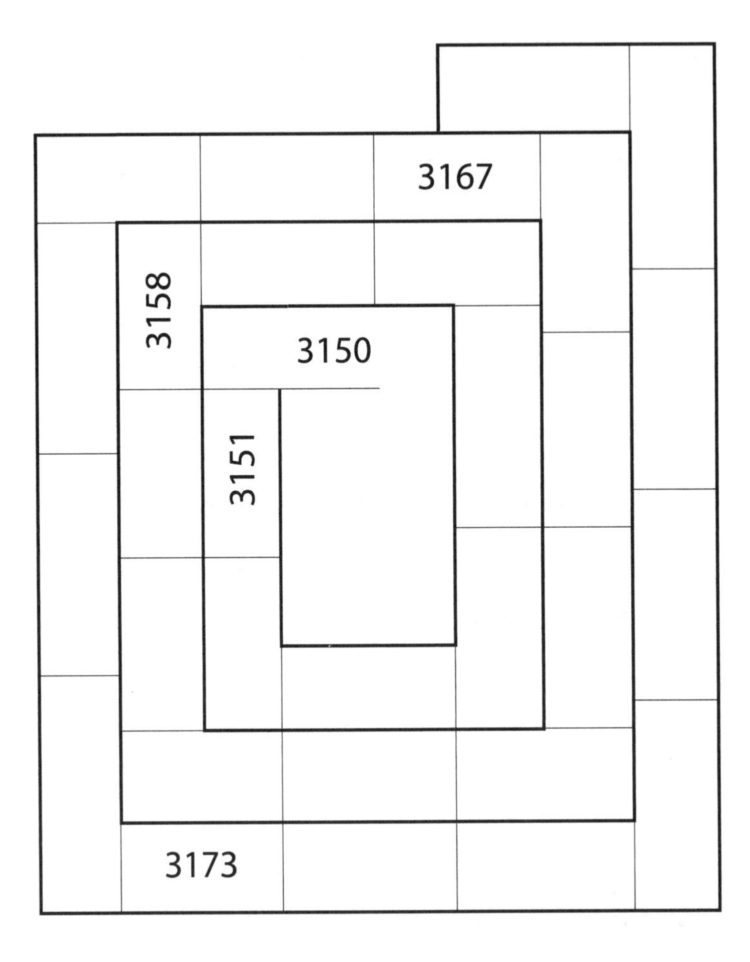

8. Remplis le tableau.

	Nombre	Décomposition
a)	5212	
b)		2000 + 400 + 60 + 4
c)	7895	
d)		6000 + 500 + 90 + 8
e)	4896	

1. Trouve la régularité et continue la suite avec 8 nombres.

a) 1115, 1120, 1125 ____________________

b) 2246, 2271, 2296 ____________________

c) 8650, 8640, 8630 ____________________

d) 1615, 1515, 1415 ____________________

e) 2215, 2224, 2233 ____________________

2. Quelle est la valeur des chiffres soulignés dans les nombres ?

a) $\underline{1}25$ __________ b) $785\underline{2}$ __________ c) $\underline{1}458$ __________

d) $1\underline{5}41$ __________ e) $7\underline{8}9$ __________ f) $2\underline{9}94$ __________

3. Remplis le tableau.

		Milliers	Centaines	Dizaines	Unités
a)	4589				
b)	1236				
c)	7895				
d)	9852				
e)	1258				

1. En sachant que UM : unité de mille, C : centaine, D : dizaine, U : unité, écris le nombre demandé.

a) 250 D et 7 U : ____________

b) 4 UM et 15 D : ____________

c) 34 C et 9 U : ____________

d) 18 C et 11 D : ____________

e) 2 UM et 5 C : ____________

f) 520 D et 7 U : ____________

2. Écris en chiffres les nombres suivants.

a) huit mille cinq cent dix : ________

b) trois mille quatre cent vingt : ________

c) sept mille huit cent trente et un : ________

d) quatre cent treize : ________

3. Encercle le nombre dans lequel le chiffre 3 a la plus grande valeur.

a) 3258 b) 5236 c) 4233 d) 13

4. Encercle le nombre dans lequel le chiffre 3 a la plus petite valeur.

a) 8396 b) 3358 c) 5693 d) 321

5. Complète la grille.

1024						1030		
				1037				
	1043							
						1057		
		1062						
							1076	
				1082				
	1088							
				1100				

6. Indique quel chiffre occupe chacune des positions dans les nombres suivants.

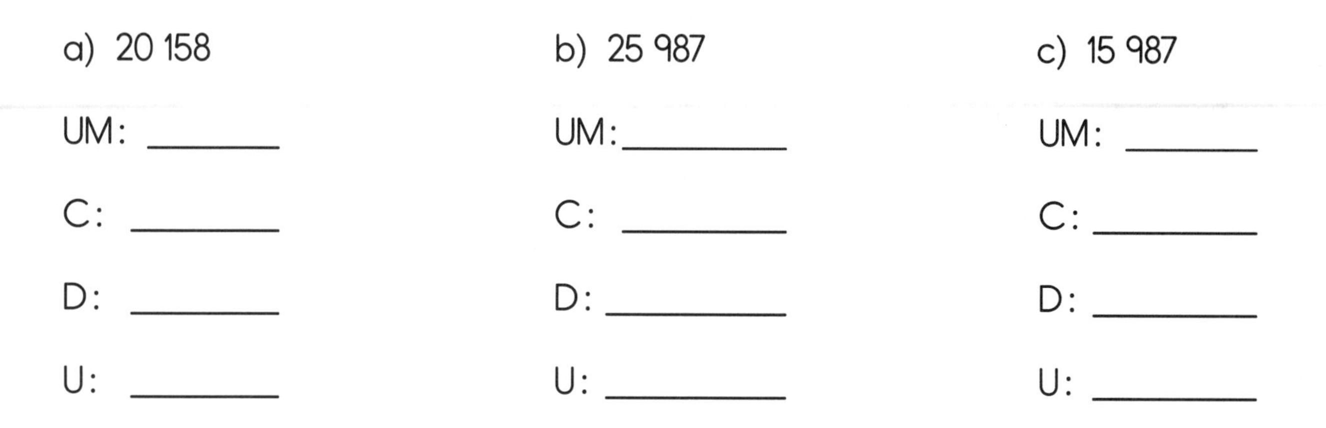

a) 20 158

UM: ________

C: ________

D: ________

U: ________

b) 25 987

UM: ________

C: ________

D: ________

U: ________

c) 15 987

UM: ________

C: ________

D: ________

U: ________

7. Compare les nombres en utilisant <, >.

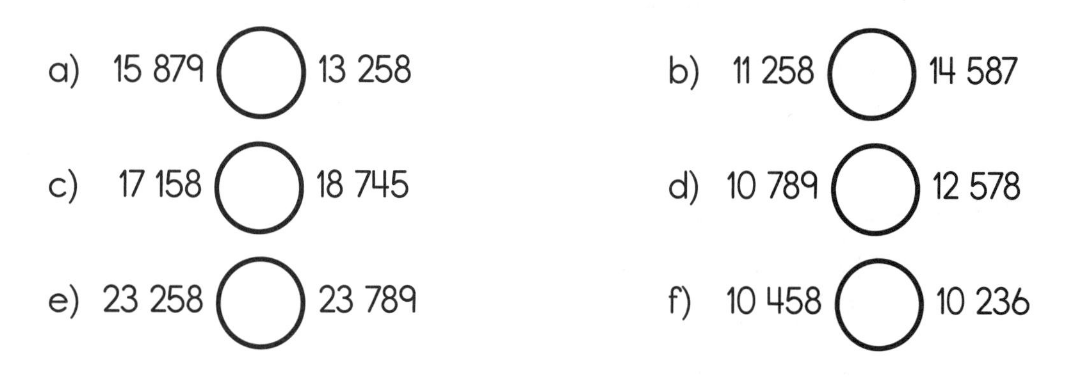

a) 15 879 ◯ 13 258

b) 11 258 ◯ 14 587

c) 17 158 ◯ 18 745

d) 10 789 ◯ 12 578

e) 23 258 ◯ 23 789

f) 10 458 ◯ 10 236

8. À partir des chiffres 7, 3, 9, 5, écris des nombres que tu peux former avec ces chiffres.

a) Nombres à deux chiffres: ______________________________

b) Nombres à trois chiffres: ______________________________

c) Nombres à quatre chiffres: ______________________________

9. Écris les nombres suivants en lettres.

a) 10 547 ____

b) 15 781 ____

10. Trouve le nombre d'unités, de dizaines, de centaines et de milliers dans les nombres suivants.

a) **25 789**

Combien y a-t-il d'unités ? ________________
Combien y a-t-il de dizaines ? ________________
Combien y a-t-il de centaines ? ________________
Combien y a-t-il de milliers ? ________________

b) **21 478**

Combien y a-t-il d'unités ? ________________
Combien y a-t-il de dizaines ? ________________
Combien y a-t-il de centaines ? ________________
Combien y a-t-il de milliers ? ________________

c) **29 999**

Combien y a-t-il d'unités ? ________________
Combien y a-t-il de dizaines ? ________________
Combien y a-t-il de centaines ? ________________
Combien y a-t-il de milliers ? ________________

d) **18 741**

Combien y a-t-il d'unités ? ________________
Combien y a-t-il de dizaines ? ________________
Combien y a-t-il de centaines ? ________________
Combien y a-t-il de milliers ? ________________

e) **22 369**

Combien y a-t-il d'unités ? ________________
Combien y a-t-il de dizaines ? ________________
Combien y a-t-il de centaines ? ________________
Combien y a-t-il de milliers ? ________________

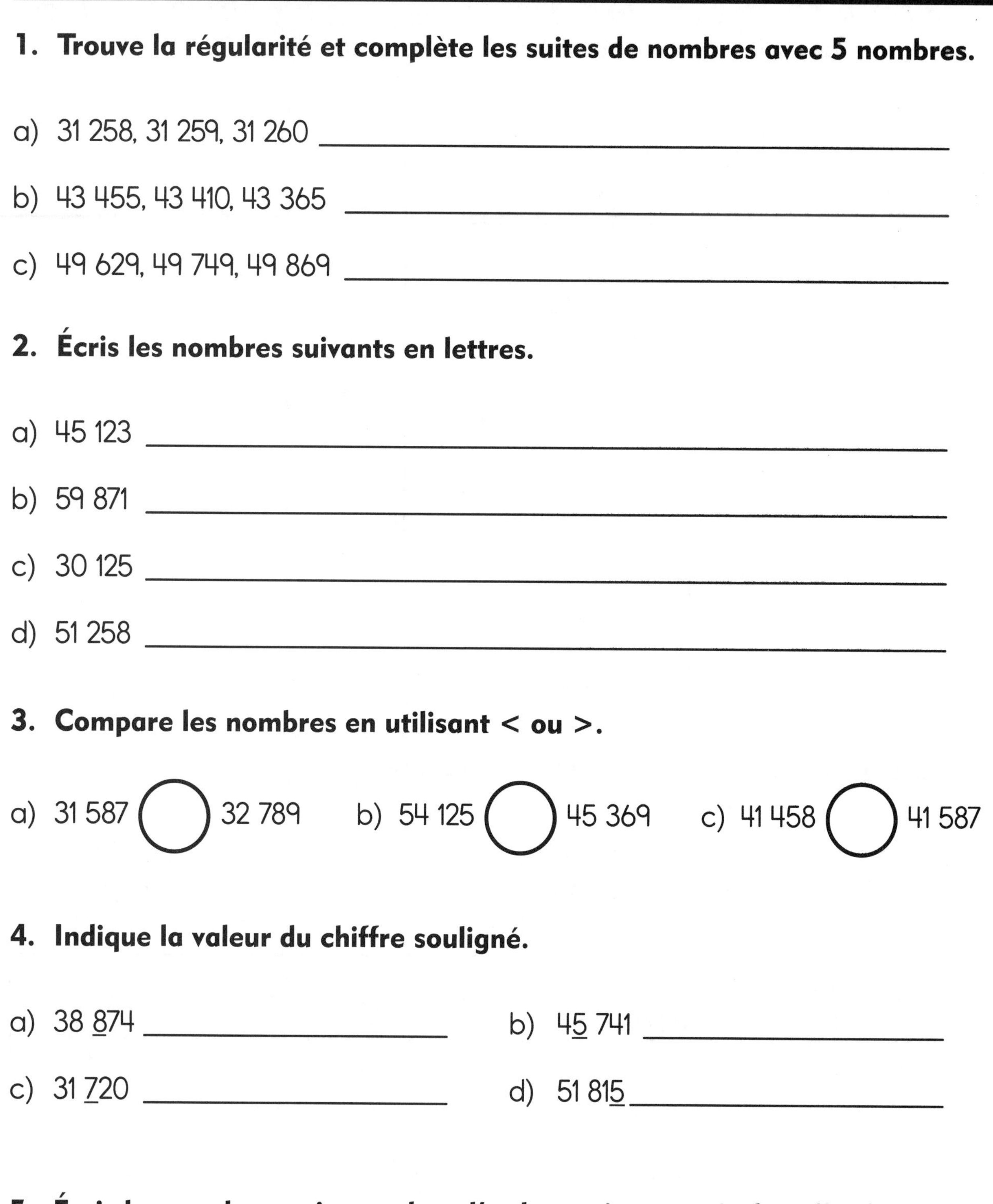

1. Trouve la régularité et complète les suites de nombres avec 5 nombres.

a) 31 258, 31 259, 31 260 ____________________

b) 43 455, 43 410, 43 365 ____________________

c) 49 629, 49 749, 49 869 ____________________

2. Écris les nombres suivants en lettres.

a) 45 123 ____________________

b) 59 871 ____________________

c) 30 125 ____________________

d) 51 258 ____________________

3. Compare les nombres en utilisant < ou >.

a) 31 587 ◯ 32 789 b) 54 125 ◯ 45 369 c) 41 458 ◯ 41 587

4. Indique la valeur du chiffre souligné.

a) 38 $\underline{8}$74 ____________ b) 4$\underline{5}$ 741 ____________

c) 31 $\underline{7}$20 ____________ d) 51 81$\underline{5}$ ____________

5. Écris les nombres suivants dans l'ordre croissant puis dans l'ordre décroissant.

45 412, 28 995, 29 539, 30 933 ____________________

____

1. Complète le tableau en ajoutant les nombres manquants.

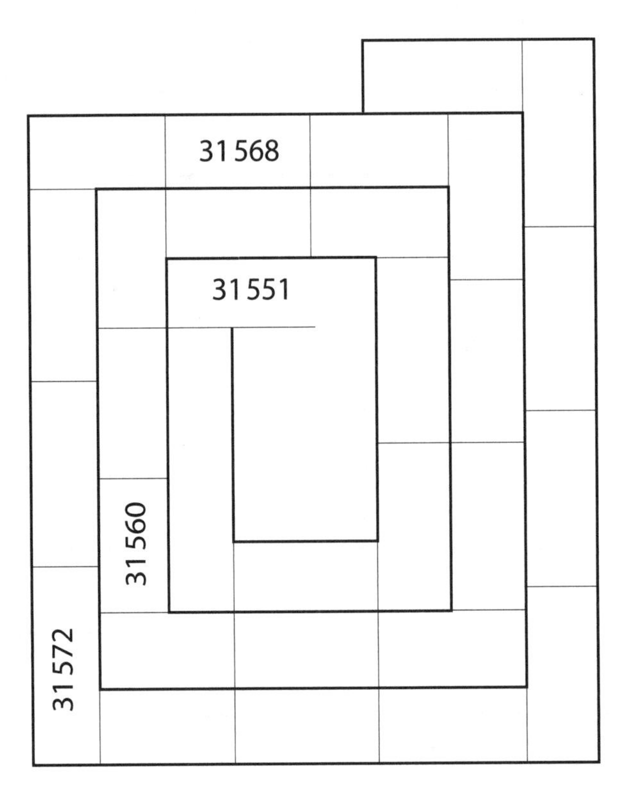

2. Décompose les nombres suivants dans le tableau.

a) 31 589 b) 39 785 c) 30 148
d) 36 777 e) 33 333 f) 37 978

	Dizaines de mille	Unités de mille	Centaines	Dizaines	Unités
a)					
b)					
c)					
d)					
e)					
f)					

3. Réponds aux questions.

a) Combien y a-t-il d'unités dans 46 524? ______________

b) Combien y a-t-il d'unités de mille dans 41 000? ______________

c) Quel chiffre est à la position des unités dans 47 899? ______________

d) Quel chiffre est à la position des centaines dans 44 125? ______________

4. Arrondis à la dizaine près.

a) 45 789 ____________ b) 44 123 ____________ c) 43 336 ____________

d) 47 458 ____________ e) 46 999 ____________ f) 49 551____________

5. Arrondis à la centaine près.

a) 45 789 ____________ b) 44 123 ____________ c) 43 336 ____________

d) 47 458 ____________ e) 46 999 ____________ f) 49 551____________

6. Encercle le plus grand nombre.

a) 49 950	41 235	48 789	49 521
b) 36 458	41 256	51 258	12 458
c) 41 789	40 258	41 325	41 899
d) 39 789	39 258	39 127	39 522

7. Décompose les nombres suivants.

a) 58 750 ______________________________

b) 47 896 ______________________________

c) 52 478 ______________________________

d) 54 783 ______________________________

e) 55 111 ______________________________

f) 55 555 ______________________________

8. Classe ces nombres dans l'ordre croissant.

a) 51 236 51 101 51 369 51 023 51 478

____

b) 54 896 55 789 50 269 58 741 53 125

____

c) 59 539 56 878 51 031 55 032 56 769

____

9. Classe ces nombres dans l'ordre décroissant.

a) 51 691 54 966 53 011 50 933 58 716

____

b) 56 737 50 800 52 291 57 444 55 799

____

1. Écris le nombre qui vient…

	Avant	Après	Entre
a)	________ 31 785	45 239 ________	54 258 ________ 54 260
b)	________ 39 992	40 523 ________	51 361 ________ 51 363
c)	________ 37 563	40 247 ________	45 840 ________ 45 842
d)	________ 31 785	45 239 ________	54 239 ________ 54 241

2. Indique quel chiffre occupe chacune des positions dans les nombres suivants.

Voici un exemple :

a) 35 159	b) 56 741	c) 44 362
UM : 35	UM : ________	UM : ________
C : 1	C : ________	C : ________
D : 5	D : ________	D : ________
U : 9	U : ________	U : ________

3. Réponds aux questions.

a) Combien y a-t-il d'unités dans 35 442 ? ________

b) Combien y a-t-il d'unités de mille dans 20 000 ? ________

c) Quel chiffre est à la position des unités dans 55 745 ? ________

d) Quel chiffre est à la position des centaines dans 51 588 ? ________

1. Complète la grille.

31 221						31 227		
				31 234				
	31 240							
						31 254		
		31 259						
							31 273	
				31 279				
	31 285							
				31 297				

2. Écris les nombres manquants sur la droite numérique.

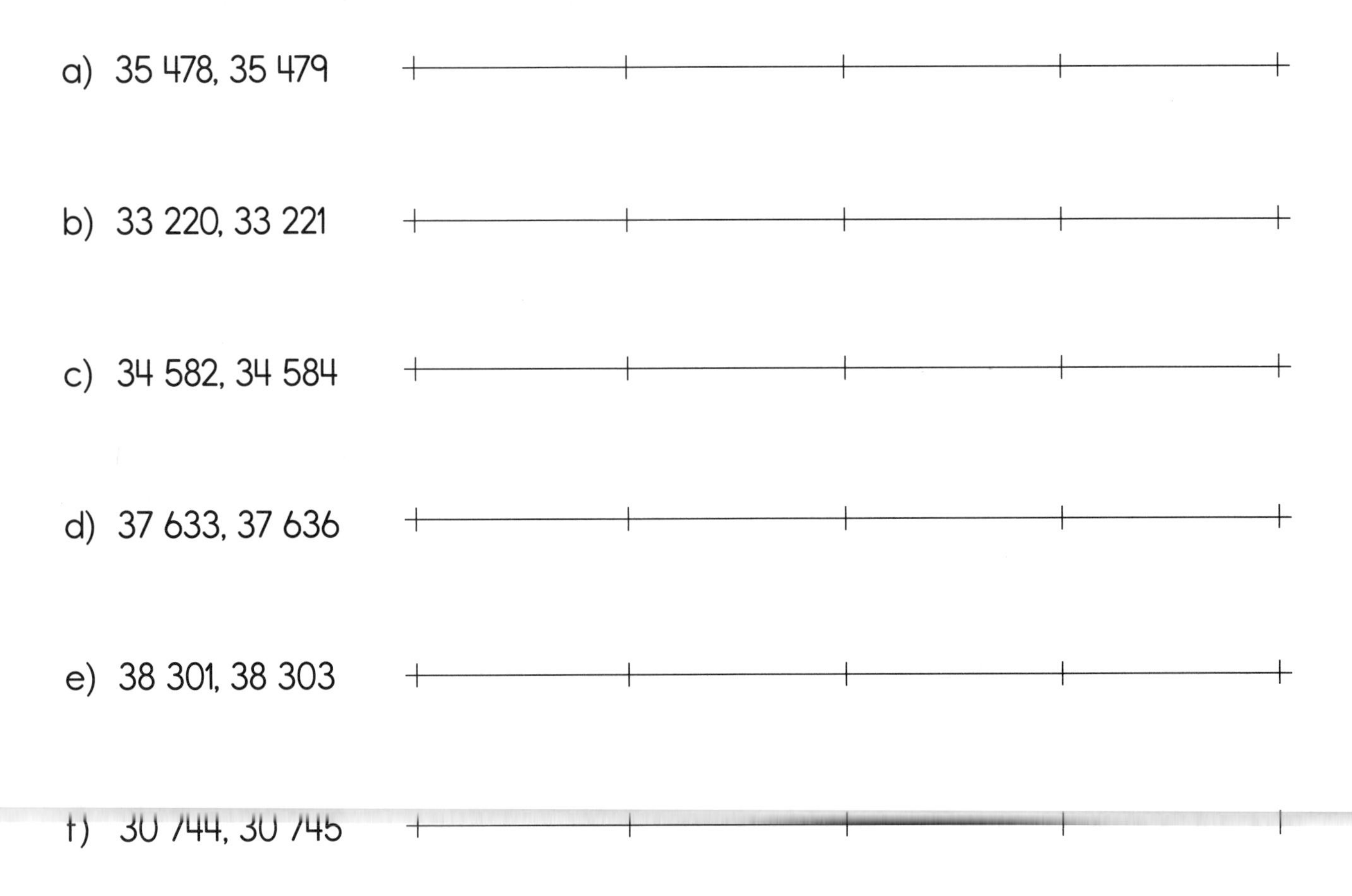

a) 35 478, 35 479

b) 33 220, 33 221

c) 34 582, 34 584

d) 37 633, 37 636

e) 38 301, 38 303

f) 30 744, 30 745

3. Trouve le nombre d'unités, de dizaines, de centaines et de milliers dans les nombres suivants.

a) **40 589**

Combien y a-t-il d'unités ? ________________

Combien y a-t-il de dizaines ? ________________

Combien y a-t-il de centaines ? ________________

Combien y a-t-il de milliers ? ________________

b) **45 121**

Combien y a-t-il d'unités ? ________________

Combien y a-t-il de dizaines ? ________________

Combien y a-t-il de centaines ? ________________

Combien y a-t-il de milliers ? ________________

c) **47 256**

Combien y a-t-il d'unités ? ________________

Combien y a-t-il de dizaines ? ________________

Combien y a-t-il de centaines ? ________________

Combien y a-t-il de milliers ? ________________

d) **44 788**

Combien y a-t-il d'unités ? ________________

Combien y a-t-il de dizaines ? ________________

Combien y a-t-il de centaines ? ________________

Combien y a-t-il de milliers ? ________________

e) **45 367**

Combien y a-t-il d'unités ? ________________

Combien y a-t-il de dizaines ? ________________

Combien y a-t-il de centaines ? ________________

Combien y a-t-il de milliers ? ________________

4. Indique quel chiffre occupe chacune des positions dans les nombres suivants.

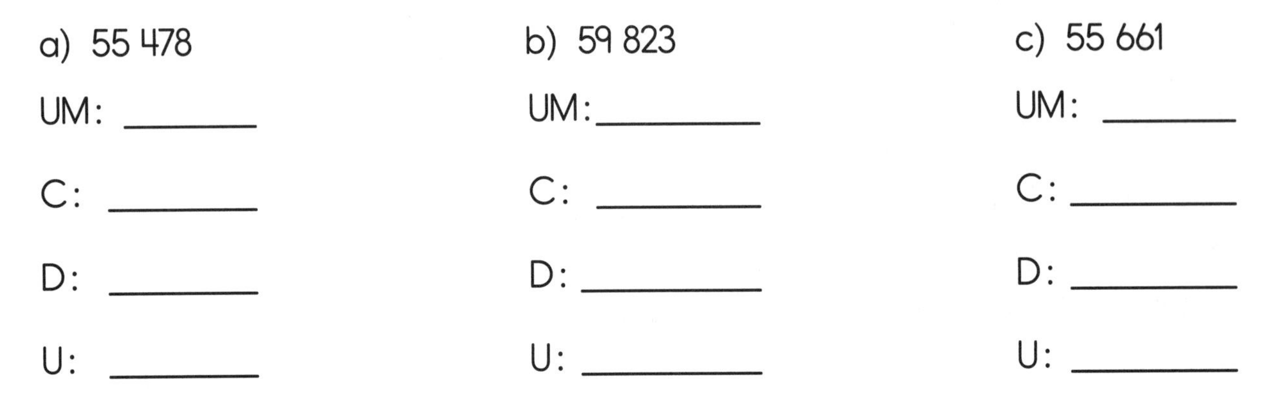

a) 55 478
UM: ________
C: ________
D: ________
U: ________

b) 59 823
UM: ________
C: ________
D: ________
U: ________

c) 55 661
UM: ________
C: ________
D: ________
U: ________

5. Compare les nombres en utilisant <, >.

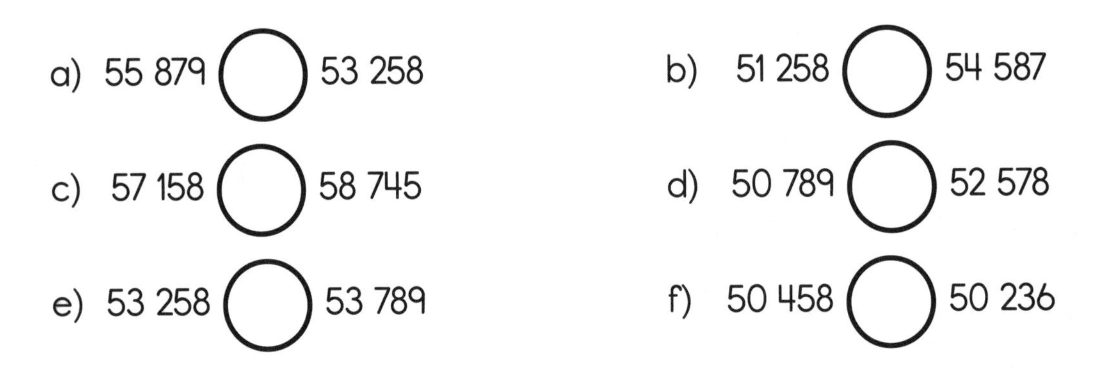

a) 55 879 ◯ 53 258

b) 51 258 ◯ 54 587

c) 57 158 ◯ 58 745

d) 50 789 ◯ 52 578

e) 53 258 ◯ 53 789

f) 50 458 ◯ 50 236

6. Classe les nombres suivants dans l'ordre croissant.

a) 52 627 54 215 50 125 50 028 55 129

____

b) 59 236 58 124 55 897 58 128 55 139

____

1. Réponds aux questions.

a) Combien y a-t-il d'unités dans 75 963? _______________

b) Combien y a-t-il d'unités de mille dans 89 367? _______________

c) Quel chiffre est à la position des unités dans 97 384? _______________

d) Quel chiffre est à la position des centaines dans 66 712? _______________

2. Encercle le plus grand nombre.

a) 98 452	62 147	85 129	97 458
b) 60 730	66 739	65 147	66 458
c) 78 321	77 415	74 236	73 129
d) 71 458	77 452	77 896	76 259

3. Complète la grille.

61 026						61 032		
				6 1039				
	61 045							
						61 059		
		61 064						
							61 078	
				61 084				
	610 090							
				61 102				

1. Remplis le tableau.

		Milliers	Centaines	Dizaines	Unités
a)	60 789				
b)	64 823				
c)	63 474				
d)	66 666				
e)	69 825				

2. Trouve la régularité et continue la suite.

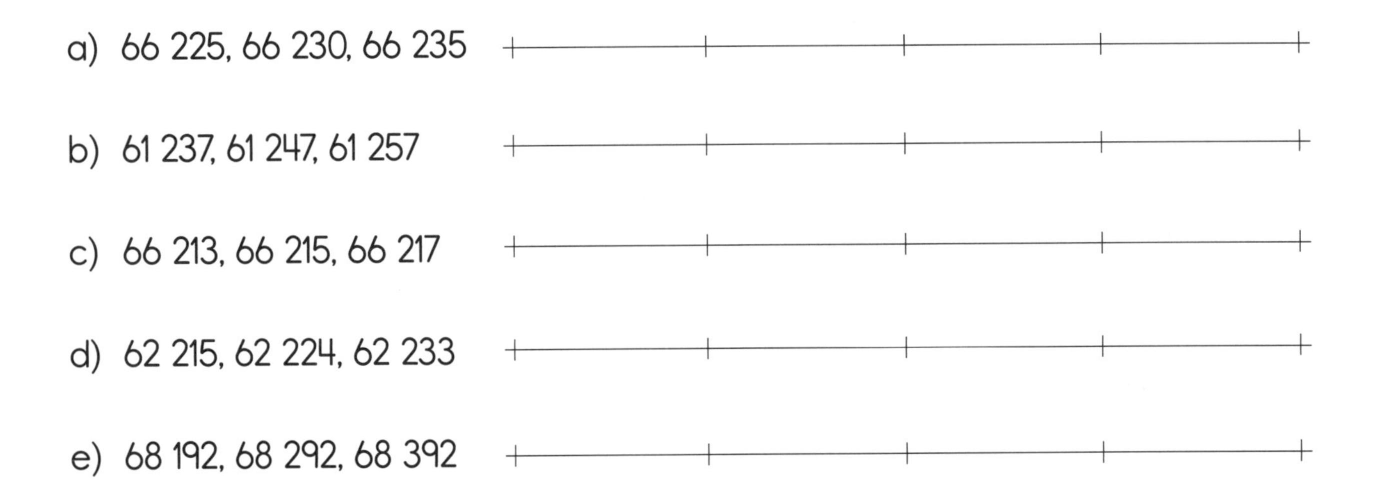

3. En sachant que UM : unité de mille, C : centaine, D : dizaine, U : unité, écris le nombre demandé.

a) 65 UM, 3 D et 4 U : ____________

b) 60 UM et 12 U : ____________

c) 67 UM, 7 C et 3 U : ____________

d) 69 UM, 6 C et 5 D : ____________

e) 62 UM, 5 C et 2 U : ____________

f) 61 UM, 1 C et 7 U : ____________

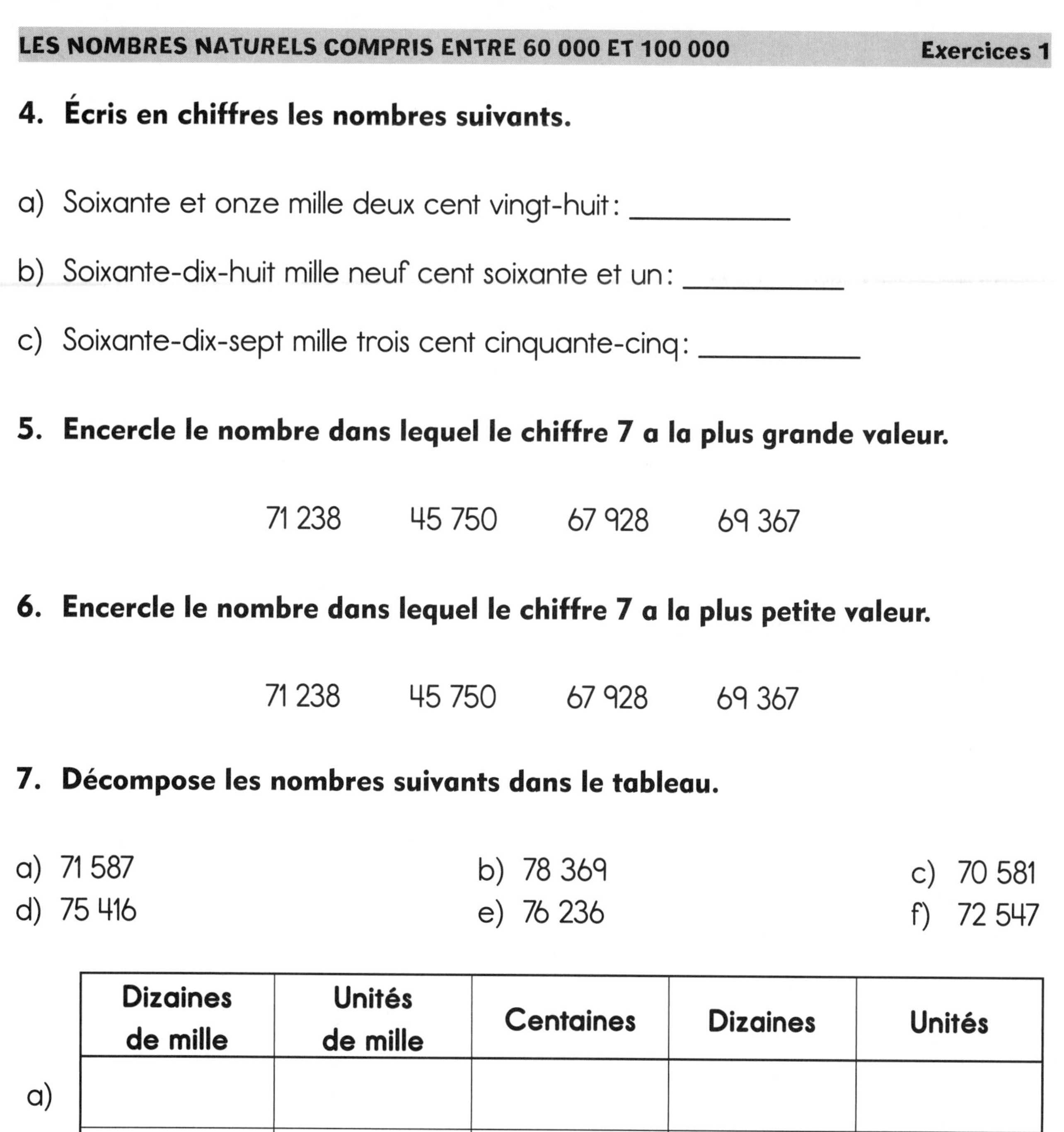

4. Écris en chiffres les nombres suivants.

a) Soixante et onze mille deux cent vingt-huit : ___________

b) Soixante-dix-huit mille neuf cent soixante et un : ___________

c) Soixante-dix-sept mille trois cent cinquante-cinq : ___________

5. Encercle le nombre dans lequel le chiffre 7 a la plus grande valeur.

71 238 45 750 67 928 69 367

6. Encercle le nombre dans lequel le chiffre 7 a la plus petite valeur.

71 238 45 750 67 928 69 367

7. Décompose les nombres suivants dans le tableau.

a) 71 587
b) 78 369
c) 70 581
d) 75 416
e) 76 236
f) 72 547

	Dizaines de mille	Unités de mille	Centaines	Dizaines	Unités
a)					
b)					
c)					
d)					
e)					
f)					

8. Trouve le nombre d'unités, de dizaines, de centaines et de milliers dans les nombres suivants.

a) **95 123**

Combien y a-t-il d'unités? ____________________
Combien y a-t-il de dizaines? ________________
Combien y a-t-il de centaines? _______________
Combien y a-t-il de milliers? _________________

b) **80 475**

Combien y a-t-il d'unités? ____________________
Combien y a-t-il de dizaines? ________________
Combien y a-t-il de centaines? _______________
Combien y a-t-il de milliers? _________________

c) **96 347**

Combien y a-t-il d'unités? ____________________
Combien y a-t-il de dizaines? ________________
Combien y a-t-il de centaines? _______________
Combien y a-t-il de milliers? _________________

d) **90 147**

Combien y a-t-il d'unités? ____________________
Combien y a-t-il de dizaines? ________________
Combien y a-t-il de centaines? _______________
Combien y a-t-il de milliers? _________________

e) **88 563**

Combien y a-t-il d'unités? ____________________
Combien y a-t-il de dizaines? ________________
Combien y a-t-il de centaines? _______________
Combien y a-t-il de milliers? _________________

1. Indique la valeur du chiffre souligné.

a) 75 169 ____________________ b) 51 815 ____________________

2. Arrondis à la centaine près.

a) 78 963 ____________ b) 66 457 ____________ c) 93 146 ____________

d) 97 412 ____________ e) 63 284 ____________ f) 98 121 ____________

3. Complète les suites de nombres.

a) 95 441, 95 440, 95 439, ________, ________, ________, ________

b) 66 125, 66 126, 66 127, ________, ________, ________, ________

c) 73 550, 73 555, 73 560, ________, ________, ________, ________

4. Écris les nombres suivants en lettres.

a) 99 000 ________________________________

b) 80 258 ________________________________

5. Compare les nombres en utilisant <, >.

a) 78 952 ◯ 78 950 b) 98 102 ◯ 78 478

c) 60 458 ◯ 71 458 d) 71 039 ◯ 78 148

e) 80 726 ◯ 60 258 f) 90 410 ◯ 90 236

Test

1. Indique quel chiffre occupe chacune des positions dans les nombres suivants.

a) 61 789	b) 66 285	c) 69 123
UM: ______	UM: ______	UM: ______
C: ______	C: ______	C: ______
D: ______	D: ______	D: ______
U: ______	U: ______	U: ______

2. Écris les nombres manquants sur la droite numérique.

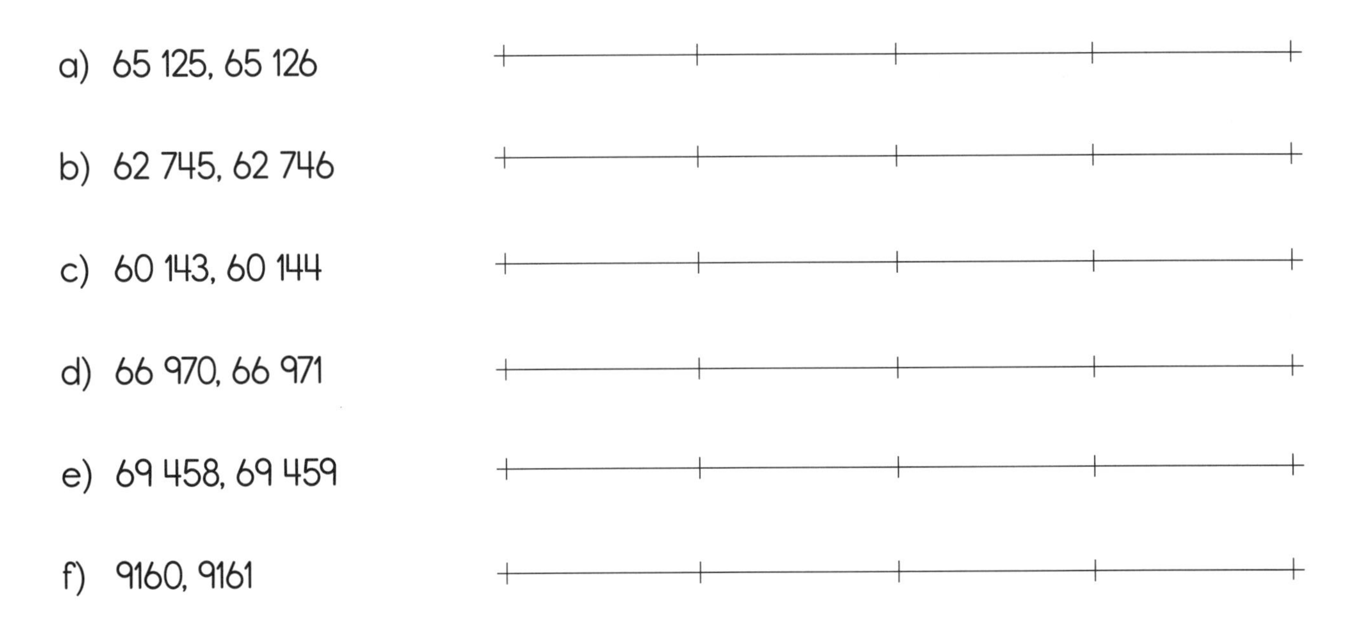

a) 65 125, 65 126

b) 62 745, 62 746

c) 60 143, 60 144

d) 66 970, 66 971

e) 69 458, 69 459

f) 9160, 9161

3. Arrondis les nombres suivants à la dizaine près.

a) 66 789 ______________ b) 68 754 ______________

c) 64 123 ______________ d) 63 177 ______________

4. Remplis le tableau.

	Nombre	Décomposition
a)	70 258	
b)		70 000 + 900 + 6
c)	78 269	
d)		75 000 + 500 + 7
e)	74 632	

5. Encercle le nombre en chiffres qui correspond à celui en lettres.

a)	Soixante-seize mille neuf cent quatre-vingt	76 589	76 980	77 125
b)	Soixante-dix mille	70 000	60 000	80 000
c)	Soixante-douze mille quatre cent un	70 900	72 401	73 444
d)	Soixante-dix-neuf mille cinq cent douze	79 512	80 301	79 494
e)	Soixante-douze mille neuf cent quatre-vingt-quatorze	70 151	72 127	72 994

6. Quelle est la valeur des chiffres soulignés dans les nombres ?

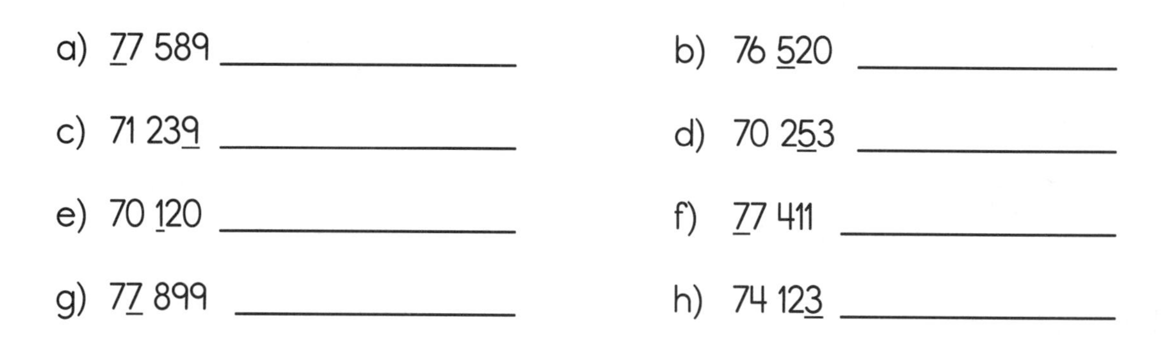

a) 77 589 ____________ b) 76 520 ____________

c) 71 239 ____________ d) 70 253 ____________

e) 70 120 ____________ f) 77 411 ____________

g) 77 899 ____________ h) 74 123 ____________

7. Classe les nombres suivants dans l'ordre croissant.

a) 87 523 89 125 80 256 ____________________

b) 80 125 98 458 97 521 ____________________

c) 89 254 96 214 94 125 ____________________

d) 80 256 80 129 84 133 ____________________

8. Décompose les nombres selon la méthode demandée.

Voici un exemple :

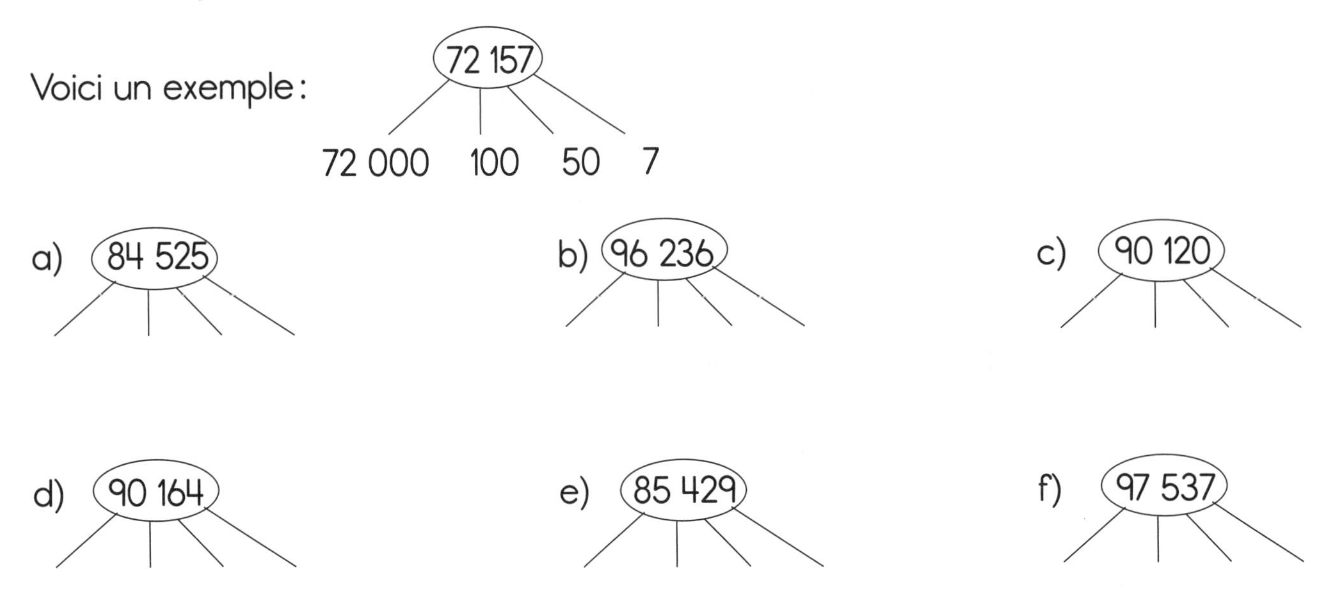

9. Compare les nombres à l'aide des symboles <, = ou >.

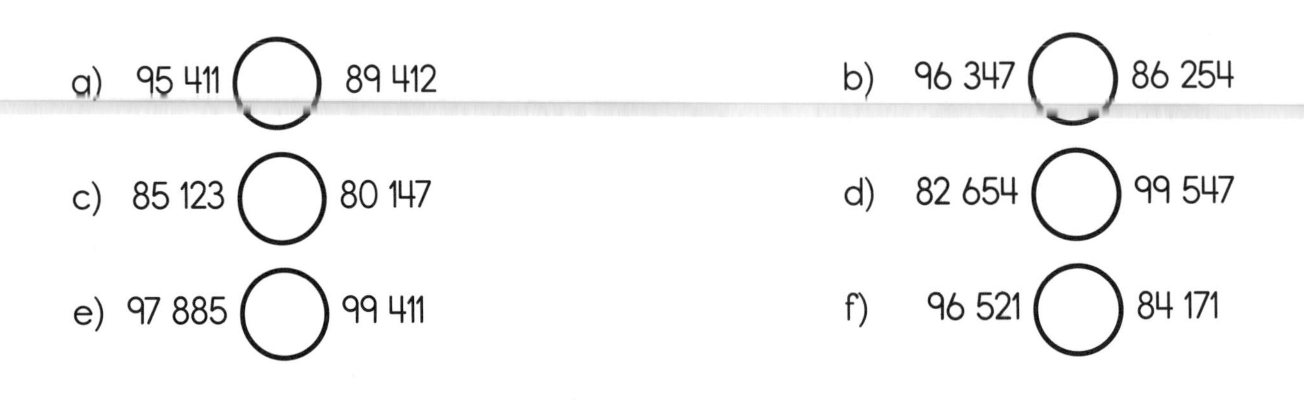

1. Complète les cases vides.

+ 5	
5	
7	
3	
8	
6	
10	
4	
9	

+ 7	
8	
11	
3	
15	
12	
10	
4	
9	

+ 4	
10	
12	
3	
13	
6	
7	
4	
9	

2. Effectue les additions suivantes.

a) 28 + 11 =

b) 46 + 53 =

c) 60 + 17 =

d) 137 + 185=

e) 433 + 108 =

f) 714 + 197 =

g) 296 + 385 =

h) 602 + 299 =

i) 524 + 186 =

j) 1389 + 2252 =

k) 2322 + 2848 =

l) 3895 + 5625 =

3. Trouve les sommes. Tu peux tracer ta démarche pour t'aider.

a) Marina a cueilli 500 carottes. Sophie en a cueilli 125 de plus. Combien de carottes Sophie a-t-elle cueillies ? ____________________

b) Marie-Soleil a acheté 23 autocollants lundi. Mardi, elle en a achetés 31, mercredi, elle en a achetés 26. Combien d'autocollants a-t-elle achetés en tout ? ____________________

c) Martin a 119 petites voitures de course. Son ami Pierre en a 187. Combien en ont-ils au total ? ____________________

1. Complète la grille d'additions suivante.

+	1	5	9	8	4	6	7
6							
5							
9							
4							
8							
3							
7							

2. Complète les additions suivantes.

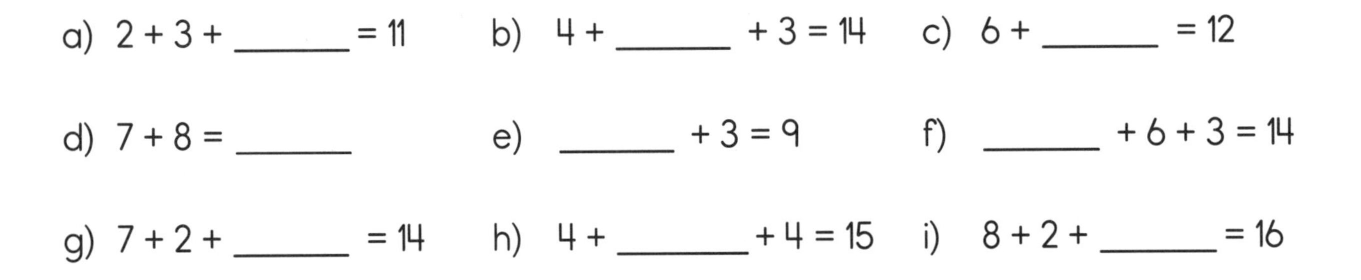

a) $2 + 3 +$ ______ $= 11$ b) $4 +$ ______ $+ 3 = 14$ c) $6 +$ ______ $= 12$

d) $7 + 8 =$ ______ e) ______ $+ 3 = 9$ f) ______ $+ 6 + 3 = 14$

g) $7 + 2 +$ ______ $= 14$ h) $4 +$ ______ $+ 4 = 15$ i) $8 + 2 +$ ______ $= 16$

3. Complète les carrés magiques. N'oublie pas que la somme est toujours la même, qu'on additionne les lignes horizontales ou verticales.

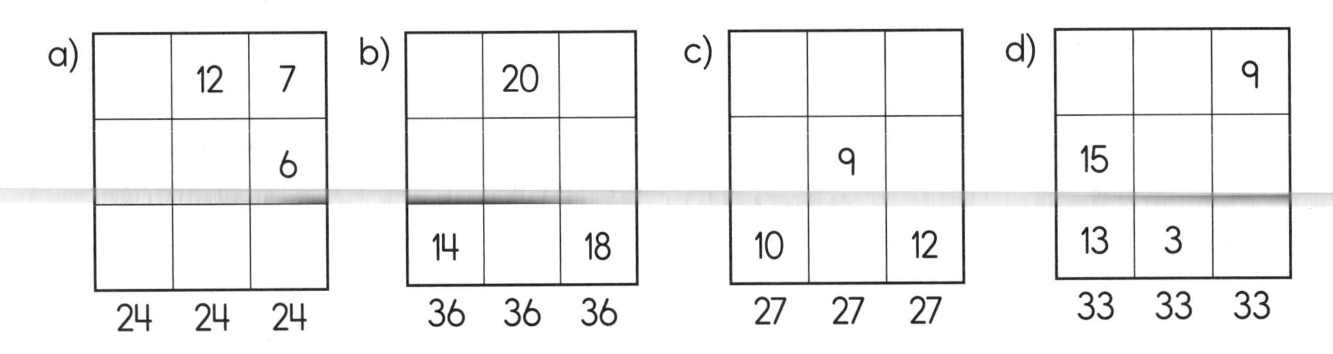

a)

	12	7
		6
24	24	24

b)

	20	
14		18
36	36	36

c)

	9	
10		12
27	27	27

d)

		9
15		
13	3	
33	33	33

4. Effectue les additions demandées.

a) 44 + 20 + 16

b) 621 + 147

c) 224 + 37 + 175

d) 536 + 153

e) 194 + 621

f) 181 + 276 + 136

g) 228 + 334

h) 44 + 20 + 16

i) 271 + 97

j) 104 + 150

k) 170 + 70

l) 157 + 56

5. Trouve le terme manquant. Le nombre au centre est la somme des quatre autres nombres.

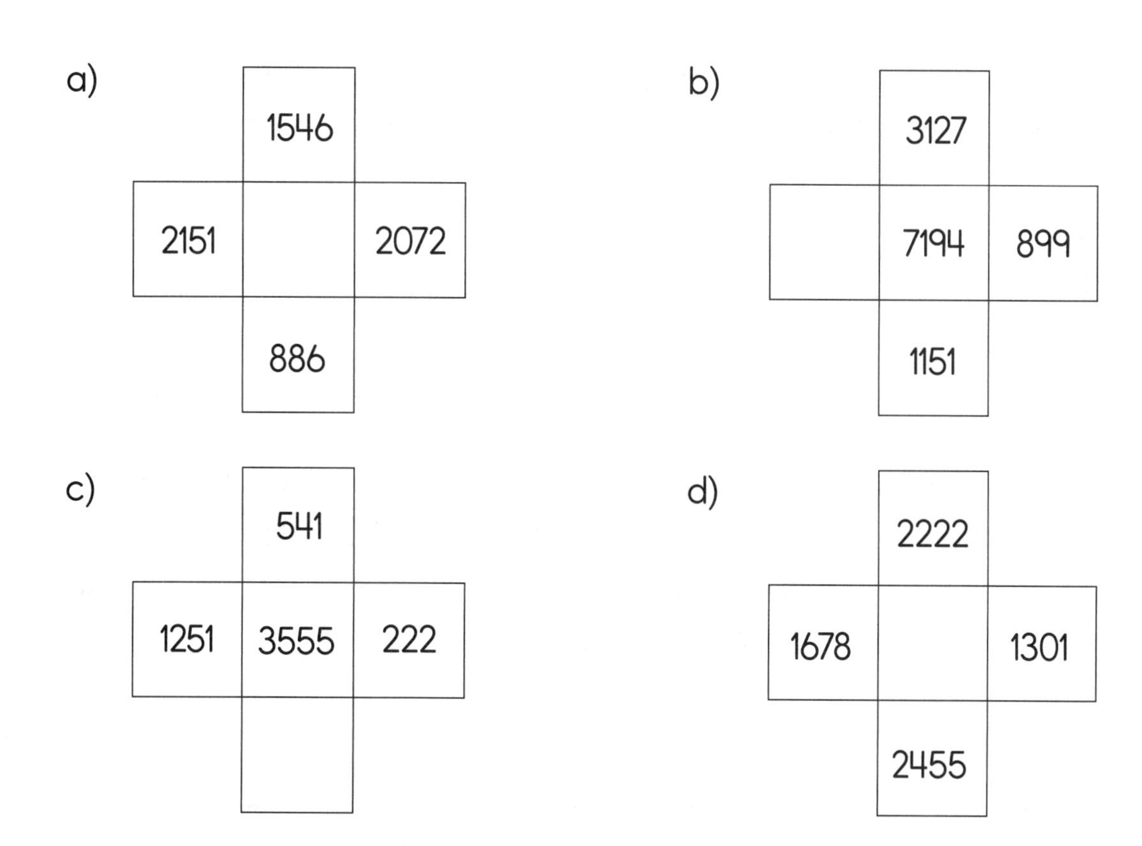

6. Trouve les sommes suivantes.

a) Stéphane a ramassé 127 bouteilles vides pour la campagne de financement des scouts. Son ami Yves en a ramassées 284. Combien de bouteilles les deux amis ont-ils ramassées ?

Trace ta démarche : ______________________________

Réponse : ______________________________

b) Il y a plusieurs fourmilières dans notre cour arrière. J'ai compté 215 fourmis dans la première, 256 dans la deuxième, et il y en avait autant dans la troisième que dans la deuxième. Combien de fourmis ai-je comptées dans ma cour ?

Trace ta démarche : ______________________________

Réponse : ______________________________

c) Patrice a parcouru 136 km en vélo lundi. Mardi, il a parcouru 127 km et mercredi, 58 km. Combien de kilomètres Patrice a-t-il parcourus en trois jours ?

Trace ta démarche : ______________________________

Réponse : ______________________________

d) Marie-Josée travaille au guichet de la Maison des horreurs. Vers 9 h, un groupe de 574 enfants est entré. Vers midi, il est entré 458 visiteurs. Enfin à 15 h, un groupe de 158 enfants est entré. Combien de personnes ont visité la Maison des horreurs durant cette journée ?
Trace ta démarche : ______________________________

Réponse : ______________________________

1. Effectue les additions suivantes.

a) 4 + 9 = b) 6 + 7 = c) 3 + 10 = d) 9 + 7 =

e) 10 + 6 = f) 11 + 4 = g) 8 + 5 = h) 9 + 4 =

i) 344 + 125 = j) 224 + 175 = k) 628 + 183 = l) 344 + 227 =

m) 141 + 110 = n) 175 + 175 = o) 276 + 236 = p) 526 + 1253 =

2. Trouve les termes manquants.

a) 342 + ________ = 526 b) 218 + ________ = 449

c) 435 + ________ = 821 d) 180 + 449 = ________

e) ________ + 325 = 758 f) ________ + 283 = 498

3. Trouve les sommes.

a) 6246 + 1438
b) 4525 + 1258
c) 1358 + 7895
d) 1258 + 7896

e) 2598 + 3258
f) 6841 + 2369
g) 1478 + 1523
h) 2369 + 1236

4. Le fermier compte les animaux de sa ferme. Il a 1258 vaches, 712 moutons, 12 poules et 3 chiens. Combien y a-t-il d'animaux au total sur la ferme ?

Trace ta démarche : ______________________________

Réponse : ______________________________

1. Complète le tableau suivant.

+ ↔	5	9	7	10	8
3	8	12	10	13	11
6	11	15	13	16	14
4	~~10~~ 9	13	11	14	12
2	7	11	9	12	10
5	10	14	12	15	13
7	12	16	14	17	16
9	14	18	16	19	17

2. Demande à un adulte de calculer le temps que tu prendras pour résoudre les additions suivantes.

7 + 8 = 15	4 + 8 = 12	4 + 5 = 9	8 + 9 = 16
3 + 8 = 11	6 + 8 = 14	7 + 9 = 16	2 + 5 = 7
6 + 7 = 13	2 + 3 = 5	6 + 3 = 9	5 + 8 = 13
5 + 9 = 14	2 + 7 = 9	4 + 9 = 13	2 + 9 = 11
3 + 4 = 7	3 + 9 = 12	2 + 4 = 6	3 + 7 = 10
7 + 8 = 15	4 + 8 = 12	4 + 5 = 9	8 + 9 = 17
4 + 7 = 11	3 + 5 = 8	2 + 8 = 10	4 + 6 = 10

3. Trouve les paires de nombres dont la somme est 150. Écris-les ci-dessous.

75	61	89	25
10	100	62	138
125	98	12	140
88	50	52	75

____

____

____

4. Additionne les colonnes.

148	140	184	137
163	158	175	179
142	155	156	166
165	173	146	185

________ ________ ________ ________

5. Fais les additions le plus rapidement possible.

a) 1126 + 1926

b) 8147 + 4659

c) 7911 + 1258

d) 1000 + 1589

e) 3589 + 3596

f) 1557 + 1784

g) 1785 + 3697

h) 2689 + 4789

i) 2876 + 908

j) 7101 + 1253

k) 4223 + 2549

l) 658 + 4339

6. Complète les cases vides.

+ 125	
115	
127	
633	
128	
600	
100	
425	
409	

+ 328	
158	
111	
302	
138	
121	
105	
410	
179	

+ 411	
100	
112	
133	
513	
601	
507	
444	
125	

7. Ajoute 1345 à chaque nombre.

a) 5014 __________ b) 2500 __________ c) 3500 __________

d) 8051 __________ e) 4495 __________ f) 1950 __________

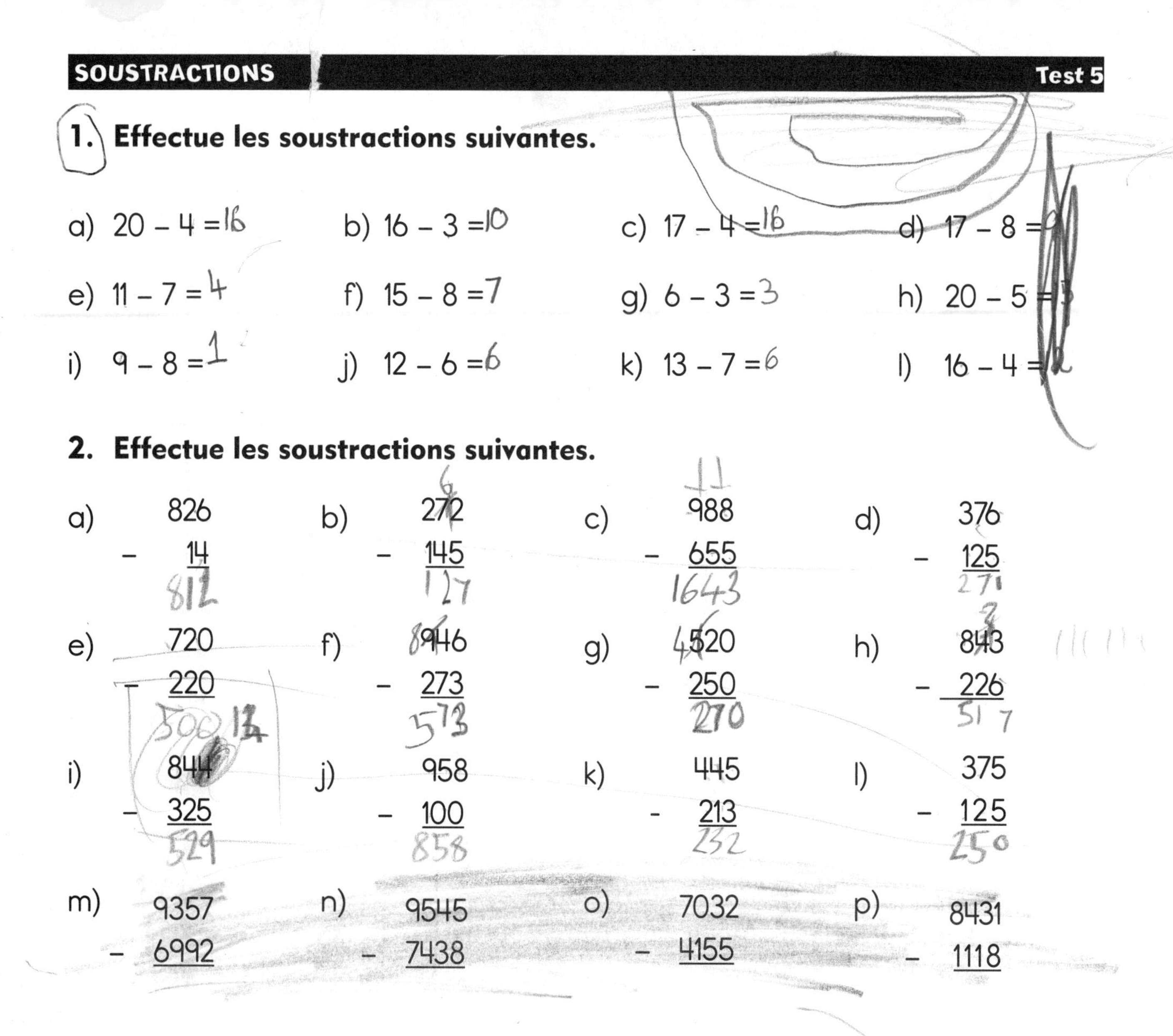

1. Effectue les soustractions suivantes.

a) 20 − 4 =   b) 16 − 3 =   c) 17 − 4 =   d) 17 − 8 =

e) 11 − 7 =   f) 15 − 8 =   g) 6 − 3 =   h) 20 − 5 =

i) 9 − 8 =   j) 12 − 6 =   k) 13 − 7 =   l) 16 − 4 =

2. Effectue les soustractions suivantes.

a) 826 − 14   b) 272 − 145   c) 988 − 655   d) 376 − 125

e) 720 − 220   f) 946 − 273   g) 520 − 250   h) 843 − 226

i) 844 − 325   j) 958 − 100   k) 445 − 213   l) 375 − 125

m) 9357 − 6992   n) 9545 − 7438   o) 7032 − 4155   p) 8431 − 1118

3. Trouve la différence des soustractions.

a) Il faut 23 points à Mathieu pour faire partie des meilleurs compteurs. Il a déjà accumulé 15 points. Combien lui manque-t-il de points ?

Trace ta démarche : ____________________

Réponse : ____________________

b) Juliette a échappé 58 fois le ballon. Noémie l'a échappé 12 fois de moins. Combien de fois Noémie a-t-elle échappé le ballon ?

Trace ta démarche : ____________________

Réponse : ____________________

1. Complète les cases vides.

– 8	
15	7
12	4
13	5
18	10
16	8
10	2
14	6
17	9

– 6	
12	6
15	9
11	5
9	3
15	9
10	4
13	7
17	11

– 7	
10	2
14	7
9	2
12	5
8	1
15	8
11	4
13	6

2. Soustrais en partant du centre.

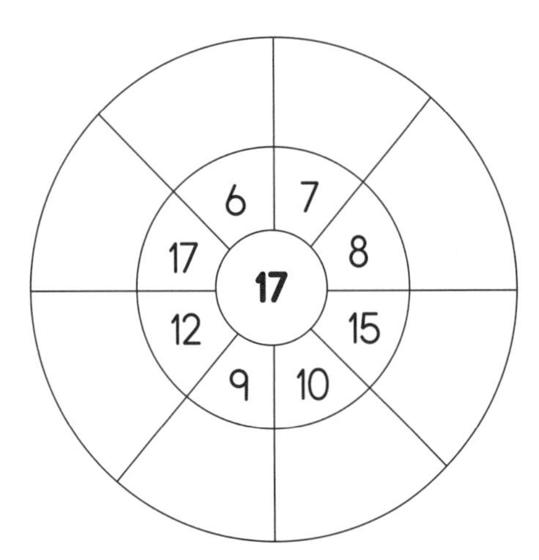

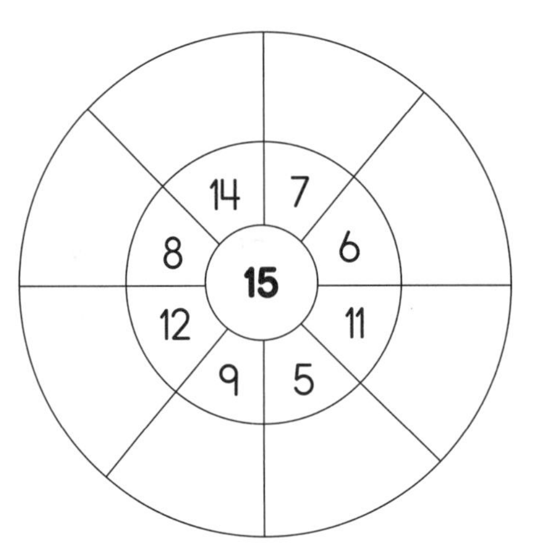

3. Complète la grille suivante.

– ↗	12	3	8	6	4	7	9	5	11
17									
15									
13									
16									
12									
14									

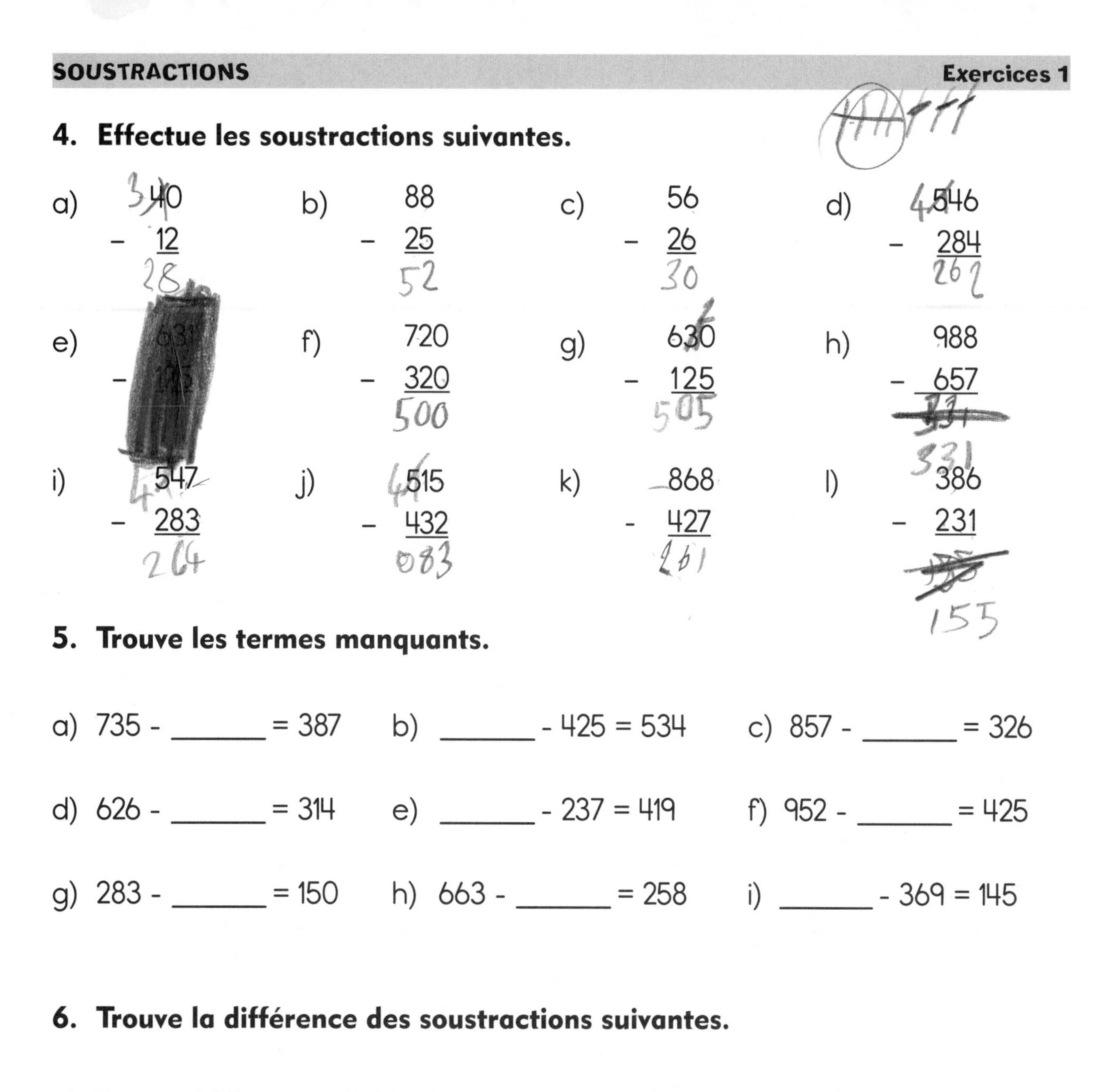

4. Effectue les soustractions suivantes.

a) $40 - 12$

b) $88 - 25$

c) $56 - 26$

d) $546 - 284$

e) 63[illegible] − [illegible]

f) $720 - 320$

g) $630 - 125$

h) $988 - 657$

i) $547 - 283$

j) $515 - 432$

k) $868 - 427$

l) $386 - 231$

5. Trouve les termes manquants.

a) 735 - ______ = 387

b) ______ - 425 = 534

c) 857 - ______ = 326

d) 626 - ______ = 314

e) ______ - 237 = 419

f) 952 - ______ = 425

g) 283 - ______ = 150

h) 663 - ______ = 258

i) ______ - 369 = 145

6. Trouve la différence des soustractions suivantes.

a) Environ 600 sapins de Noël ont été coupés. Antoine a coupé 259 sapins et Charles en a coupé 27. Combien de sapins de moins Charles a-t-il coupés ?

Démarche : ______________________________

Réponse : ______________________________

b) Ma grand-mère a fait cuire 525 beignes pour Noël. Elle en a donnés 48 à sa fille, 68 à son garçon. Combien de beignes lui reste-t-il ?

Démarche : ______________________________

Réponse : ______________________________

7. Effectue les soustractions suivantes.

a) 2325 − 1214

b) 5364 − 3057

c) 7546 − 3783

d) 8047 − 1523

e) 4528 − 1263

f) 6389 − 3154

g) 8200 − 1624

h) 9876 − 4562

8. Soustrais 1345 à chaque nombre.

a) 5014 ____________ b) 2500 ____________ c) 3500 ____________

d) 8051 ____________ e) 4495 ____________ f) 1950 ____________

9. Complète les cases vides.

↗	− 1258
2115	
1271	
1633	
4128	
6000	
1500	
4250	
4090	

↗	− 551
1158	
11111	
3021	
1387	
1219	
1050	
4104	
1799	

↗	− 2147
6100	
4112	
7133	
5513	
4601	
5107	
4444	
3125	

10. Effectue les soustractions.

a) 9643 − 353

b) 4134 − 3871

c) 1189 − 819

d) 7294 − 5773

1. Complète la grille suivante.

– ↗	12	3	8	6	4	7	9	5	11
18									
20									
24									
19									
25									
23									

[…]ivantes.

[…] $\begin{array}{r} [\ldots]37 \\ - \underline{\ 6} \end{array}$ c) $\begin{array}{r} 379 \\ - \underline{142} \end{array}$ d) $\begin{array}{r} 78 \\ - \underline{43} \end{array}$

[…] $\begin{array}{r} [\ldots]486 \\ - \underline{323} \end{array}$ g) $\begin{array}{r} 77 \\ - \underline{26} \end{array}$ h) $\begin{array}{r} 699 \\ - \underline{510} \end{array}$

[…] $\begin{array}{r} [\ldots]579 \\ - \underline{541} \end{array}$ k) $\begin{array}{r} 289 \\ - \underline{256} \end{array}$ l) $\begin{array}{r} 444 \\ - \underline{424} \end{array}$

m) $\begin{array}{r} 155 \\ - \underline{\ \ 2} \end{array}$ n) $\begin{array}{r} 768 \\ - \underline{625} \end{array}$ o) $\begin{array}{r} 297 \\ - \underline{242} \end{array}$ p) $\begin{array}{r} 449 \\ - \underline{315} \end{array}$

q) $\begin{array}{r} 568 \\ - \underline{525} \end{array}$ r) $\begin{array}{r} 266 \\ - \underline{141} \end{array}$ s) $\begin{array}{r} 266 \\ - \underline{134} \end{array}$ t) $\begin{array}{r} 651 \\ - \underline{511} \end{array}$

1. Trouve les paires de nombres dont la différence est 45. Écris-les ci-dessous.

50	76	70	69
49	23	68	13
77	4	25	31
58	32	24	5

____

2. Effectue les soustractions. Utilise le code pour trouver la phrase mystère.

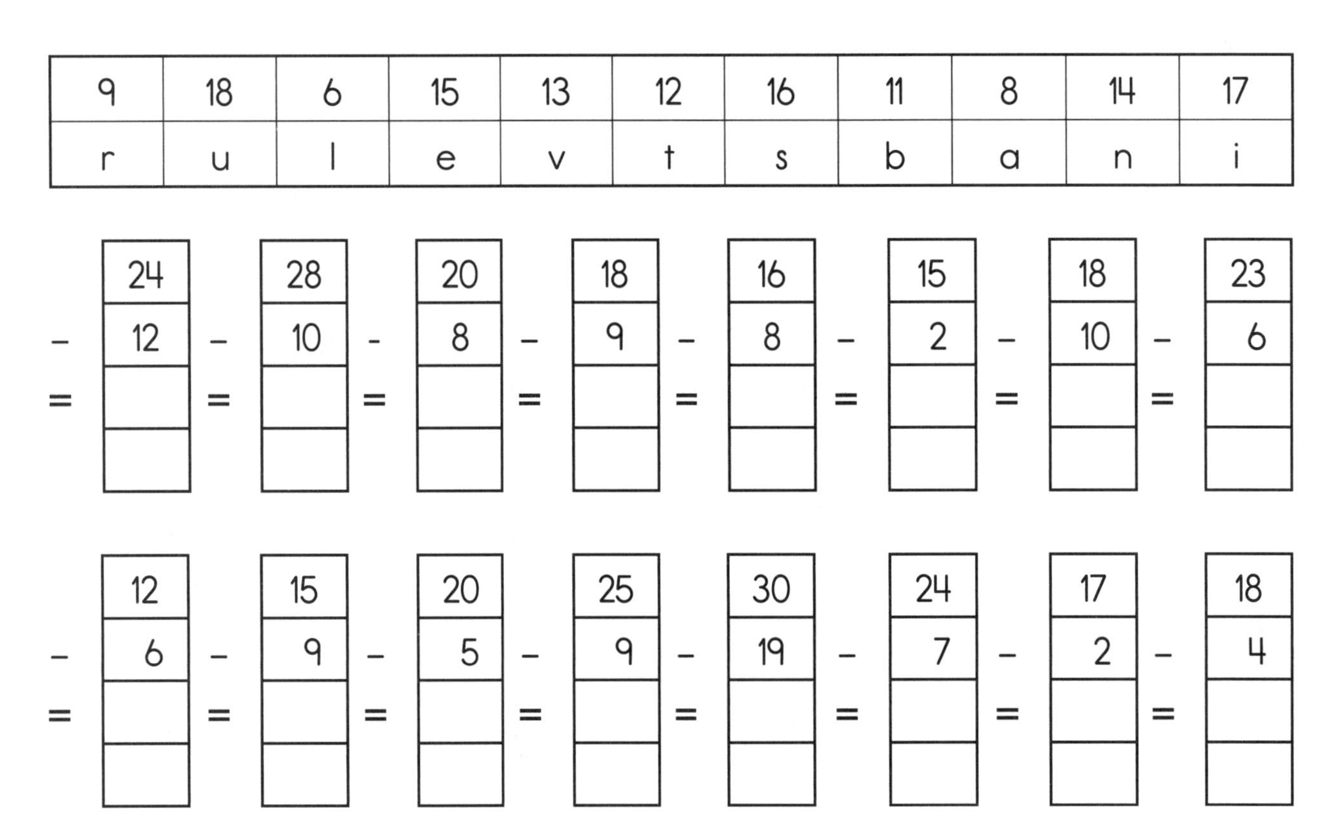

9	18	6	15	13	12	16	11	8	14	17
r	u	l	e	v	t	s	b	a	n	i

24	28	20	18	16	15	18	23
– 12	– 10	– 8	– 9	– 8	– 2	– 10	– 6
=	=	=	=	=	=	=	=

12	15	20	25	30	24	17	18
– 6	– 9	– 5	– 9	– 19	– 7	– 2	– 4
=	=	=	=	=	=	=	=

3. Effectue les soustractions. Vérifie ta réponse en faisant l'addition correspondante.

a) 52 – 37 ____________________

____

b) 80 – 26 ____________________

____

4. Résous les soustractions.

a) Il y a 25 filles dans la classe de Justine. 13 élèves quittent la classe. Combien reste-t-il d'élèves dans la classe ?

____

b) Jason a 144 billes bleues. Il en donne 72 à Jack. Combien lui reste-t-il de billes ?

____

c) Béatrice collectionne les gommes à effacer. Elle en a 274. Elle en donne 14 à Laurence, 36 à Brenda. Combien lui en reste-t-il ?

____

d) Au Jardin botanique, il y a 568 rosiers de différentes espèces. Le verglas en a détruit 321. Combien reste-t-il de rosiers ?

____

e) Roberto a amassé 2896 $ lors de sa vente-débarras. Il donne 1258 $ à la Fondation de l'hôpital pour enfants. Combien lui reste-t-il d'argent ?

____

f) Il y a 1259 personnes qui vivent dans l'immeuble au coin de ma rue. Bientôt, 178 déménageront. Combien restera-t-il de personnes ?

____

5. Enlève 1752 à chaque nombre.

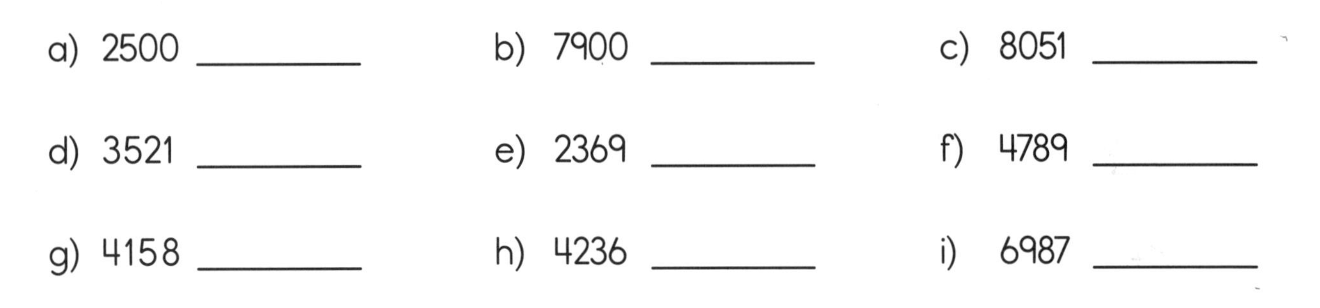

a) 2500 ________ b) 7900 ________ c) 8051 ________

d) 3521 ________ e) 2369 ________ f) 4789 ________

g) 4158 ________ h) 4236 ________ i) 6987 ________

6. Complète la grille.

–	1258	3681	2589	1028	1147
6974					
4148					
7892					
6410					
7852					

7. Résous les soustractions.

a) Enlève 17 centaines à 7452. ________________

b) Enlève 147 unités à 782. ________________

c) Enlève une dizaine de mille à 14 789. ________________

d) Enlève trois dizaines à 478.

e) Enlève 5 dizaines à 4789. ________________

f) Enlève 6 dizaines de mille à 60 587. ________________

1. Transforme les additions en multiplications.

a) 2 + 2 + 2 + 2 2X4=8

b) 5 + 5 + 5 + 5 + 5 5x5 = 25

c) 3 + 3 2X3 =6

d) 9 + 9 + 9 2x9= 18

e) 7 + 7 + 7 + 7 + 7 + 7 + 7 + 7 + 7 + 7 + 7 11 X 7 =77

2. Trouve le produit.

a) 3 x 4 = 12

b) 5 x 7 = 35

c) 3 x 8 = 24

d) 4 x 4 = 16

e) 7 x 3 = 21

f) 2 x 4 = ______

g) 9 x 2 = 18

h) 1 x 6 = ______

i) 6 x 5 = ______

3. Complète le tableau suivant.

x	0	1	2	3	4	5	6
0	0						
4							
2							
5							
3							
6							
7							
9							

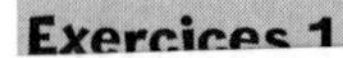

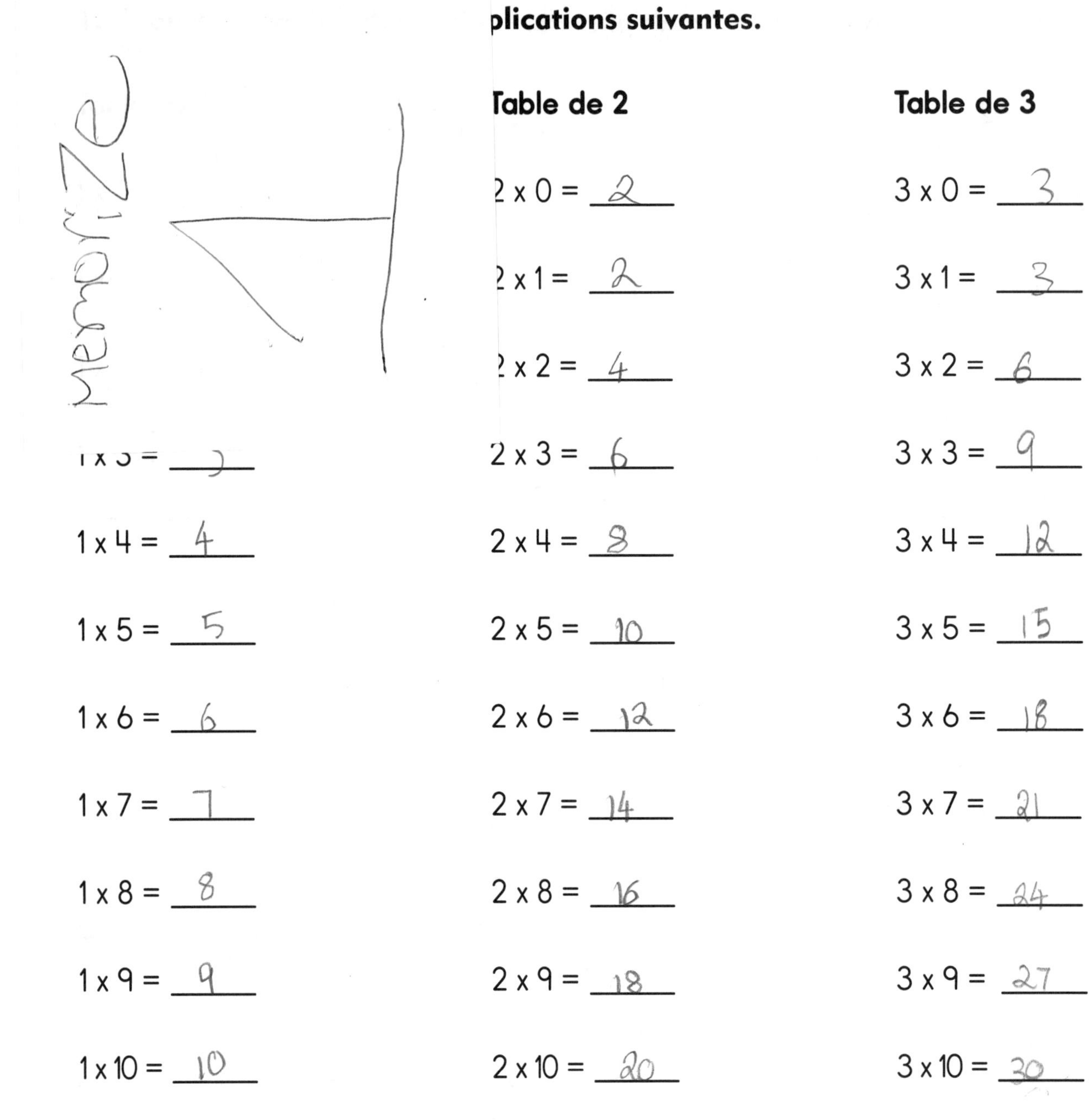

plications suivantes.

	Table de 2	Table de 3
	2 x 0 = ____	3 x 0 = ____
	2 x 1 = ____	3 x 1 = ____
	2 x 2 = ____	3 x 2 = ____
1 x 3 = ____	2 x 3 = ____	3 x 3 = ____
1 x 4 = ____	2 x 4 = ____	3 x 4 = ____
1 x 5 = ____	2 x 5 = ____	3 x 5 = ____
1 x 6 = ____	2 x 6 = ____	3 x 6 = ____
1 x 7 = ____	2 x 7 = ____	3 x 7 = ____
1 x 8 = ____	2 x 8 = ____	3 x 8 = ____
1 x 9 = ____	2 x 9 = ____	3 x 9 = ____
1 x 10 = ____	2 x 10 = ____	3 x 10 = ____

2. Remplis cette grille de multiplication.

x	1	5	8	4	3	9	6	10	2	7
4	4	16	33							
5										

3. Associe les équations aux illustrations correspondantes.

a) 2 x 7 1. ★★★★★ ★★★★★ ★★★★★

b) 3 x 5 2. ★★★ ★★★ ★★★

c) 4 x 4 3. ★★★ ★★★ ★★★ ★★★ ★★★ ★★★

d) 3 x 3 4. ★★★★ ★★★★ ★★★★ ★★★★

e) 6 x 3 5. ★★★★★★★ ★★★★★★★

4. Trouve une multiplication pour représenter les illustrations suivantes.

a) ☾☾☾ ☾☾☾ ☾☾☾ ☾☾☾

4x3=12

b) ☾☾ ☾☾ ☾☾ ☾☾ ☾☾
☾☾ ☾☾ ☾☾ ☾☾

8X2=16

c) ☾☾☾☾☾ ☾☾☾☾☾ ☾☾☾☾☾
☾☾☾☾☾ ☾☾☾☾☾

5X5=25

d) ☾☾☾☾ ☾☾☾☾ ☾☾☾☾
☾☾☾☾ ☾☾☾☾ ☾☾☾☾

6X4=24

e) ☾☾☾ ☾☾☾ ☾☾☾ ☾☾☾
☾☾☾ ☾☾☾ ☾☾☾

7X3=21

f) ☾☾☾☾ ☾☾☾☾ ☾☾☾☾ ☾☾☾☾
☾☾☾☾ ☾☾☾☾ ☾☾☾☾ ☾☾☾☾
☾☾☾☾

9X4=36

5. Formule l'équation et écris le produit.

a) Trois équipes formées de sept personnes ont entrepris les travaux de rénovation de l'école. Combien de personnes travaillent à la rénovation de l'école?

____

b) Le club secret des aventuriers organise une soirée de recrutement, 8 personnes apportent chacune 2 desserts pour nourrir l'assemblée. Combien de desserts seront servis?

____

c) Les élèves de l'école vendent du chocolat pour la campagne de financement. On demande à chaque élève de vendre 10 barres de chocolat au coût de 3 dollars chacune. Combien d'argent chaque élève rapportera-t-il?

____

d) Il y a 3 classes de 3e année à l'école, et 8 élèves par classe prépareront un numéro de magie pour le spectacle de fin d'année. Combien d'élèves magiciens verra-t-on?

____

e) Étienne a un élevage de chiens où 12 chiennes ont eu chacune 5 chiots. Combien de chiots sont nés?

____

f) Justin, pour se faire de l'argent de poche, cueille des fraises. Il a cueilli 9 casseaux contenant chacun 10 grosses fraises. Combien de fraises a-t-il cueillies?

____

1. Trouve le produit des multiplications suivantes.

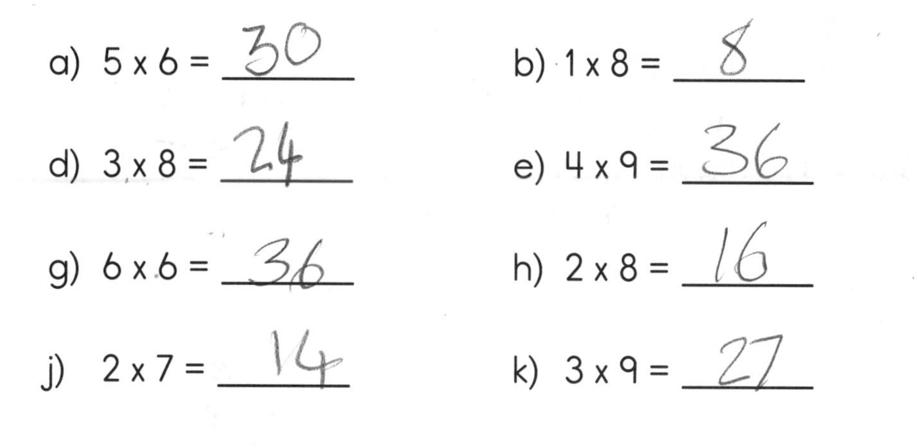

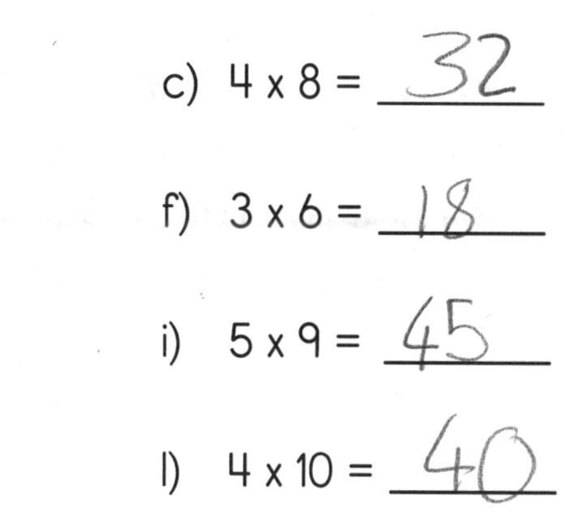

a) 5 x 6 = 30 b) 1 x 8 = 8 c) 4 x 8 = 32

d) 3 x 8 = 24 e) 4 x 9 = 36 f) 3 x 6 = 18

g) 6 x 6 = 36 h) 2 x 8 = 16 i) 5 x 9 = 45

j) 2 x 7 = 14 k) 3 x 9 = 27 l) 4 x 10 = 40

2. Trouve le produit des multiplications suivantes.

Table de 4	Table de 5	Table de 6
4 x 0 = 0	5 x 0 = 0	6 x 0 = ____
4 x 1 = 4	5 x 1 = 5	6 x 1 = ____
4 x 2 = 8	5 x 2 = 10	6 x 2 = ____
4 x 3 = 12	5 x 3 = 15	6 x 3 = ____
4 x 4 = 16	5 x 4 = 20	6 x 4 = ____
4 x 5 = 20	5 x 5 = 25	6 x 5 = ____
4 x 6 = 24	5 x 6 = 30	6 x 6 = ____
4 x 7 = 28	5 x 7 = 35	6 x 7 = ____
4 x 8 = ____	5 x 8 = 40	6 x 8 = ____
4 x 9 = ____	5 x 9 = 45	6 x 9 = ____
4 x 10 = ____	5 x 10 = 50	6 x 10 = ____

1. Colorie les régions selon les couleurs suivantes :

En bleu, si le résultat est compris entre 9 et 20.
En rouge, si le résultat est inférieur ou égal à 9.
En vert, si le résultat est égal ou supérieur à 50.
En jaune, si le résultat est supérieur à 35 et inférieur à 50.

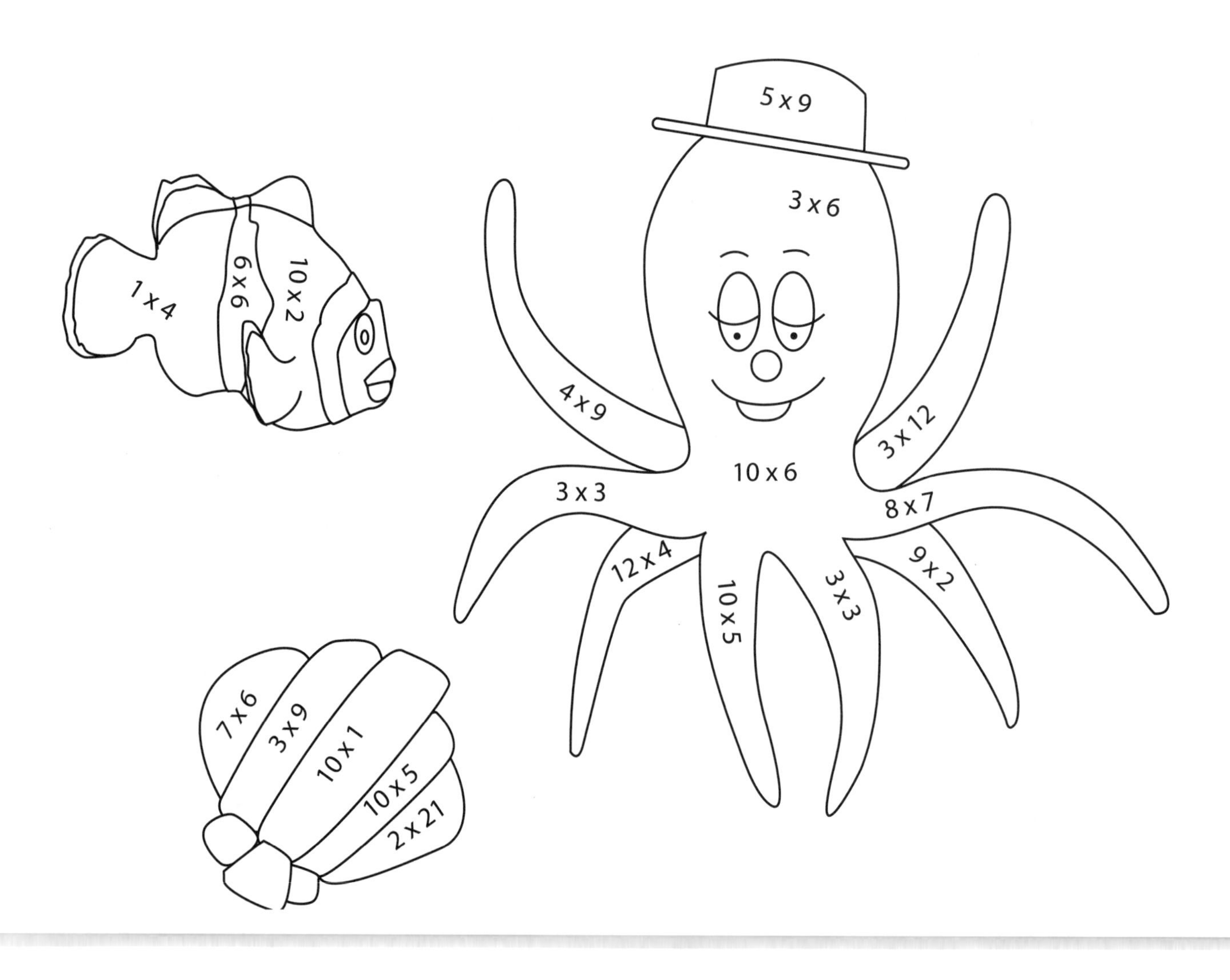

2. Écris l'opération inverse et son résultat.

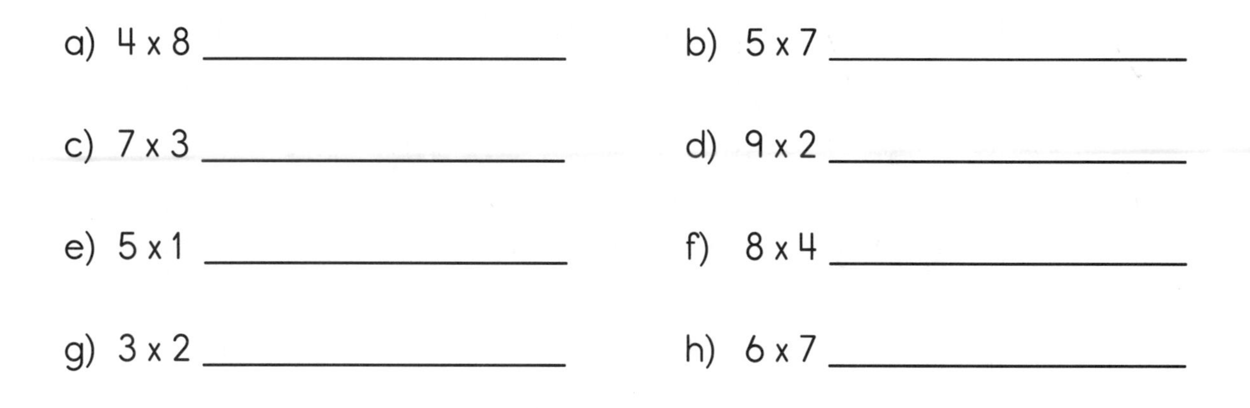

a) 4 x 8 ______________________ b) 5 x 7 ______________________

c) 7 x 3 ______________________ d) 9 x 2 ______________________

e) 5 x 1 ______________________ f) 8 x 4 ______________________

g) 3 x 2 ______________________ h) 6 x 7 ______________________

3. Complète les tableaux.

a)

x		5	8		4
7	21				
3					
4				24	
6		30			
5					

b)

x	5	7	9	10	8
2					
6					
9					
10					

4. Effectue les multiplications suivantes.

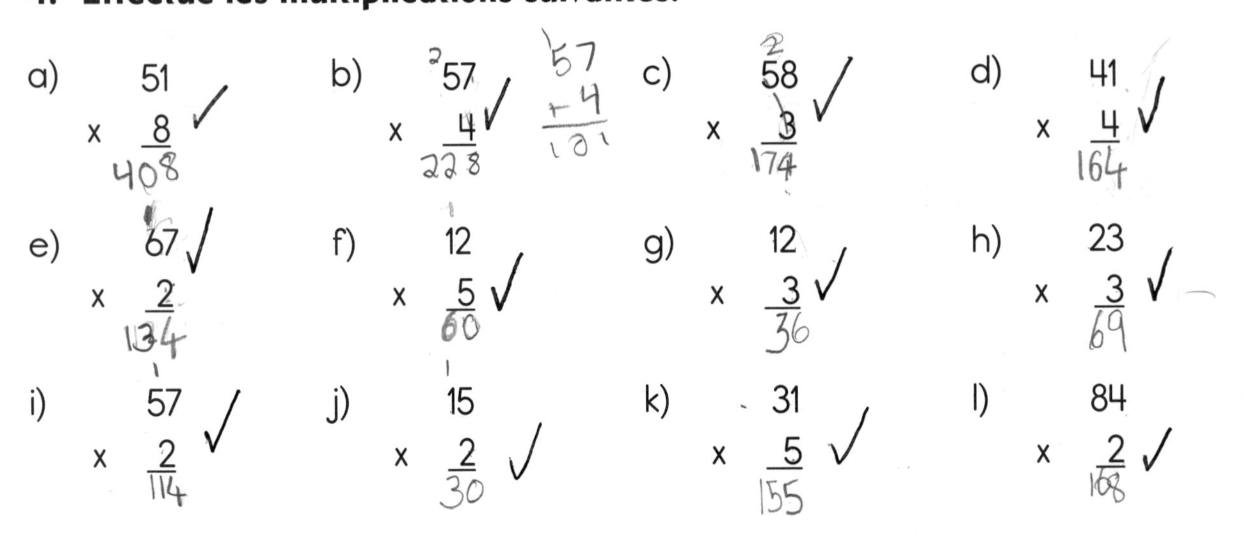

5. Complète les cases vides.

x 5	
11	
14	
30	
13	
12	
10	
41	
17	

x 9	
61	
41	
71	
55	
46	
51	
44	
31	

x 7	
61	
41	
71	
55	
46	
51	
44	
31	

6. Complète les équations suivantes.

a) ______ x 100 = 7000 b) 10 x ______ = 6200 c) 40 x ______ = 4000

d) 210 x ______ = 2100 e) 11 x ______ = 1100 f) 110 x 1 = ______

7. Quel est le produit ?

a) 16 x 100 = ______ b) 30 x 3 = ______ c) 15 x 10 = ______

1. **Partage en 3 parts égales les éléments ci-dessous.**

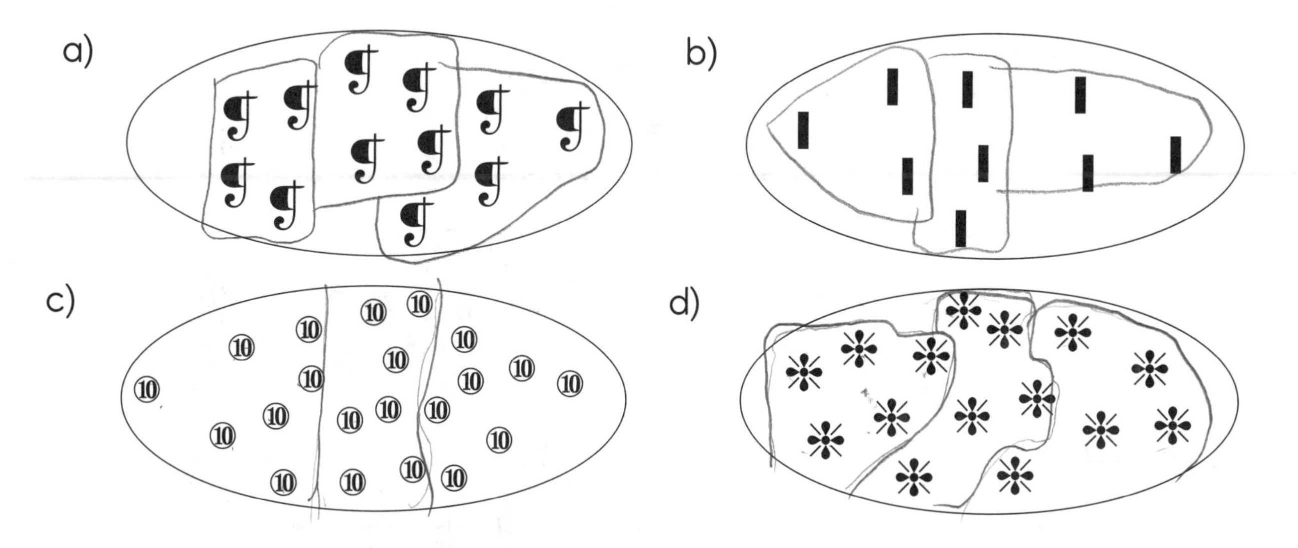

2. **Partage en 4 parts égales les éléments ci-dessous.**

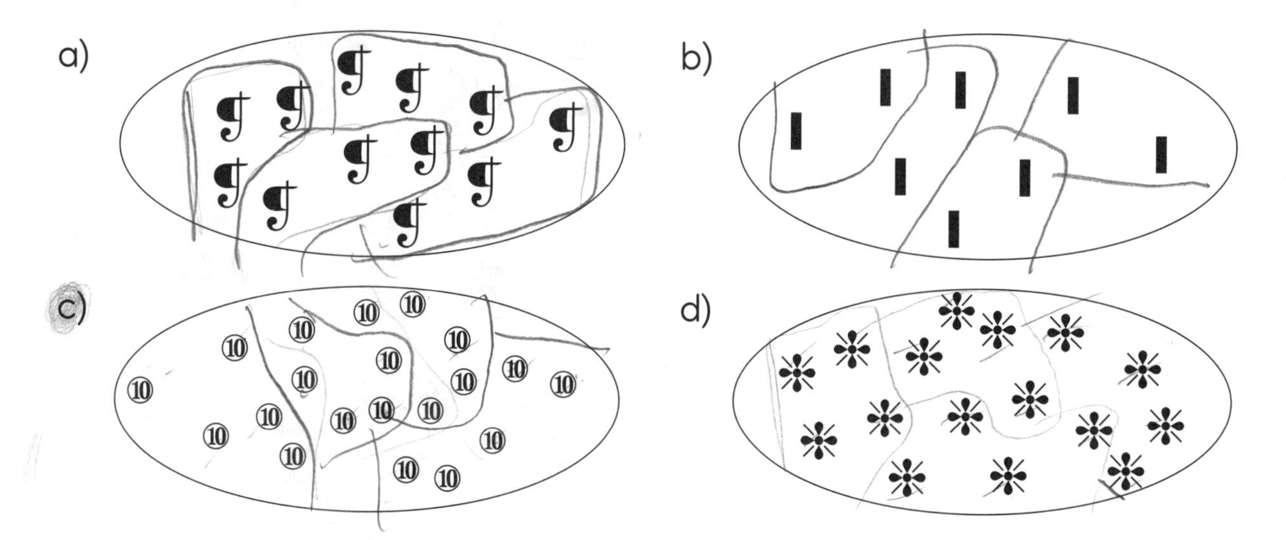

3. **Je partage également 36 billes entre deux enfants. Chaque enfant aura** 18 **billes.**

Trace ta démarche: ______________________

4. **Résous les divisions suivantes.**

a) 8 ÷ 2 = 4
b) 6 ÷ 2 = 3
c) 10 ÷ 5 = 2
d) 9 ÷ 3 = 3
e) 8 ÷ 4 = 2
f) 16 ÷ 4 = 4
g) 20 ÷ 2 = 10
h) 20 ÷ 5 = 4
i) 12 ÷ 3 = 4

1. Illustre les divisions et complète les équations.

Voici un exemple : $8 \div 2 = 4$

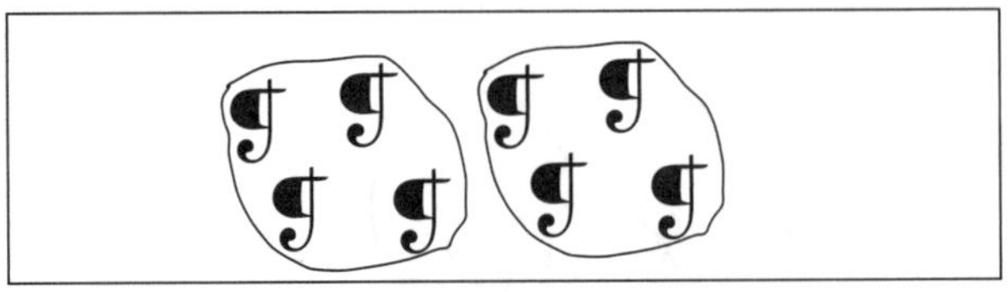

a) $12 \div 6 =$ 2

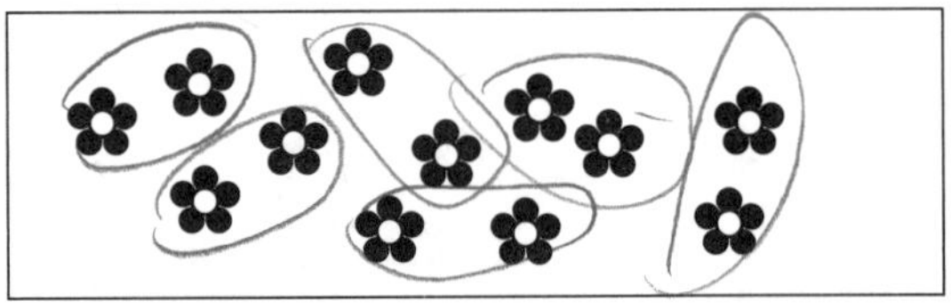

b) $10 \div 2 =$ 5

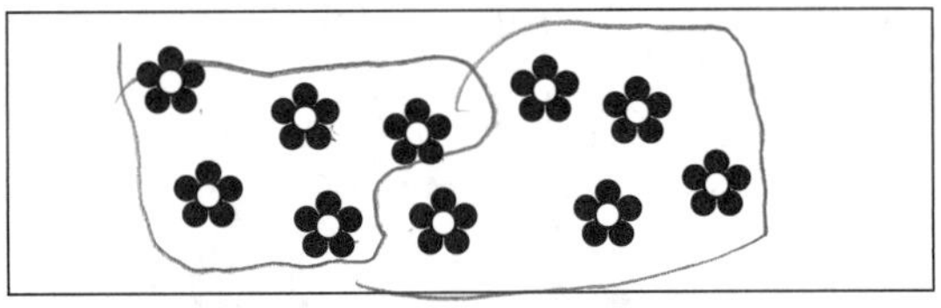

c) $12 \div 4 =$ 3

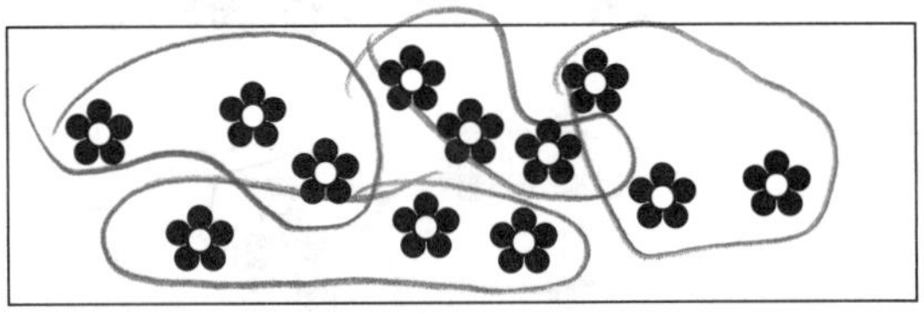

d) $9 \div 3 =$ 3

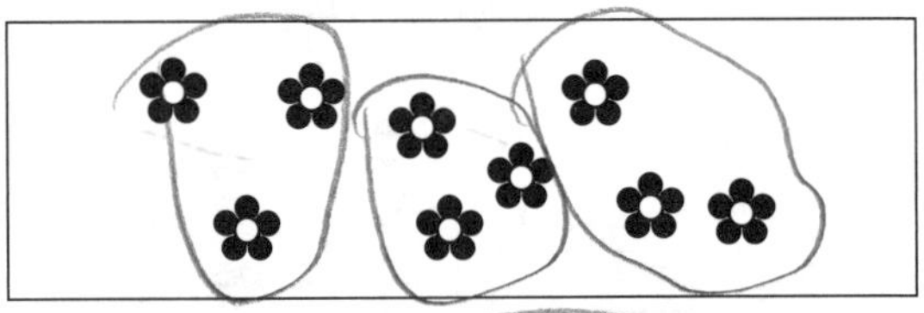

e) $15 \div 5 =$ 3

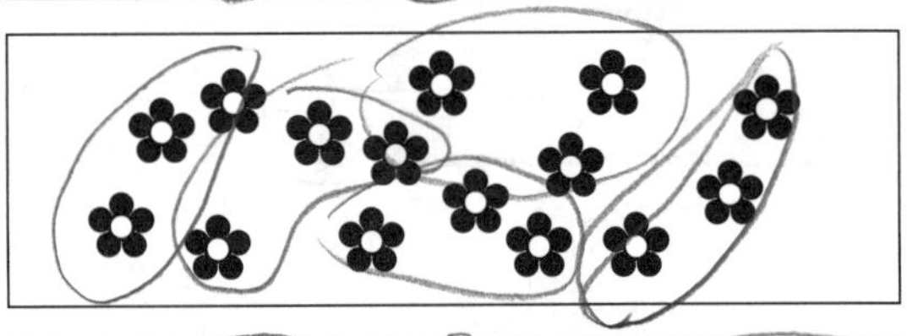

f) $20 \div 4 =$ 5

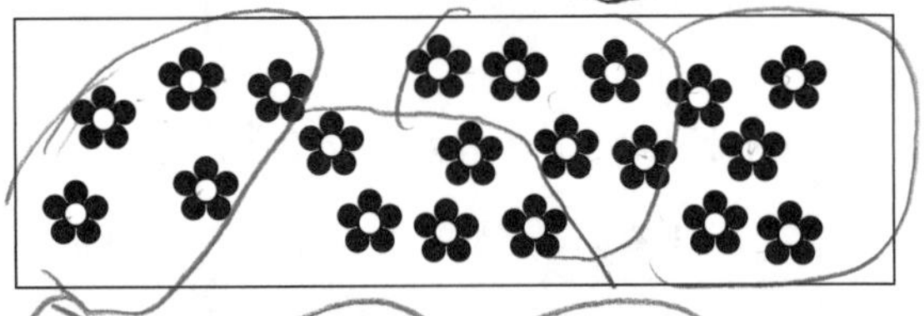

g) $24 \div 6 =$ 4

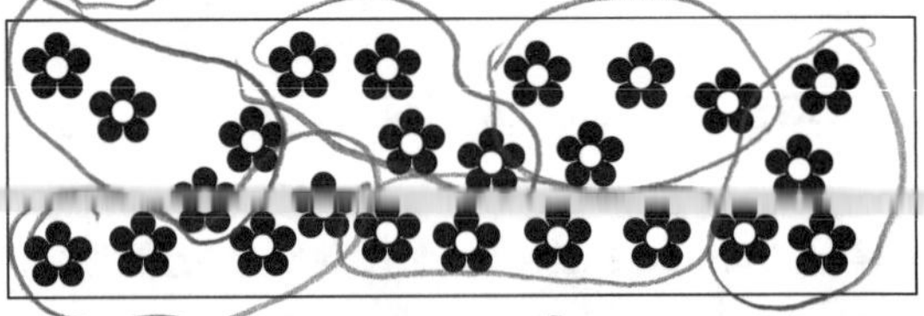

h) $18 \div 9 =$ 2

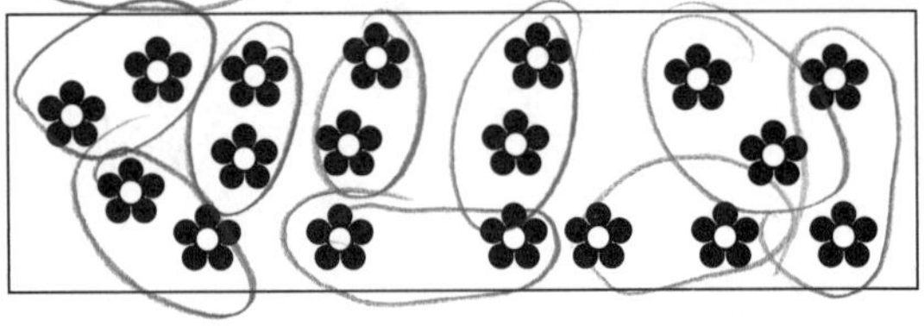

2. Partage également 20 pommes entre 5 enfants. Fais un dessin pour illustrer le partage.

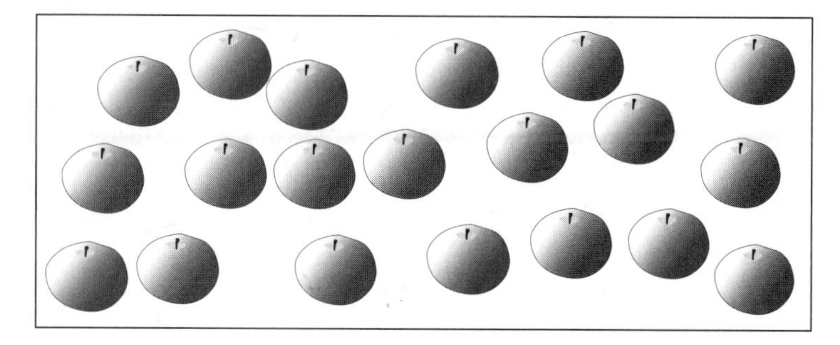

3. Partage également 12 pommes entre 4 personnes. Fais un dessin pour illustrer le partage.

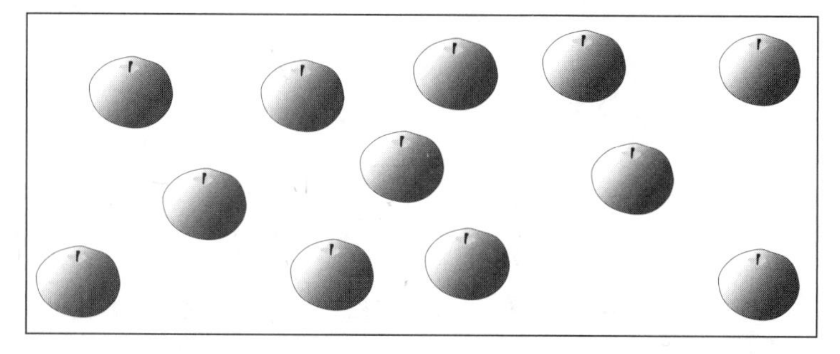

4. Partage également 18 bonbons entre 6 enfants. Fais un dessin pour illustrer le partage.

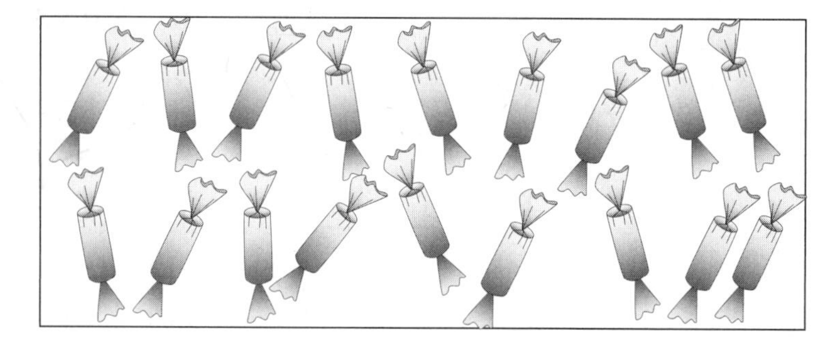

5. Partage également 25 bonbons entre 5 enfants. Fais un dessin pour illustrer le partage.

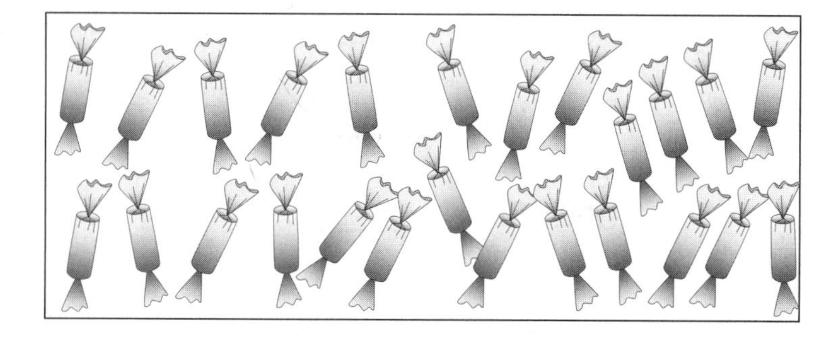

6. Regarde la multiplication de gauche et complète les divisions.

a) 4 x 7 = 28	28 ÷ 4 = 7	28 ÷ 7 = 4
b) 5 x 3 = 15	15 ÷ 3 = 5	15 ÷ 5 = 3
c) 7 x 9 = 63	63 ÷ 7 = 9	63 ÷ 9 = 7
d) 6 x 4 = 24	24 ÷ 6 = 4	24 ÷ 4 = 6
e) 10 x 5 = 50	50 ÷ 10 = 5	50 ÷ 5 = 5
f) 8 x 6 = 48	48 ÷ 8 = 6	48 ÷ 6 = 8
g) 4 x 2 = 8	8 ÷ 4 = 2	8 ÷ 2 = 4
h) 9 x 7 = 63	63 ÷ 9 = 7	63 ÷ 7 = 9
i) 6 x 5 = 30	30 ÷ 6 = 5	30 ÷ 5 = 6
j) 7 x 3 = 21	21 ÷ 7 = 3	21 ÷ 3 = 7
k) 5 x 9 = 45	45 ÷ 5 = 9	45 ÷ 9 = 9
l) 10 x 6 = 60	60 ÷ 10 = 6	60 ÷ 6 = 10
m) 9 x 2 = 18	18 ÷ 9 = 2	18 ÷ 2 = 9
n) 6 x 4 = 24	24 ÷ 6 = 4	24 ÷ 4 = 6
o) 10 x 9 = 90	90 ÷ 10 = 9	90 ÷ 9 = 10
p) 12 x 4 = 48	48 ÷ 12 = 4	48 ÷ 4 = 12
q) 11 x 4 = 44	44 ÷ 11 = 11	44 ÷ 4 = 11
r) 12 x 2 = 24	24 ÷ 12 = 2	24 ÷ 2 = 12

1. Trouve deux façons de partager les figures suivantes selon le nombre demandé.

a) 2 parties

b) 2 parties

c) 3 parties

2. Mes parents ont servi 48 beignes aux 6 personnes qui sont venues prendre le dessert à la maison. Combien de beignes a mangés chaque personne ?

Trace ta démarche : ______________________________

3. Complète le tableau.

Dividende	Diviseur	Quotient
24		12
	5	6
36	4	

1. Trouve le quotient.

a) Ma mère a préparé un gâteau pour 6 personnes. Combien de morceaux auront les invités si ma mère sépare le gâteau en 24 parts égales?

Trace ta démarche:

____

b) Nous sommes 20 élèves dans ma classe. Notre enseignante a 40 crayons à nous donner. Combien de crayons aurons-nous si notre enseignante divise également les crayons?

Trace ta démarche:

____

c) Il y a 12 membres dans ma troupe scoute. Le chef a apporté 120 guimauves pour le feu de camp. Combien de guimauves aura chaque scout si le chef divise également les guimauves?

Trace ta démarche:

____

d) Guillaume veut se débarrasser d'une partie de sa collection de timbres. Il sépare 36 de ses timbres entre 3 de ses amis. Combien de timbres aura chacun des amis de Guillaume?

Trace ta démarche:

____

e) Yannick nourrit les oiseaux dans sa cour. Il donne 30 vers à 2 oiseaux. Combien de vers aura chaque oiseau si Yannick leur en donne la même quantité?

Trace ta démarche:

____

2. Écris les divisions représentées.

Voici un exemple : ★★★★ ★★★★
★★★★ ★★★★ 16 ÷ 2 = 8

a) ★★★★ ★★★★ ★★★★ _____ ÷ _____ = _____

b) ★★★ ★★★ ★★★ ★★★ _____ ÷ _____ = _____

c) ★★★★★ ★★★★★ ★★★★★ _____ ÷ _____ = _____
★★★★★ ★★★★★ ★★★★★

d) ★★★★★★★ ★★★★★★★ _____ ÷ _____ = _____
★★★★★★★ ★★★★★★★

e) ★★★★★ ★★★★★ ★★★★★ _____ ÷ _____ = _____
★★★★ ★★★★ ★★★★

f) ★★★★★ ★★★★★ ★★★★★ _____ ÷ _____ = _____
★★★★★ ★★★★★

g) ★ ★ ★ ★ ★ ★ ★ ★ ★ _____ ÷ _____ = _____

h) ★★★★ ★★★★ _____ ÷ _____ = _____

i) ★★★★★★★ ★★★★★★★ _____ ÷ _____ = _____
★★★★★★★ ★★★★★★★

j) ★★★ ★★★ ★★★ ★★★ _____ ÷ _____ = _____
★★★ ★★★ ★★★ ★★★

k) ★★★★★ ★★★★★ _____ ÷ _____ = _____

l) ★★ ★★ ★★ _____ ÷ _____ = _____
★★ ★★ ★★

m) ★★★★ ★★★★ _____ ÷ _____ = _____
★★★ ★★★

3. Complète les tables de divisions.

$1 \div 1 =$ ______	$2 \div 2 =$ ______	$3 \div 3 =$ ______	$4 \div 4 =$ ______
$2 \div 1 =$ ______	$4 \div 2 =$ ______	$6 \div 3 =$ ______	$8 \div 4 =$ ______
$3 \div 1 =$ ______	$6 \div 2 =$ ______	$9 \div 3 =$ ______	$12 \div 4 =$ ______
$4 \div 1 =$ ______	$8 \div 2 =$ ______	$12 \div 3 =$ ______	$16 \div 4 =$ ______
$5 \div 1 =$ ______	$10 \div 2 =$ ______	$15 \div 3 =$ ______	$20 \div 4 =$ ______
$6 \div 1 =$ ______	$12 \div 2 =$ ______	$18 \div 3 =$ ______	$24 \div 4 =$ ______
$7 \div 1 =$ ______	$14 \div 2 =$ ______	$21 \div 3 =$ ______	$28 \div 4 =$ ______
$8 \div 1 =$ ______	$16 \div 2 =$ ______	$24 \div 3 =$ ______	$32 \div 4 =$ ______
$9 \div 1 =$ ______	$18 \div 2 =$ ______	$27 \div 3 =$ ______	$36 \div 4 =$ ______
$10 \div 1 =$ ______	$20 \div 2 =$ ______	$30 \div 3 =$ ______	$40 \div 4 =$ ______
$11 \div 1 =$ ______	$22 \div 2 =$ ______	$33 \div 3 =$ ______	$44 \div 4 =$ ______
$12 \div 1 =$ ______	$24 \div 2 =$ ______	$36 \div 3 =$ ______	$48 \div 4 =$ ______

1. L'ogre vorace voudrait manger les tartes suivantes, mais la vilaine sorcière ne lui permet de manger que les fractions dessinées. Écris la fraction que l'ogre a le droit de manger.

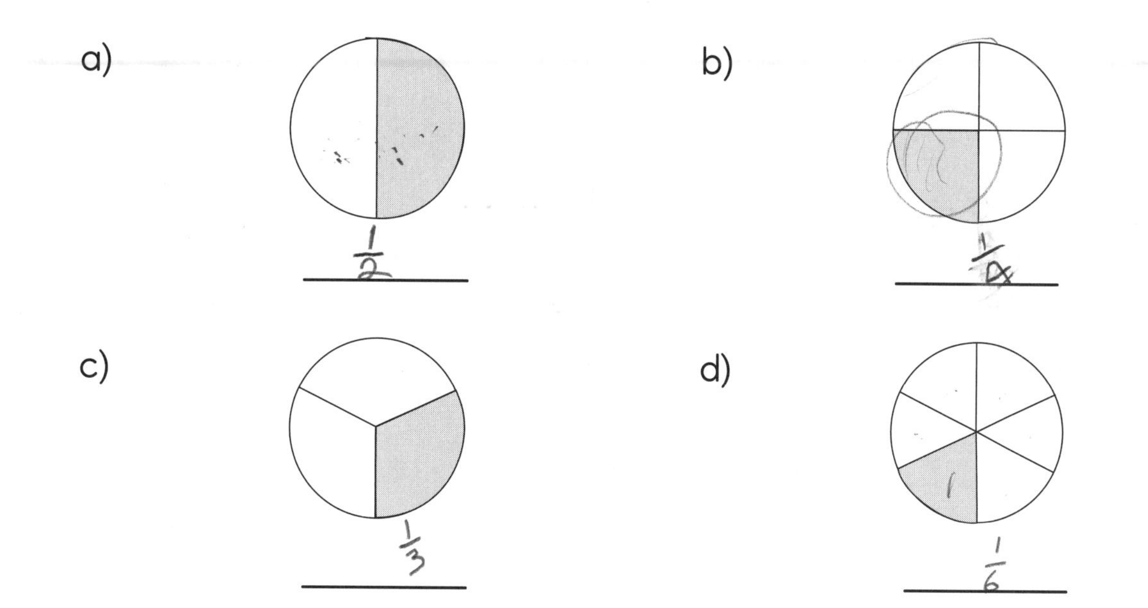

2. Colorie la portion de l'illustration demandée.

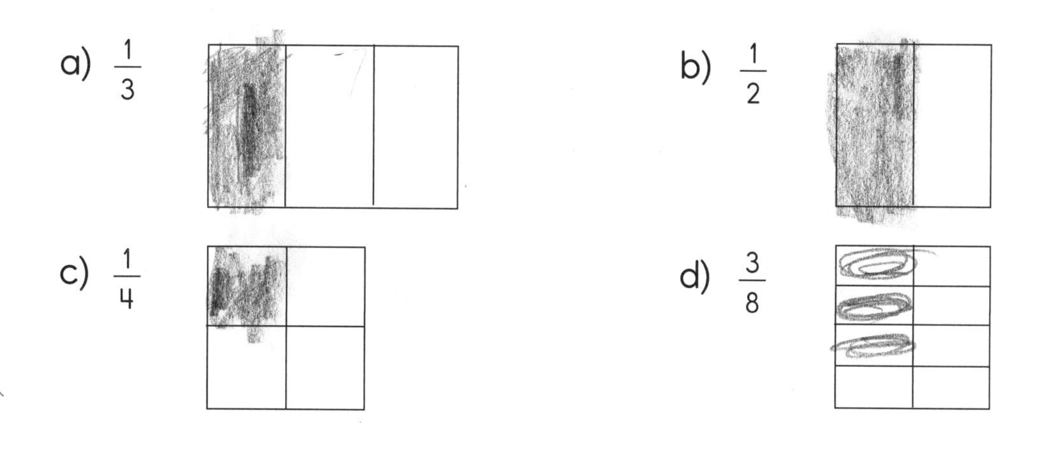

3. Colorie les $\frac{2}{3}$ de l'illustration.

1. Encercle la fraction qui représente la partie en gris de l'illustration.

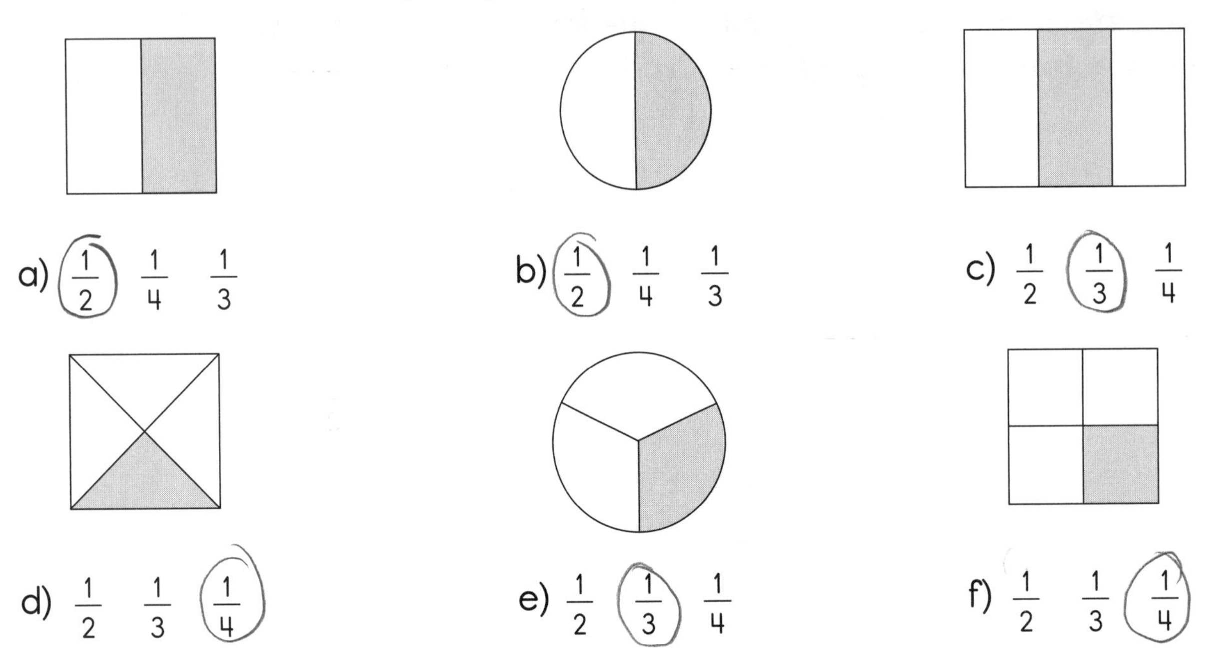

a) $\frac{1}{2}$ $\frac{1}{4}$ $\frac{1}{3}$

b) $\frac{1}{2}$ $\frac{1}{4}$ $\frac{1}{3}$

c) $\frac{1}{2}$ $\frac{1}{3}$ $\frac{1}{4}$

d) $\frac{1}{2}$ $\frac{1}{3}$ $\frac{1}{4}$

e) $\frac{1}{2}$ $\frac{1}{3}$ $\frac{1}{4}$

f) $\frac{1}{2}$ $\frac{1}{3}$ $\frac{1}{4}$

2. Colorie la partie demandée.

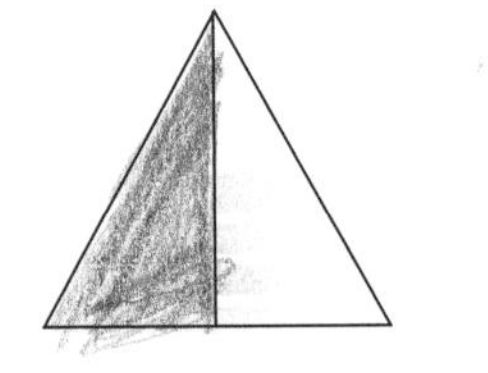

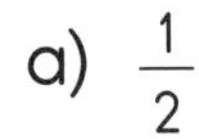

a) $\frac{1}{2}$

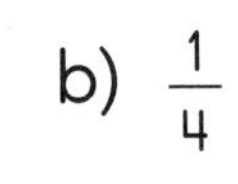

b) $\frac{1}{4}$

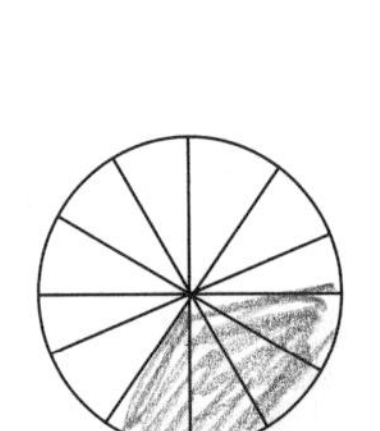

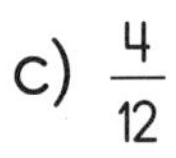

c) $\frac{4}{12}$

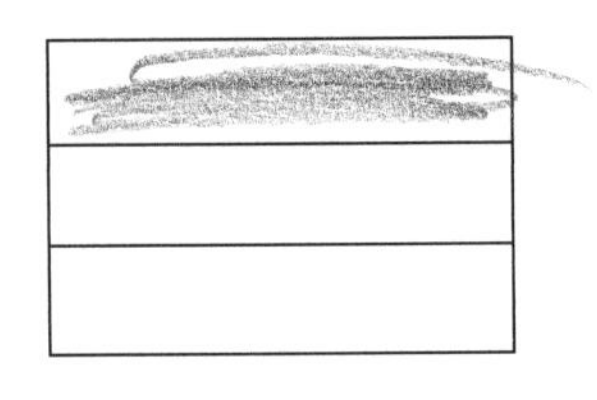

d) $\frac{1}{3}$

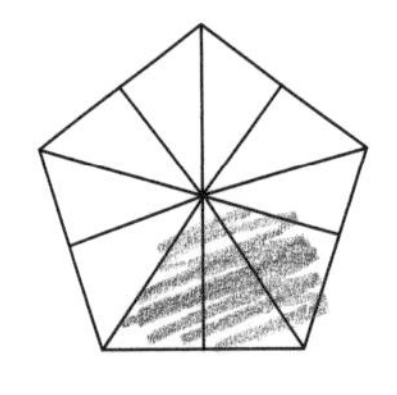

e) $\frac{3}{10}$

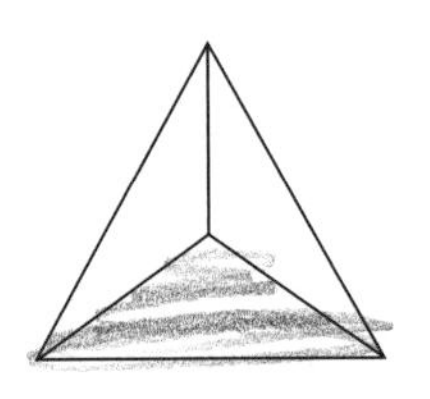

f) $\frac{1}{3}$

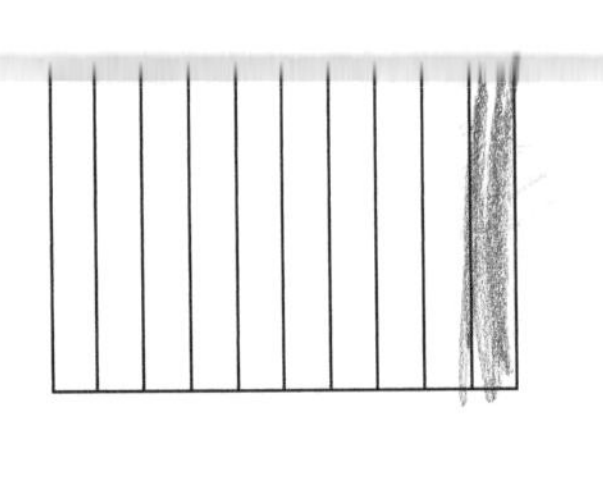

g) $\frac{1}{10}$

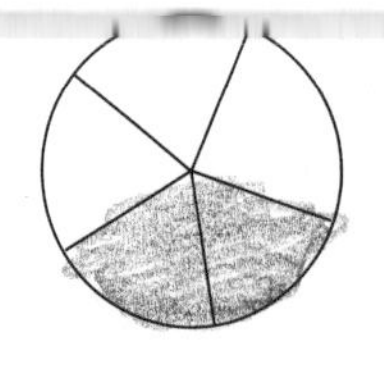

h) $\frac{2}{5}$

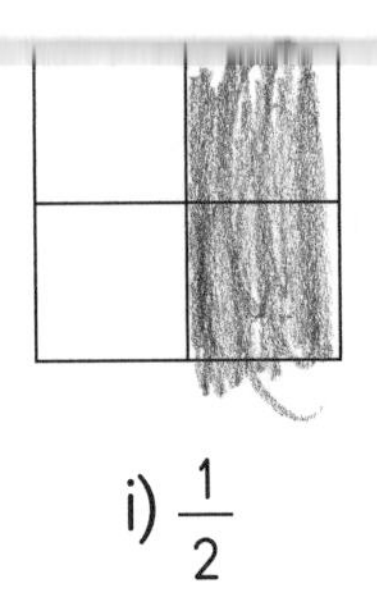

i) $\frac{1}{2}$

3. Colorie le nombre d'oiseaux représentant la fraction demandée.

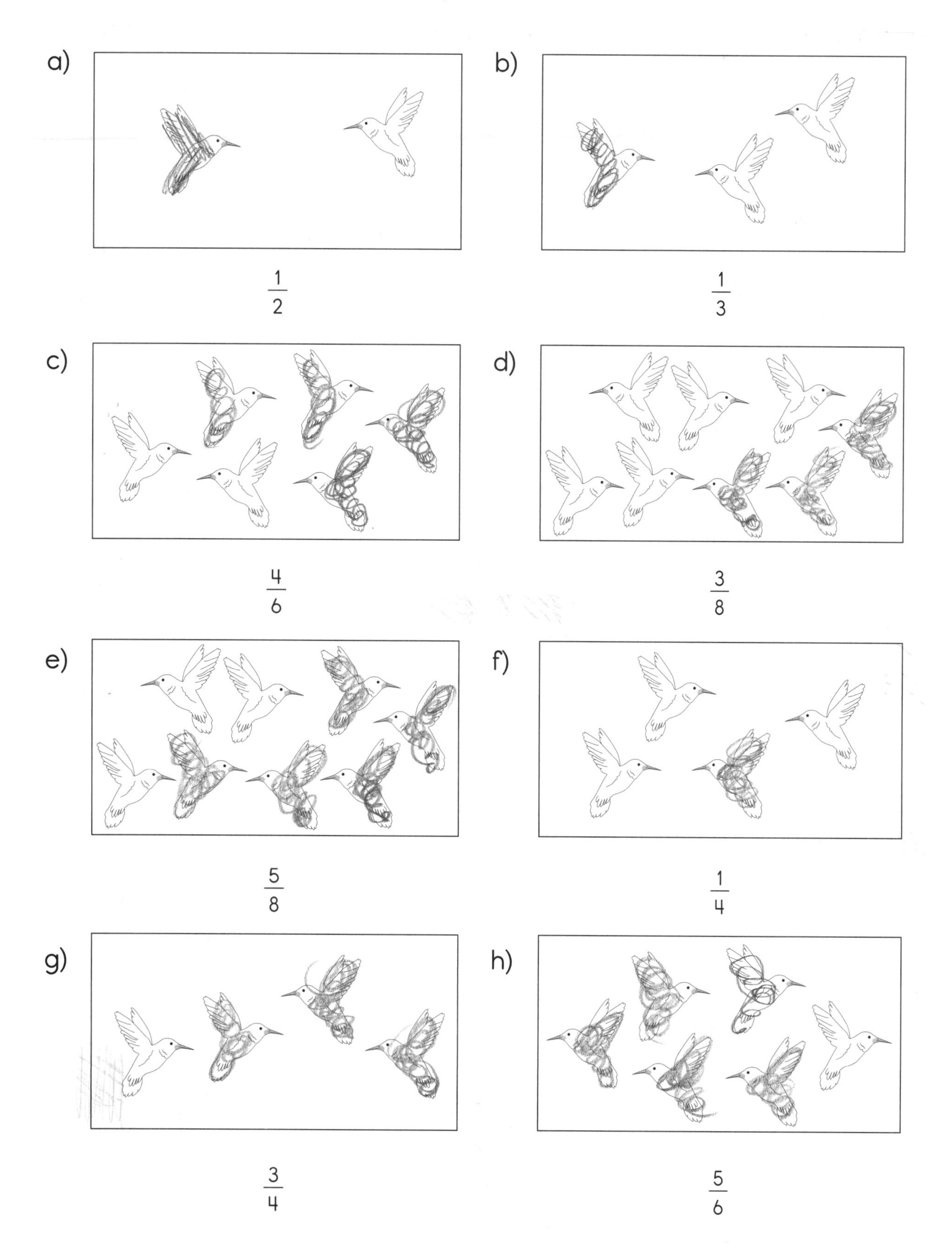

4. **Encercle les illustrations dont la portion ombragée représente plus que $\frac{1}{2}$.**

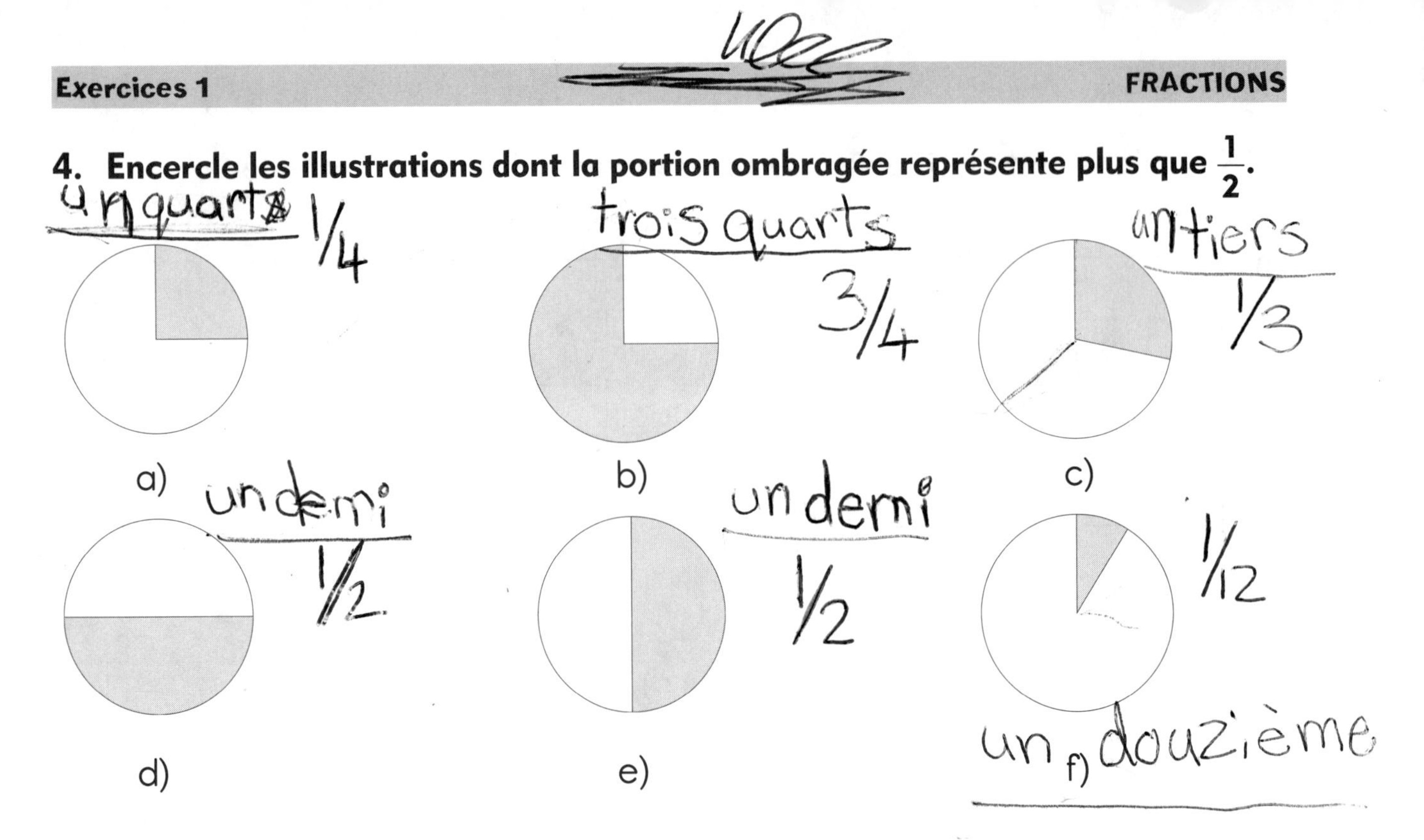

a) b) c)

d) e) f)

5. **Colorie la fraction demandée. Ensuite, classe les fractions dans l'ordre décroissant.**

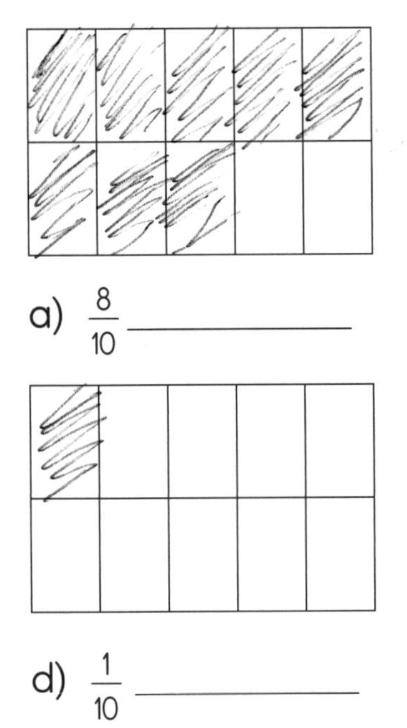

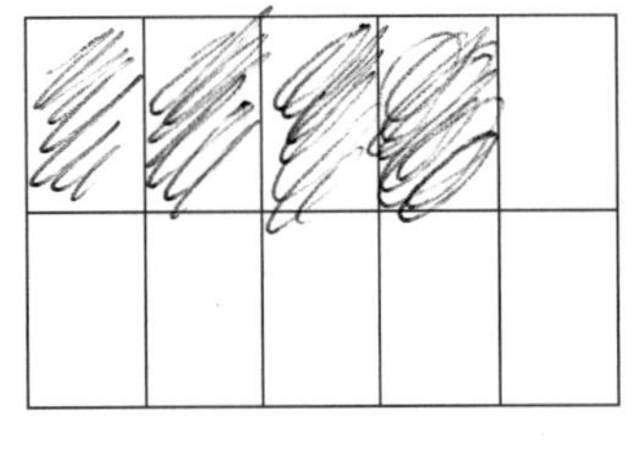

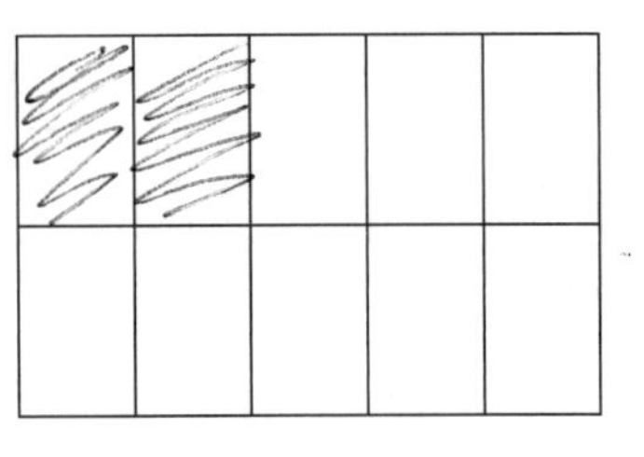

a) $\frac{8}{10}$ __________

b) $\frac{4}{10}$ __________

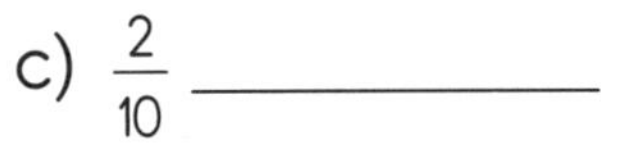

c) $\frac{2}{10}$ __________

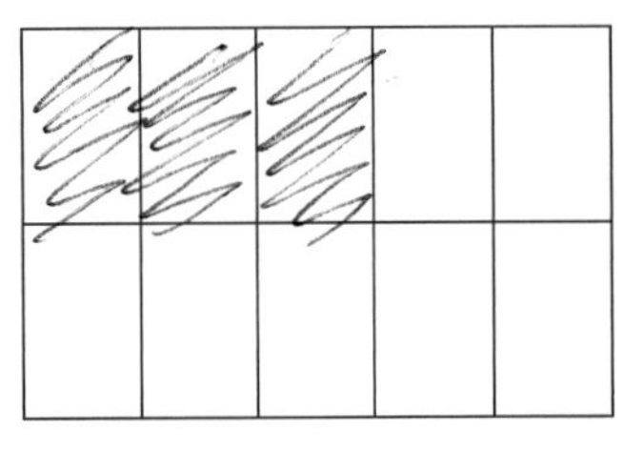

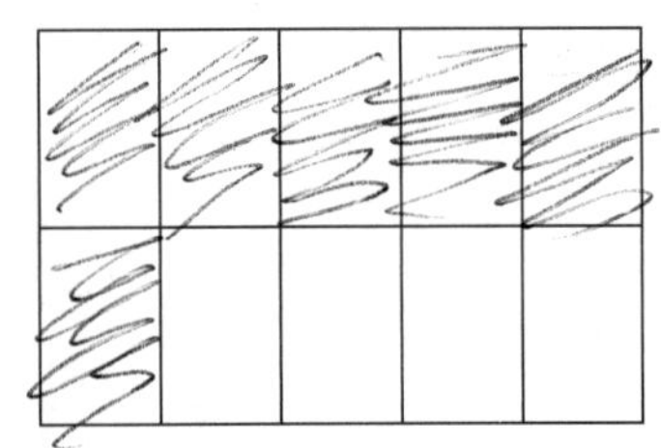

d) $\frac{1}{10}$ __________

e) $\frac{3}{10}$ __________

f) $\frac{6}{10}$ __________

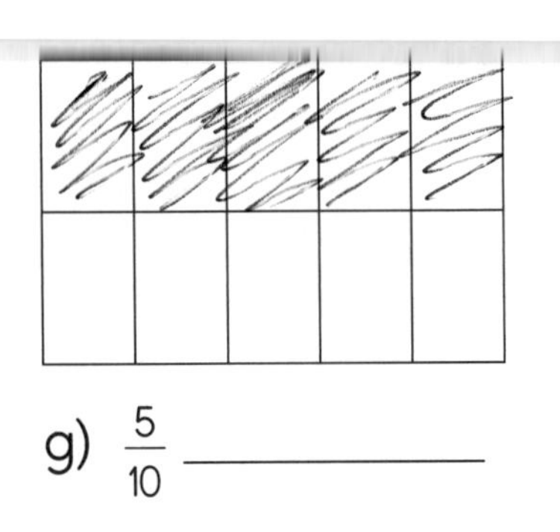

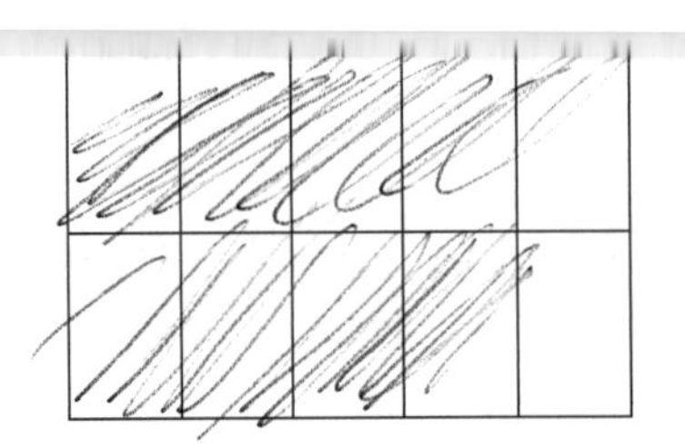

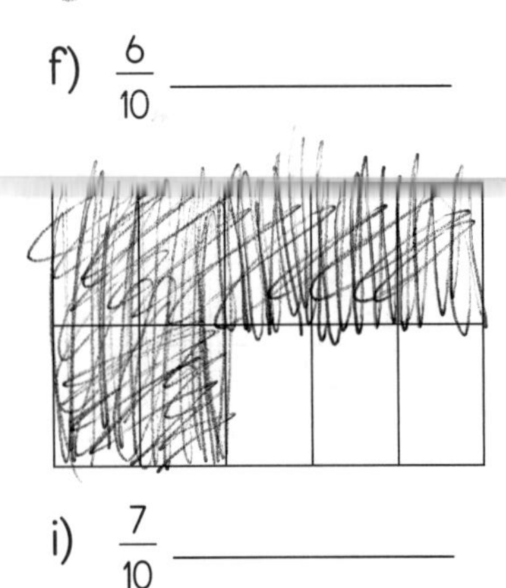

g) $\frac{5}{10}$ __________

h) $\frac{9}{10}$ __________

i) $\frac{7}{10}$ __________

1. Colorie la fraction demandée.

2. Encercle l'illustration dont la portion ombragée représente moins que $\frac{1}{4}$

a) 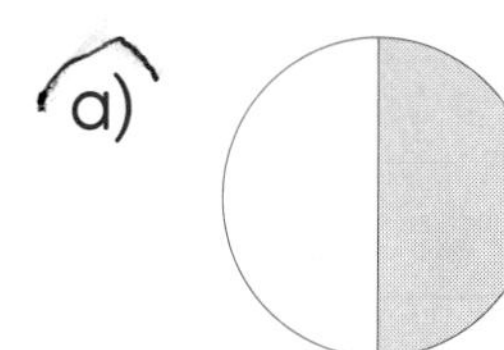

b)

c)

3. Trouve deux façons de diviser les rectangles en 3 parties égales.

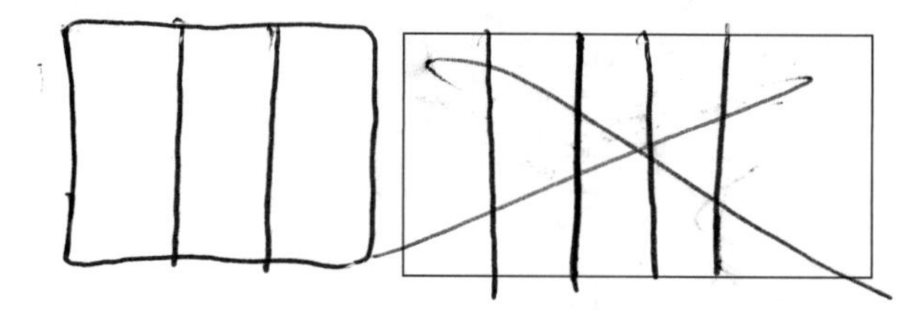

4. Divise également les cercles en sections selon le nombre demandé.

a) 4 parties :

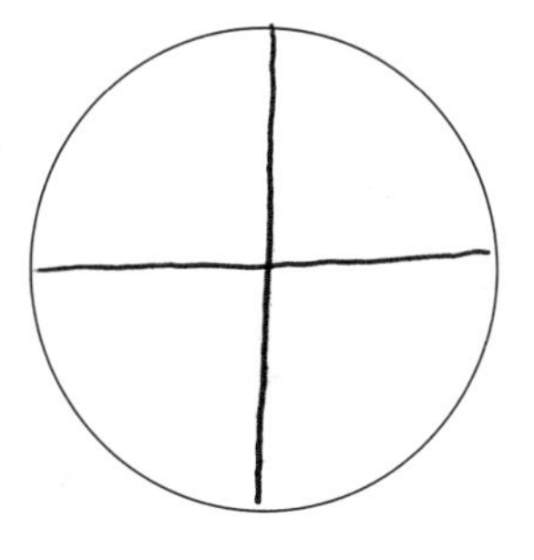

b) 8 parties :

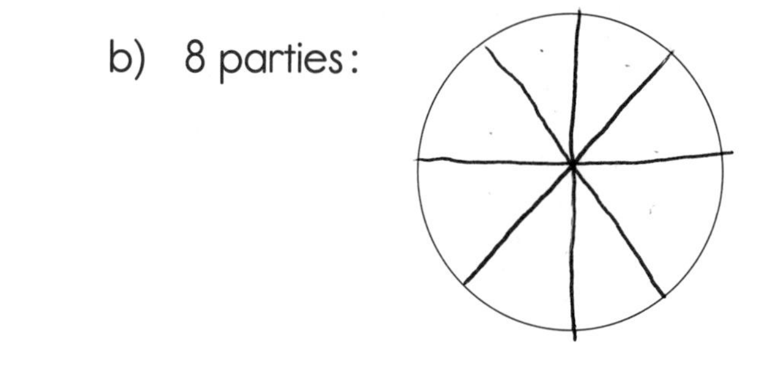

1. Chacune des formes est divisée également. Écris la fraction représentée par la portion ombragée.

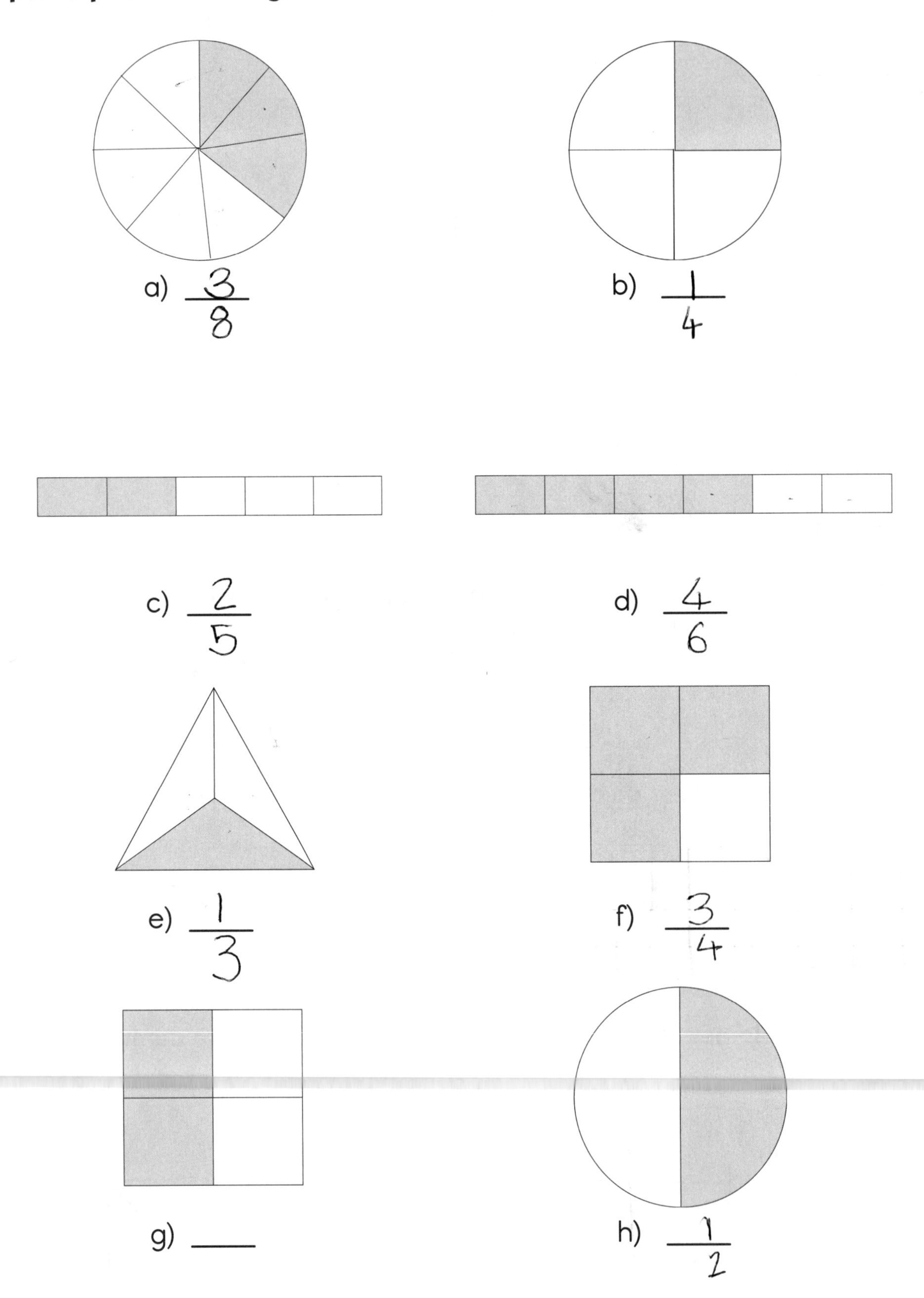

2. Colorie la fraction demandée.

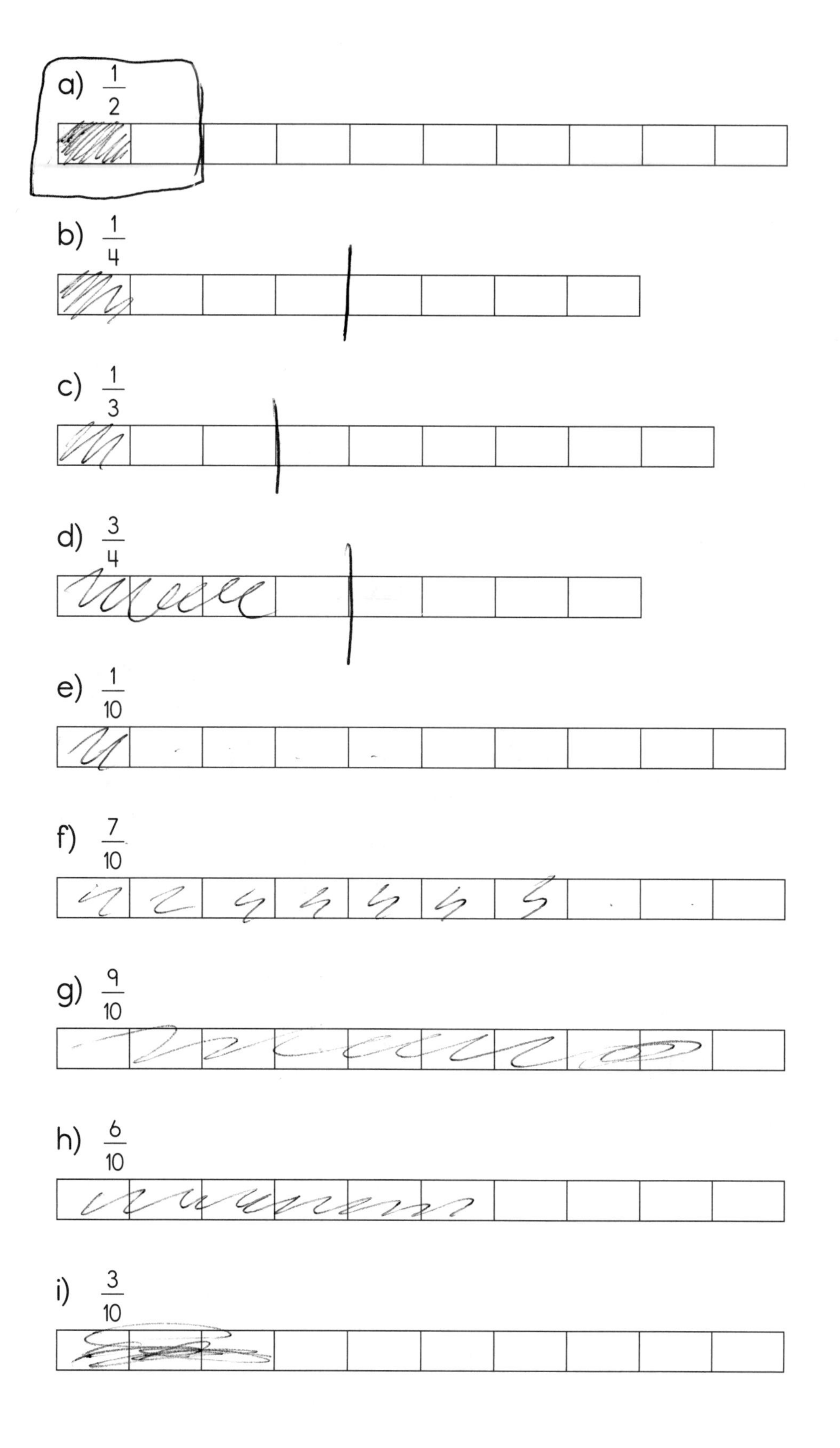

3. Divise les illustrations suivantes en deux parties égales.

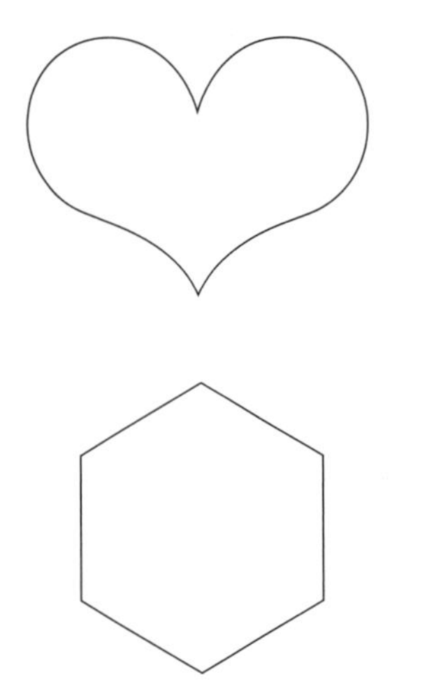

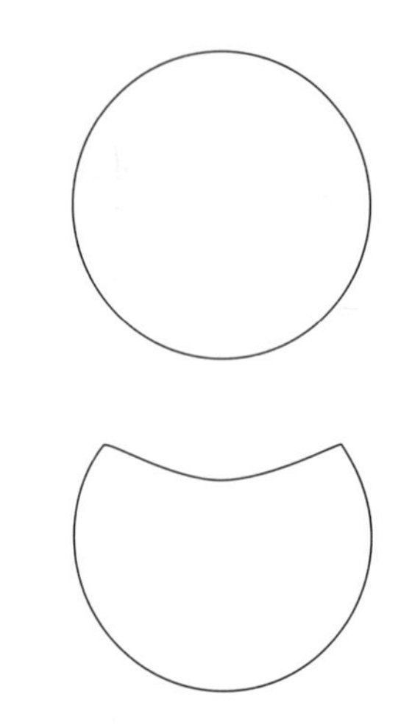

4. Trouve les fractions.

a) Il y a 5 vélos à vendre chez mon voisin. Il en a vendu 3.
Quelle fraction des vélos a été vendue ?

____

b) Mon frère a fait 12 muffins. J'en ai mangé 6.
Quelle fraction des muffins ai-je mangée ?

____

1. Écris le nombre décimal correspondant à chaque fraction et illustre-le sur le rectangle.

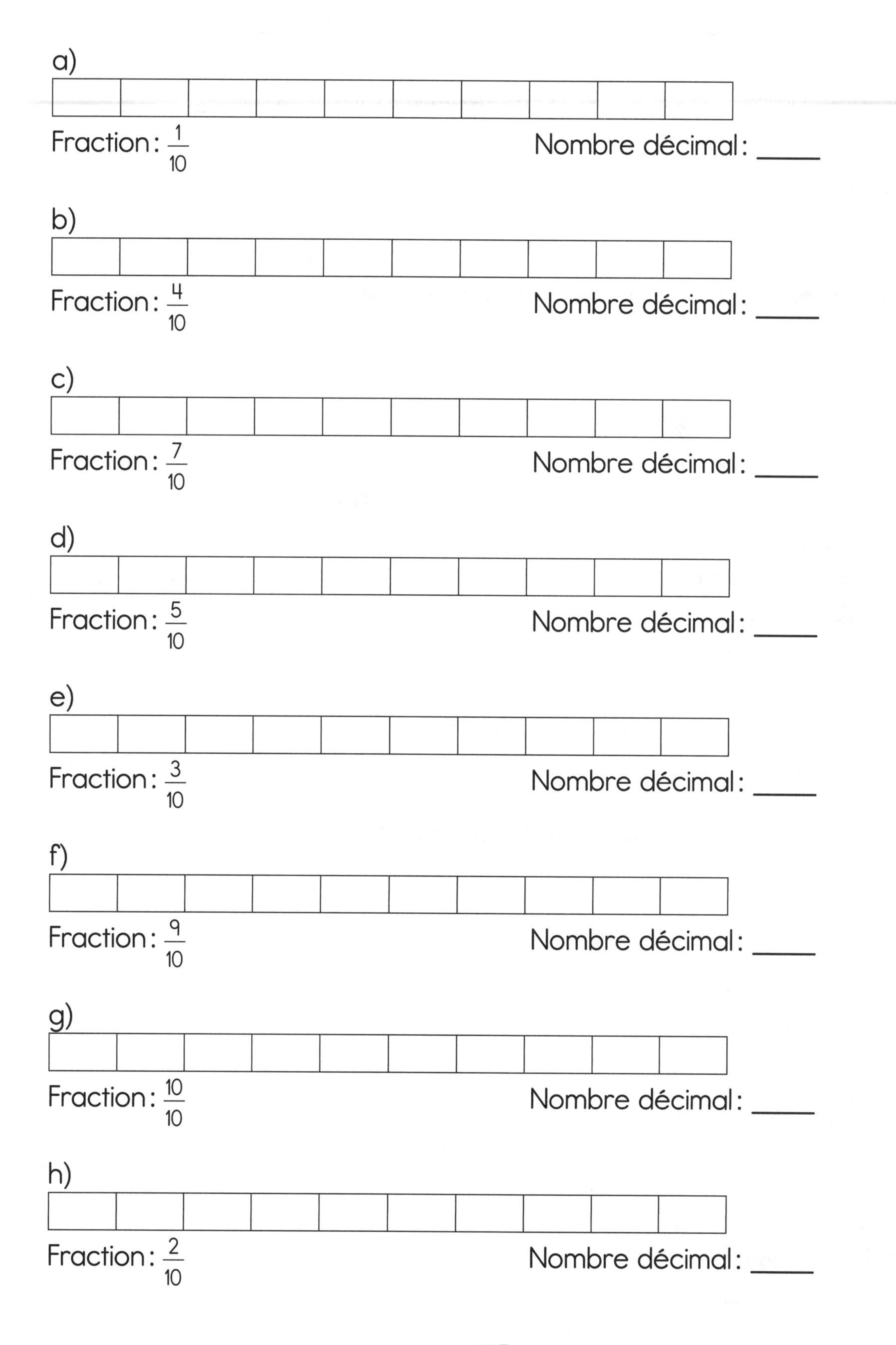

a)

Fraction : $\frac{1}{10}$ Nombre décimal : _____

b)

Fraction : $\frac{4}{10}$ Nombre décimal : _____

c)

Fraction : $\frac{7}{10}$ Nombre décimal : _____

d)

Fraction : $\frac{5}{10}$ Nombre décimal : _____

e)

Fraction : $\frac{3}{10}$ Nombre décimal : _____

f)

Fraction : $\frac{9}{10}$ Nombre décimal : _____

g)

Fraction : $\frac{10}{10}$ Nombre décimal : _____

h)

Fraction : $\frac{2}{10}$ Nombre décimal : _____

1. Écris en chiffres les nombres décimaux ci-dessous.

a) cinq dixièmes: ____________

b) trois virgule neuf: ____________

c) deux virgule quatre: ________

d) sept dixièmes: ____________

e) dix et un dixième: ____________

f) vingt virgule neuf: ________

2. Classe les nombres décimaux dans l'ordre croissant.

a)

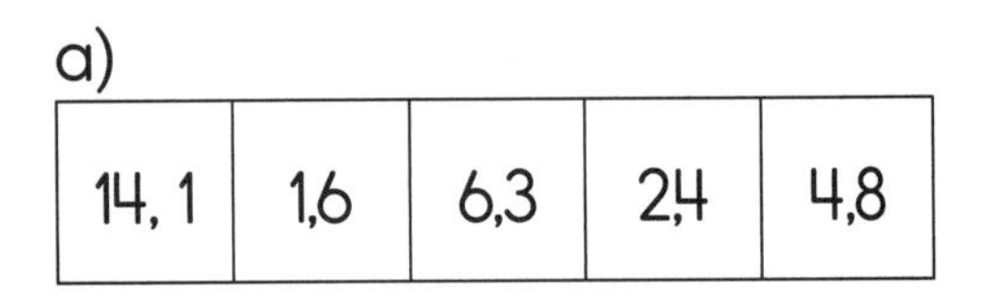

14, 1	1,6	6,3	2,4	4,8

b)

2,58	2,55	2,50	2,59	2,53

c)

23,2	12,9	26,9	13,9	37,7

3. Classe les nombres décimaux dans l'ordre décroissant.

a)

6,5	2,4	4,6	3,7	7,5

b)

32,7	32,1	32,5	32,2	32,9

c)

23,2	12,9	26,9	13,9	37,7

4. Encercle la personne qui est la plus grande et souligne le prénom de la plus petite personne.

Yannick : 1,65 m
Ramzy : 1,25 m
Justine : 1,80 m
Geneviève : 1,55 m
Laura : 1,79 m
Michel : 1,78 m

5. Additionne les montants d'argent suivants. Pour t'aider, dessine les pièces de monnaie.

Voici un exemple :

1,25
+ 1,02
2,27

a) 1,39
+ 0,68

b) 2,09
+ 1,03

c) 0,55
+ 0,10

d) 2,75
+ 1,10

e) 5,08
+ 1,01

f) 9,36
+ 0,12

g) 2,73
+ 2,21

6. Écris les fractions suivantes en nombres décimaux.

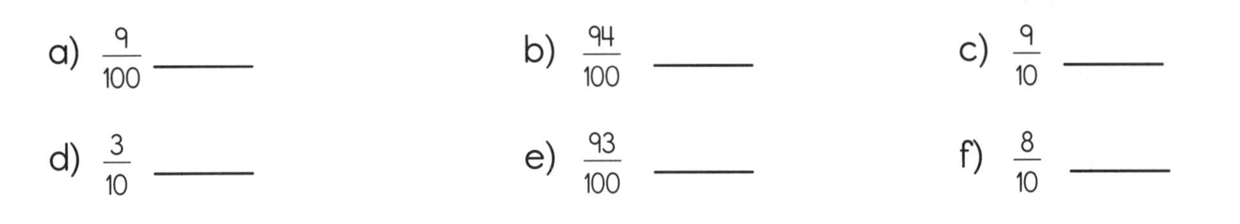

a) $\frac{9}{100}$ ______ b) $\frac{94}{100}$ ______ c) $\frac{9}{10}$ ______

d) $\frac{3}{10}$ ______ e) $\frac{93}{100}$ ______ f) $\frac{8}{10}$ ______

7. Trouve le nombre caché en suivant les consignes.

Biffe tous les nombres compris entre 1,04 et 2,80.
Biffe tous les nombres supérieurs à 5,70 mais inférieurs à 21,2.
Biffe tous les nombres compris entre 21,2 et 25,2.
Biffe tous les nombres supérieurs à 37,4 mais inférieurs à 40,2.
Biffe tous les nombres compris entre 41,4 et 44,5.
Biffe tous les nombres supérieurs à 49,9 mais inférieurs à 60,1.

1,25	10,9	11,9	21,3	39,4
41,5	2,7	42,6	50,1	51,9
14,1	16,7	25,1	11,6	10,5
12,9	37,5	44,4	23,6	50,3
17,2	2,27	4,41	5,98	7,20

Le nombre mystère est : ______

8. Écris les sommes d'argent représentées.

a) 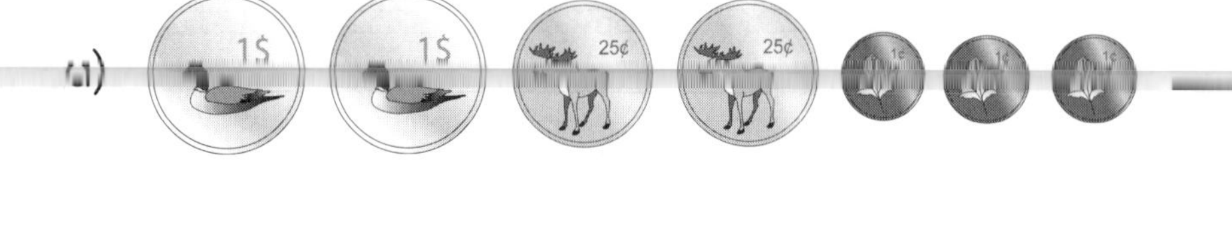

______

b) 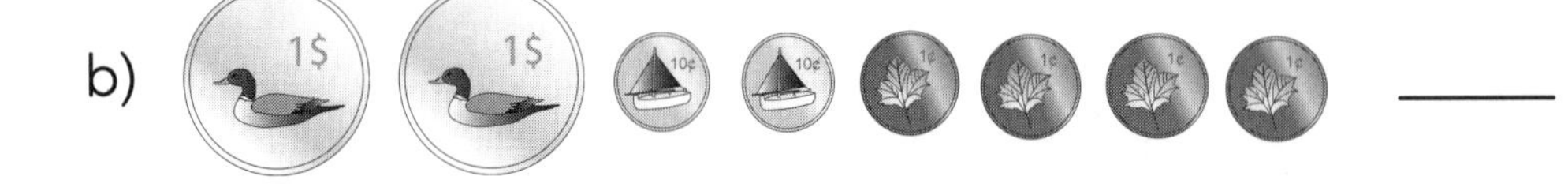

______

1. Illustre en coloriant les nombres décimaux suivants.

a)

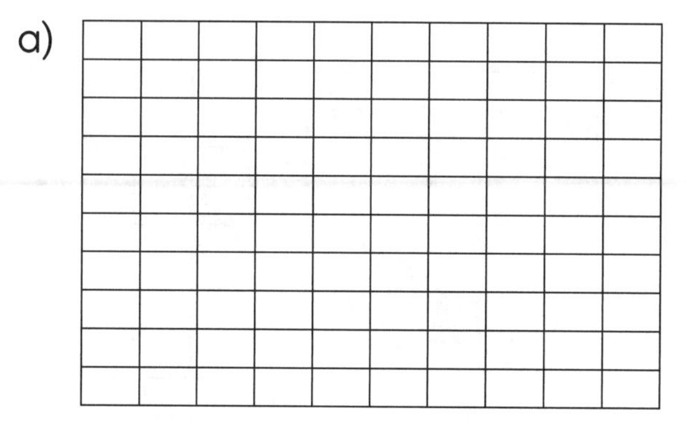

0,19

b)

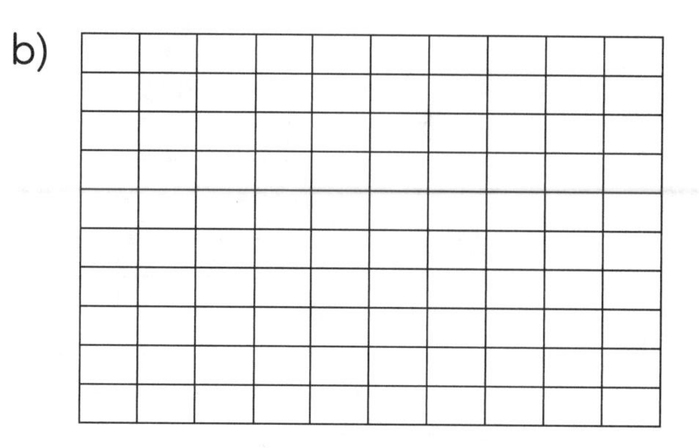

0,44

c)

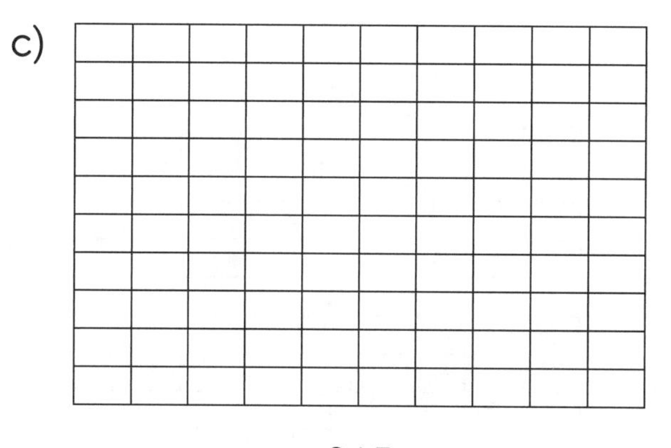

0,65

d)

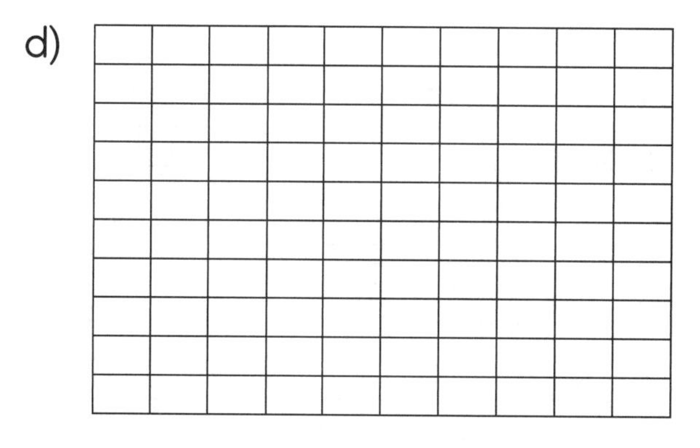

0,78

e)

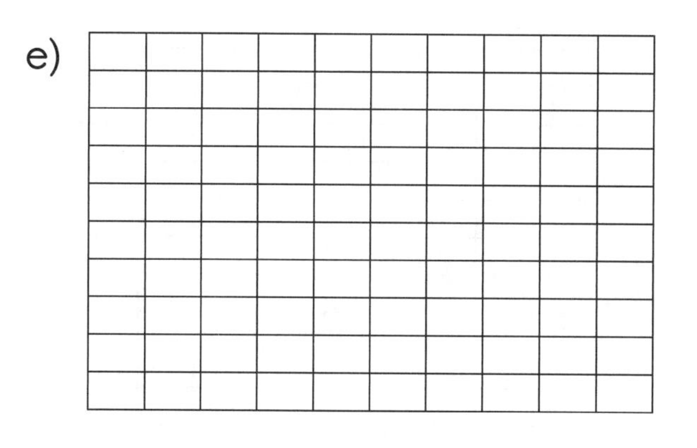

0,89

f)

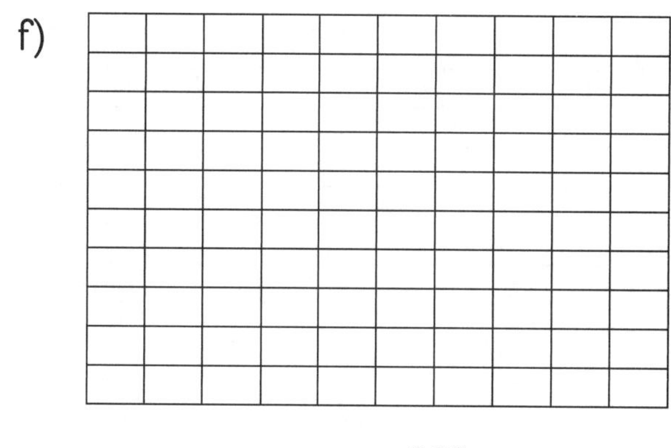

0,99

1. Écris le nombre décimal représenté par la portion ombragée.

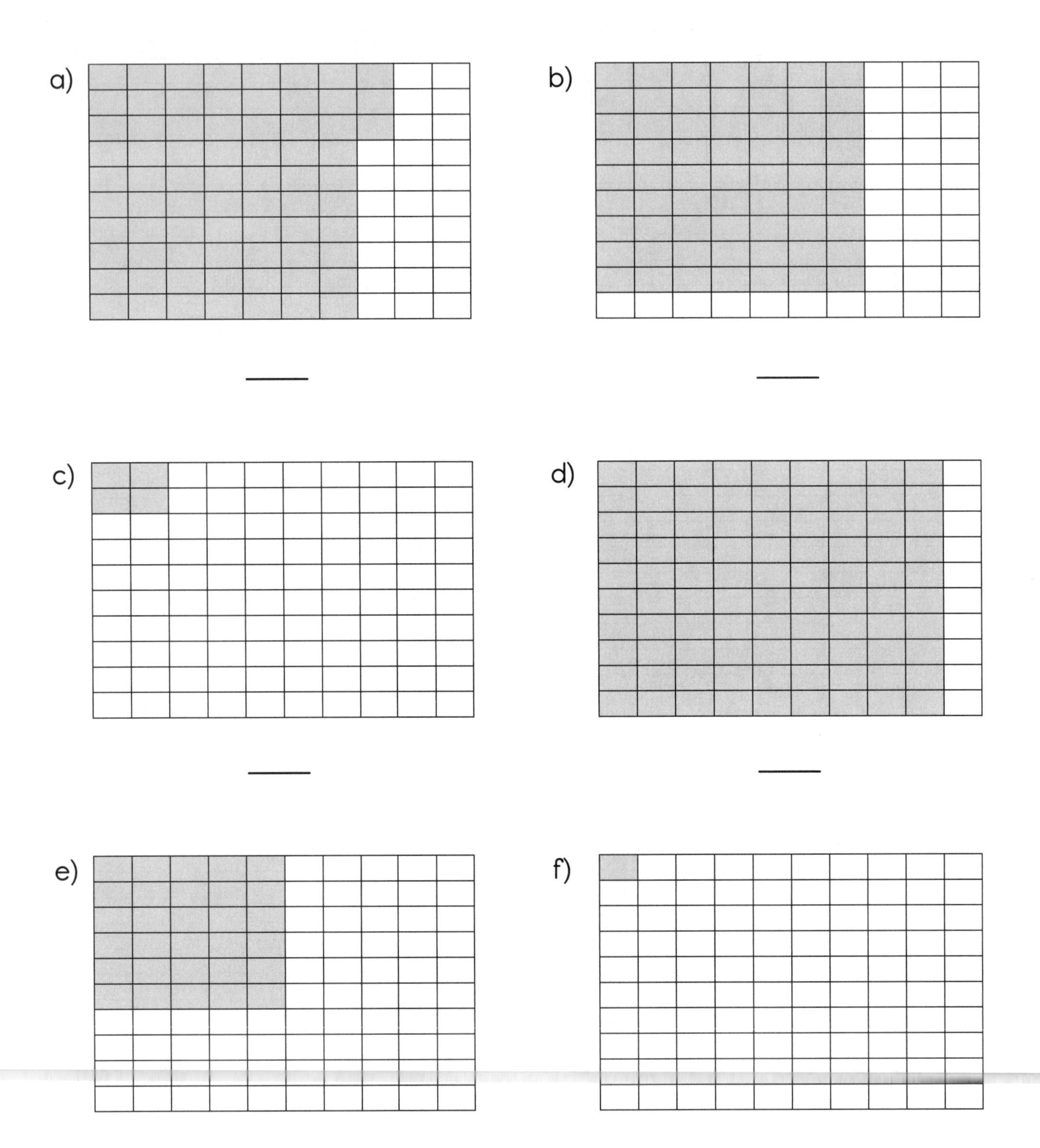

2. Additionne les montants d'argent suivants. Pour t'aider, dessine les pièces de monnaie.

a) 5,40 + 1,21

b) 4,24 + 1,03

c) 7,01 + 0,25

d) 3,35 + 1,10

e) 9,01 + 0,78

f) 5,25 + 0,25

g) 1,73 + 1,21

h) 4,13 + 4,24

3. Écris le nombre décimal représenté par la partie ombragée.

a)

____

b)

____

1. Colorie les figures planes.

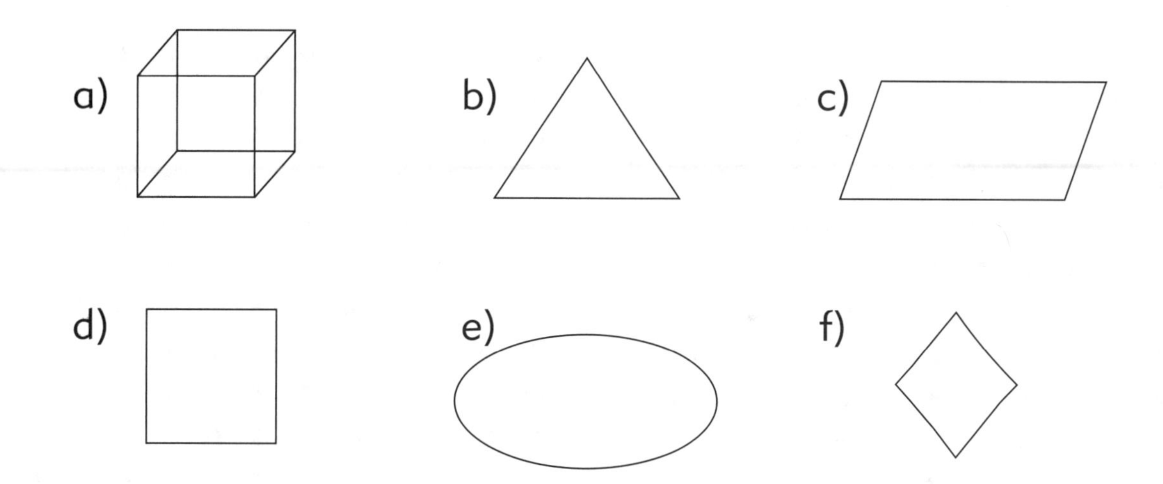

2. Nomme les angles suivants.

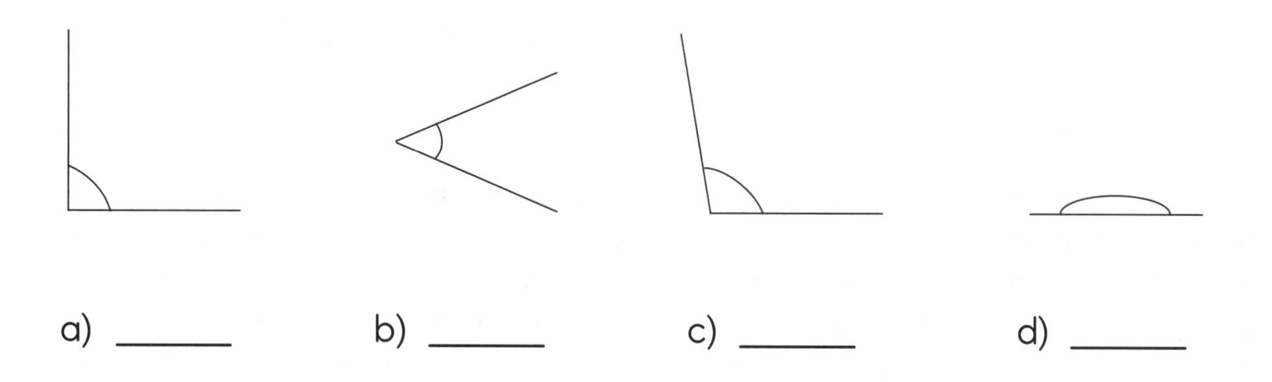

3. Écris le nombre de côtés de chacun des polygones suivants.

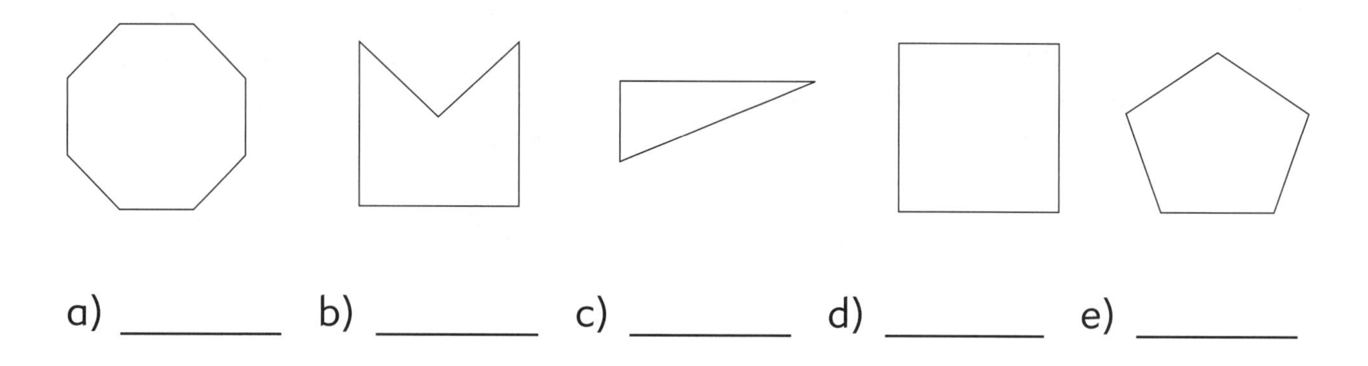

1. Relie les points pour former les figures demandées.

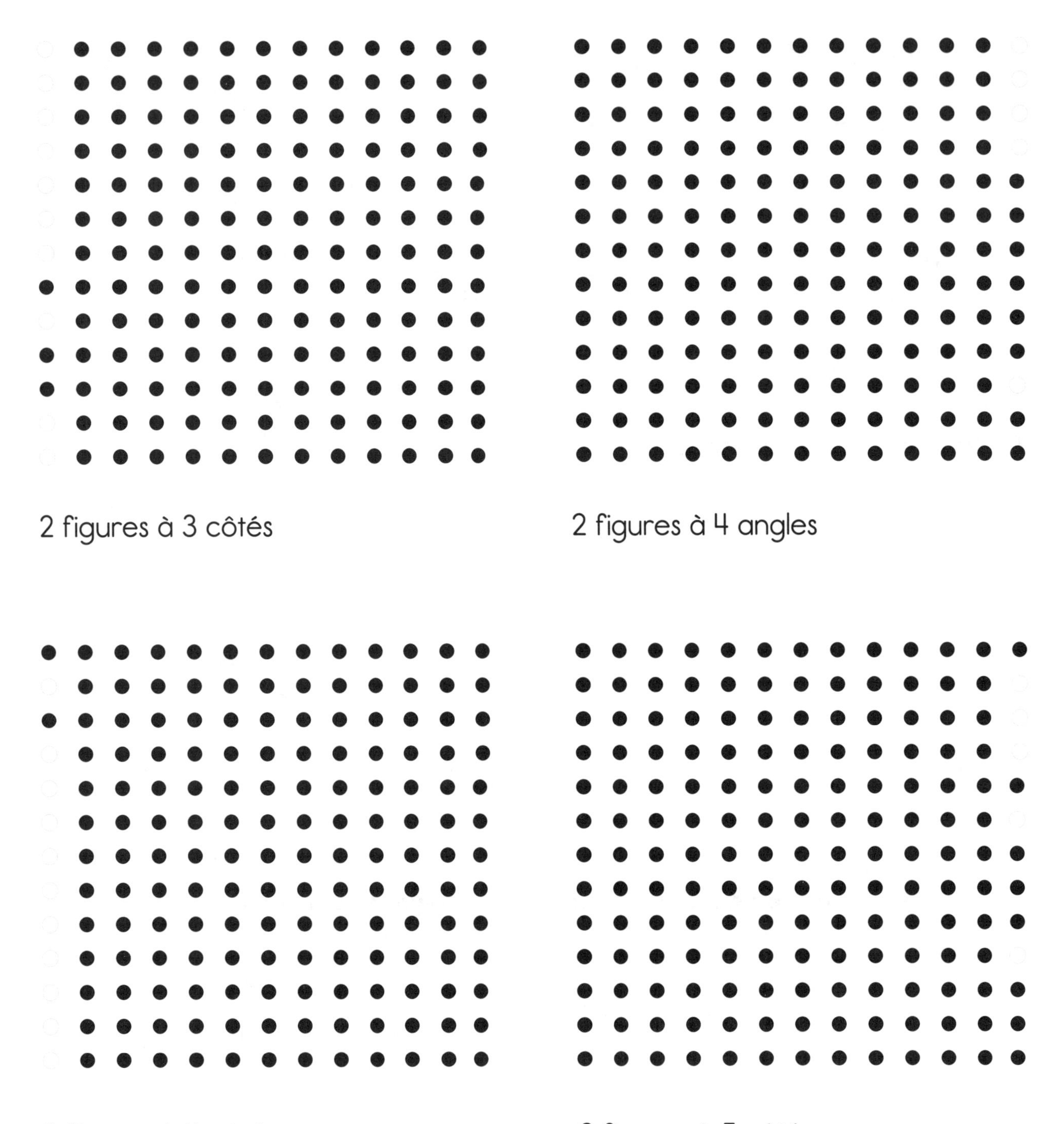

2 figures à 3 côtés

2 figures à 4 angles

2 figures à 4 côtés

2 figures à 5 côtés

2. Colorie en bleu les figures qui ont un ou des angles droits.

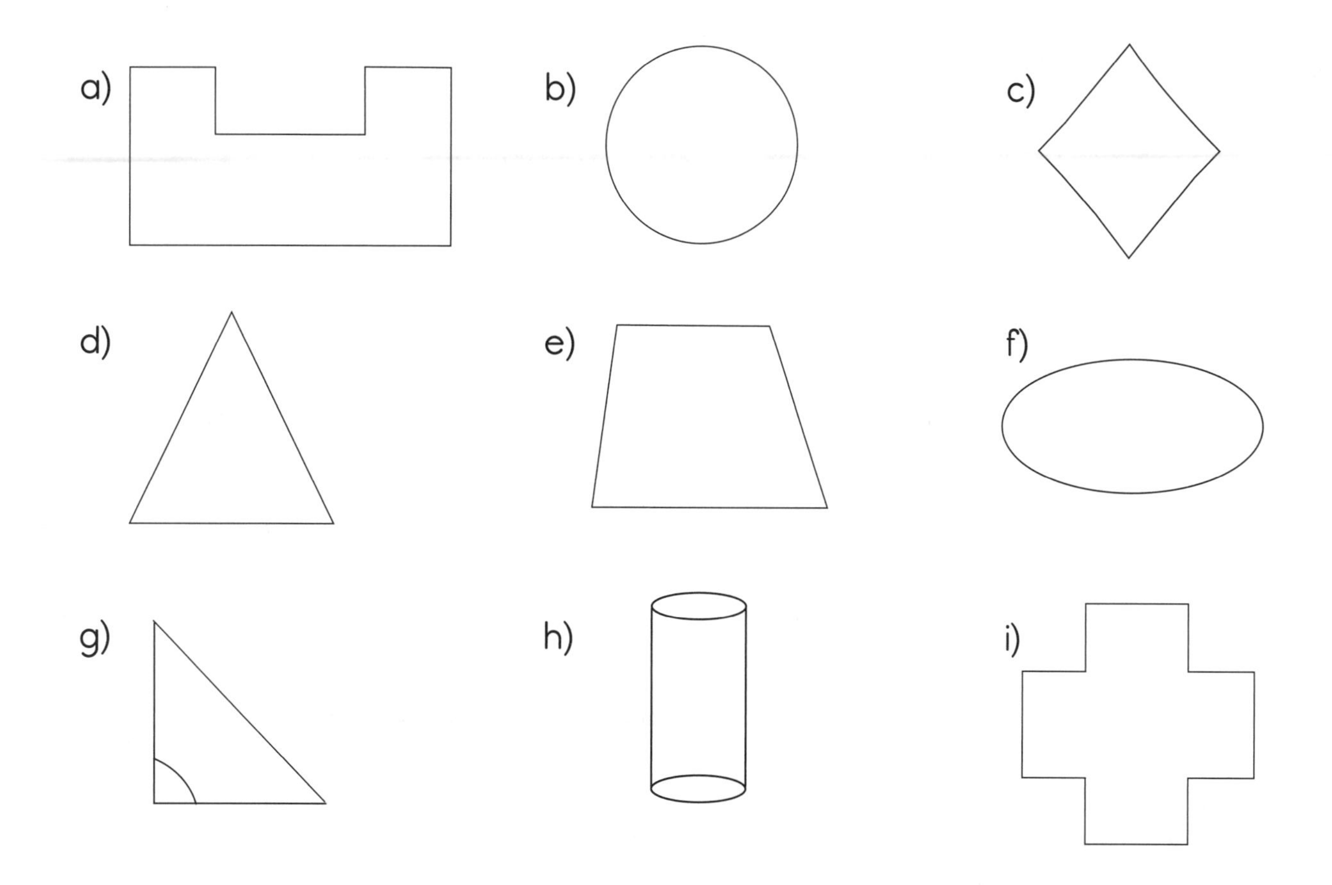

3. Combien de figures planes figurent dans cette illustration?

Carrés: _____

Losanges: _____

Triangles: _____

Rectangles: _____

Cercles: _____

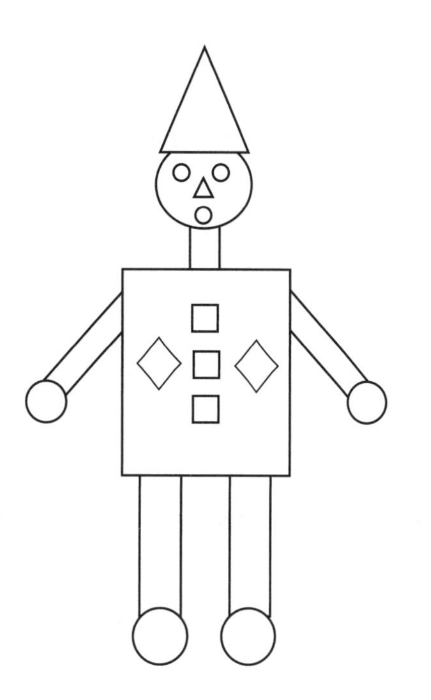

4. Colorie les figures convexes.

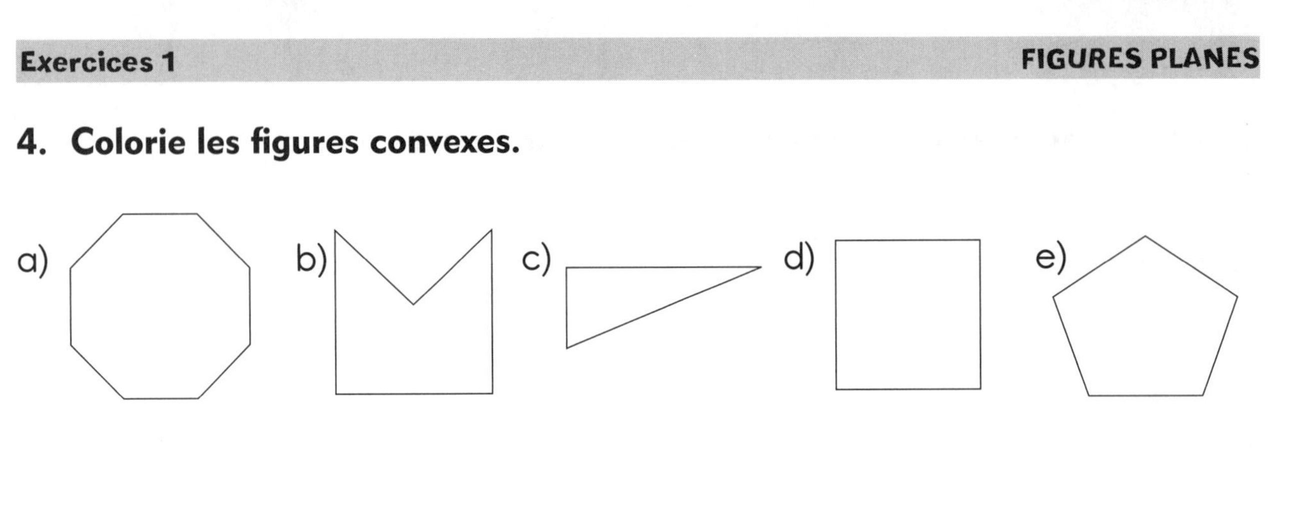

5. Colorie en vert les polygones.

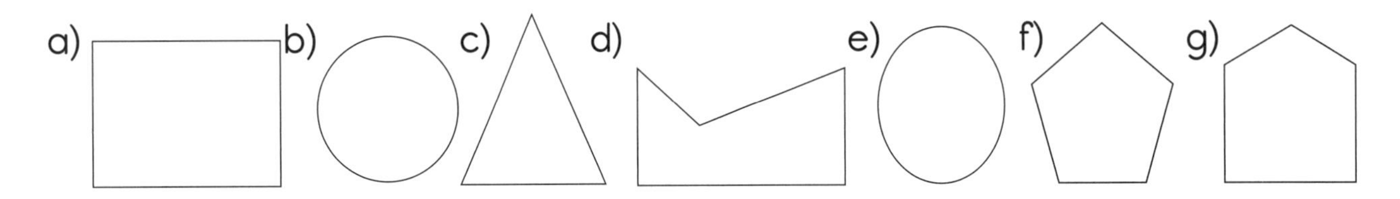

6. Colorie en bleu les figures qui ont au moins un angle obtus.

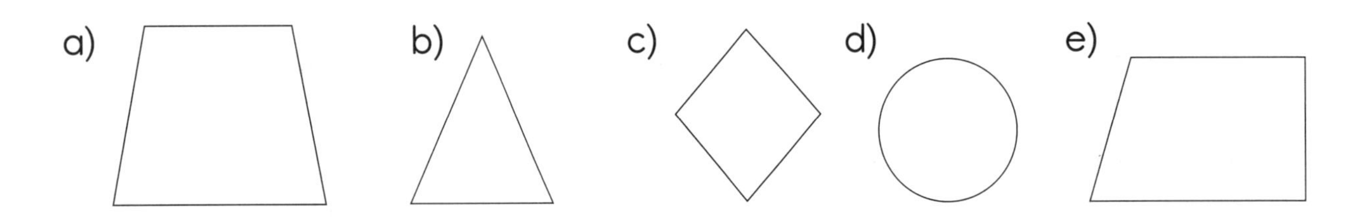

7. Colorie en jaune la figure qui a deux angles droits.

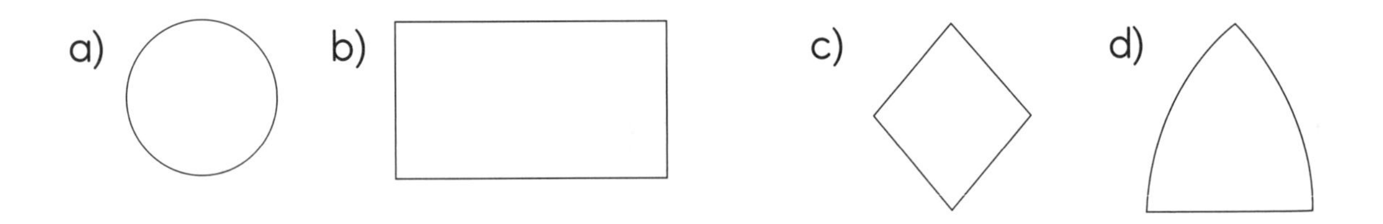

8. Encercle la figure qui n'a qu'un seul angle droit.

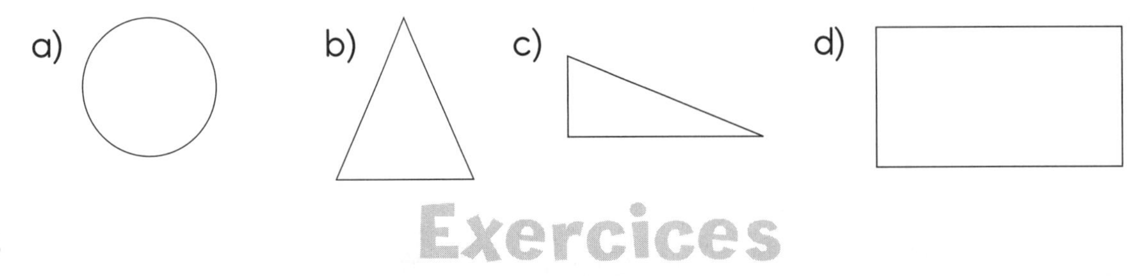

1. Écris le nombre d'angles et de côtés de chacune des figures.

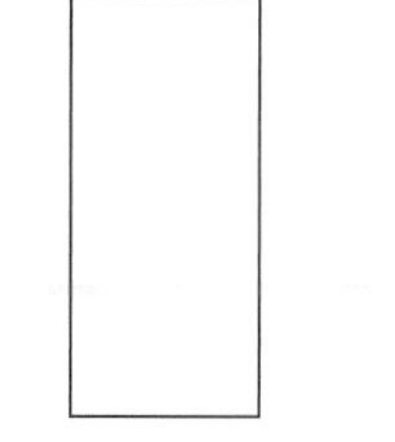
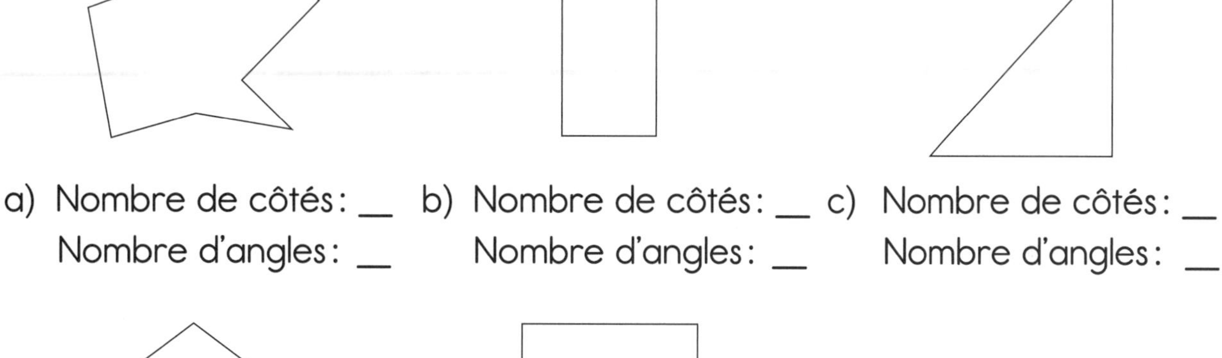
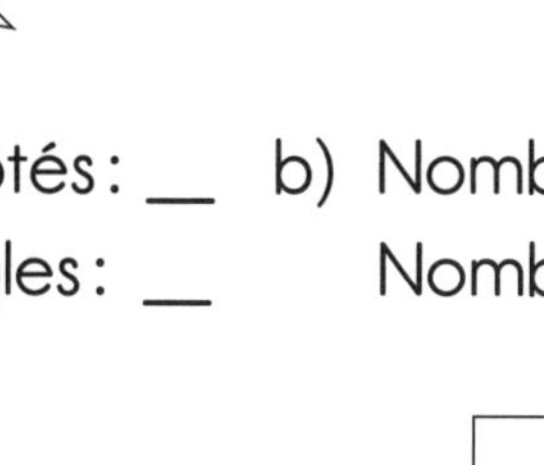

a) Nombre de côtés : __
Nombre d'angles : __

b) Nombre de côtés : __
Nombre d'angles : __

c) Nombre de côtés : __
Nombre d'angles : __

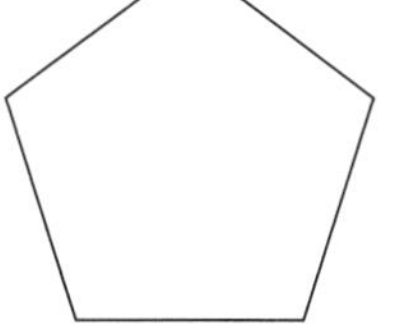
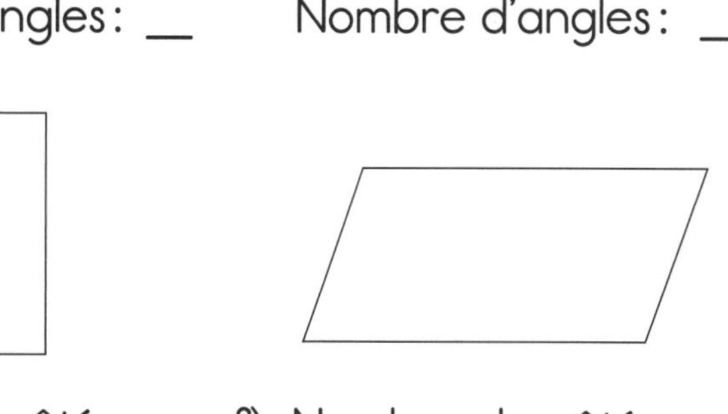

d) Nombre de côtés : __
Nombre d'angles : __

e) Nombre de côtés : __
Nombre d'angles : __

f) Nombre de côtés : __
Nombre d'angles : __

2. Relie des points de la grille pour former un losange, un parallélogramme, un triangle et un rectangle.

1. **En te servant de figures planes, dessine un clown. Tu dois avoir au moins 2 cercles, 3 triangles, 4 rectangles.**

2. **Nomme les quatre sortes d'angles.**

___

3. **Relie les points pour former deux quadrilatères différents.**

4. Colorie les côtés congrus des figures suivantes.

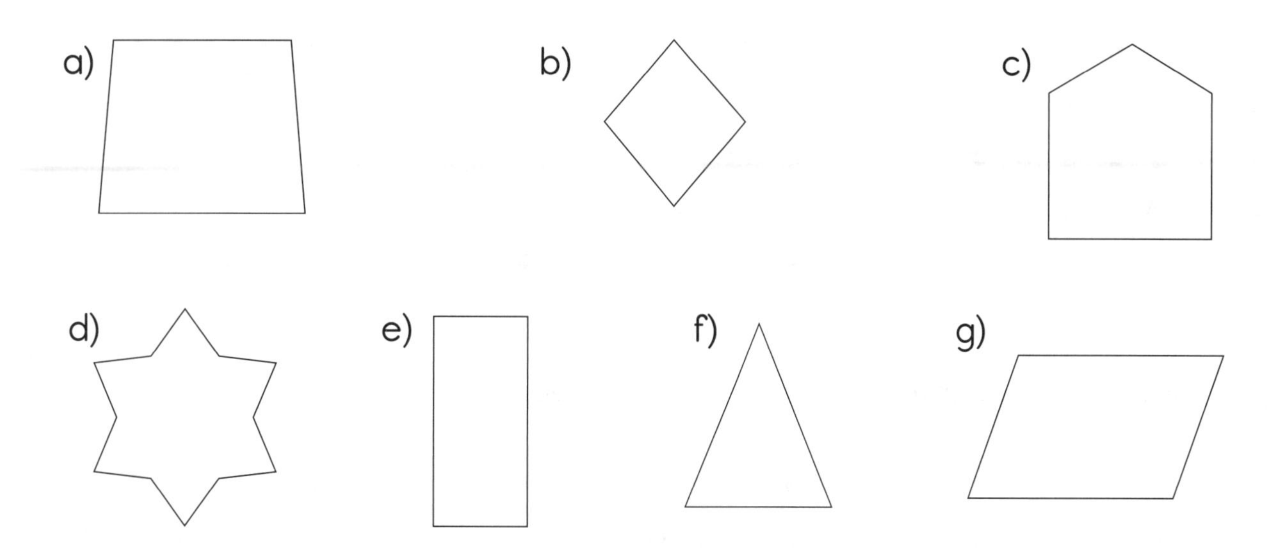

5. Dessine une figure concave (qui possède un creux ou une partie rentrée) et une figure convexe (qui n'a pas de creux ou de partie rentrée).

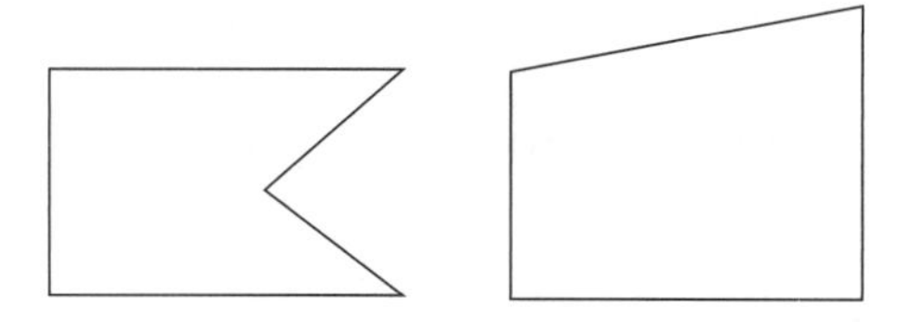

concave convexe

6. Trace des triangles de différentes grosseurs et formes.

7. Trace des rectangles de différentes grosseurs.

8. Trace des quadrilatères de différentes grosseurs et formes.

9. Trace des polygones de différentes grosseurs et formes.

1. En te servant des mots de la banque, écris le nom des solides ci-dessous.

prisme à base rectangulaire, prisme à base triangulaire, cube, pyramide à base carrée, pyramide à base rectangulaire, pyramide à base triangulaire

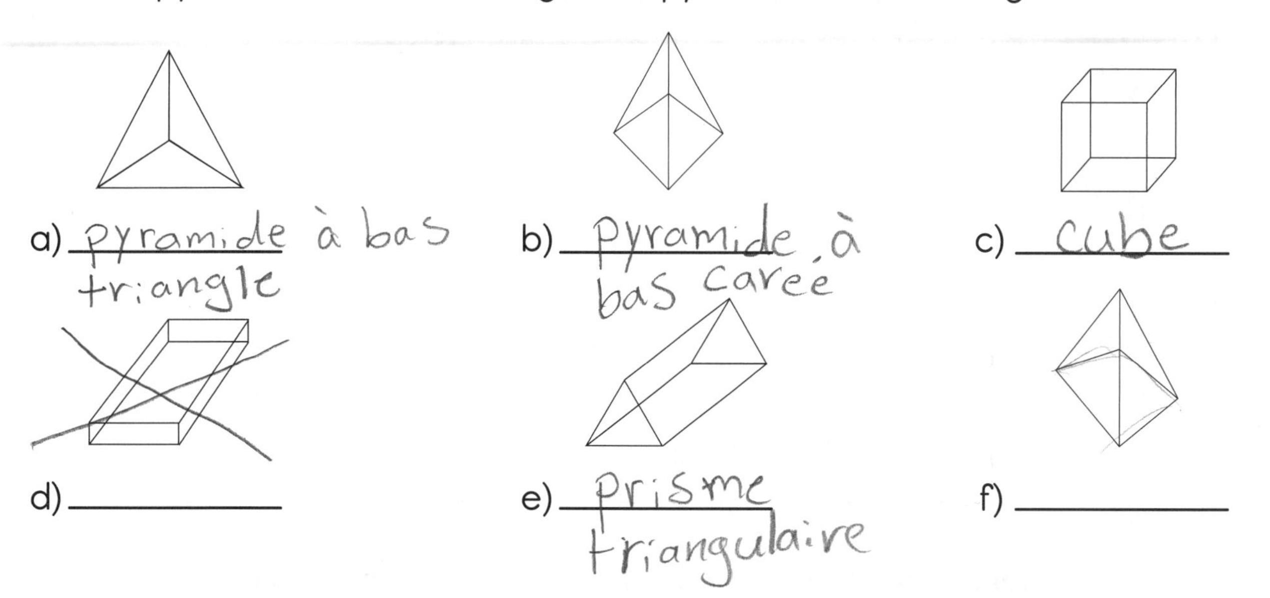

2. Écris le nombre de faces et le nombre d'arêtes des solides suivants.

3. Écris le nom d'un solide qui peut rouler.

cylindre

4. Écris le nom d'un solide qui peut glisser.

cube

1. Observe les solides et indique s'ils roulent seulement, glissent seulement ou roulent et glissent.

		Glisse seulement	Roule seulement	Glisse et roule
a)		✓		
b)				✓
c)		✓		

2. Écris le nombre de sommets et d'arêtes de chacun des solides.

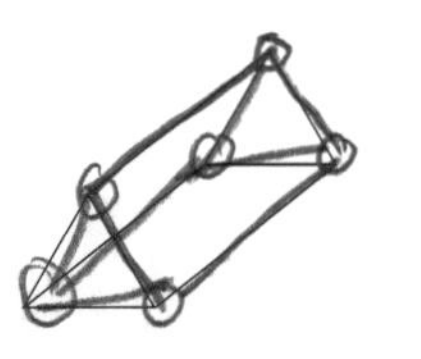

a)
Sommets : 6
Arêtes : 9

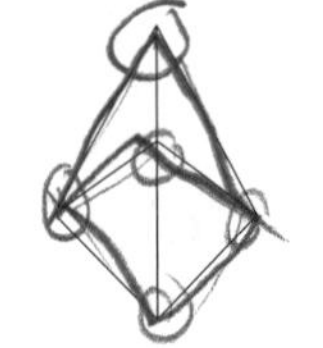

b)
Sommets : 5
Arêtes : 6

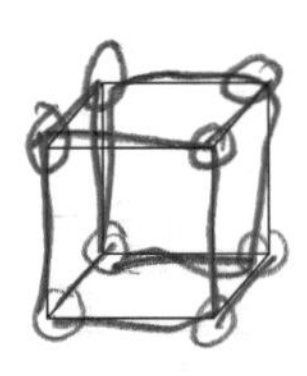

c)
Sommets : 8
Arêtes : 12

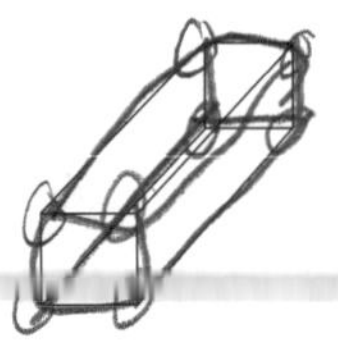

d)
Sommets : 8
Arêtes : 12

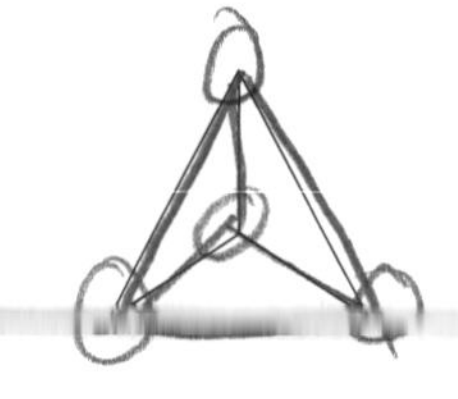

e)
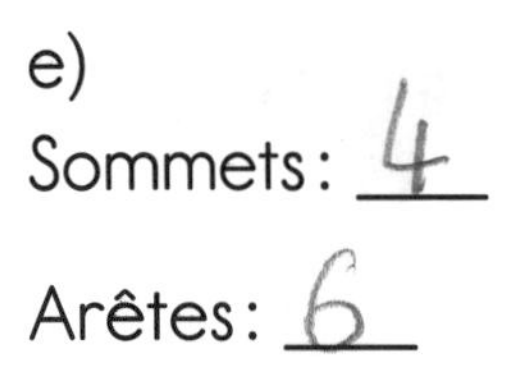
Sommets : 4
Arêtes : 6

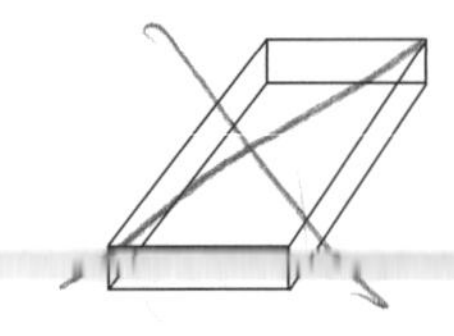

f)
Sommets : ____
Arêtes : ____

3. Encercle les figures planes dont tu as besoin pour construire les solides suivants.

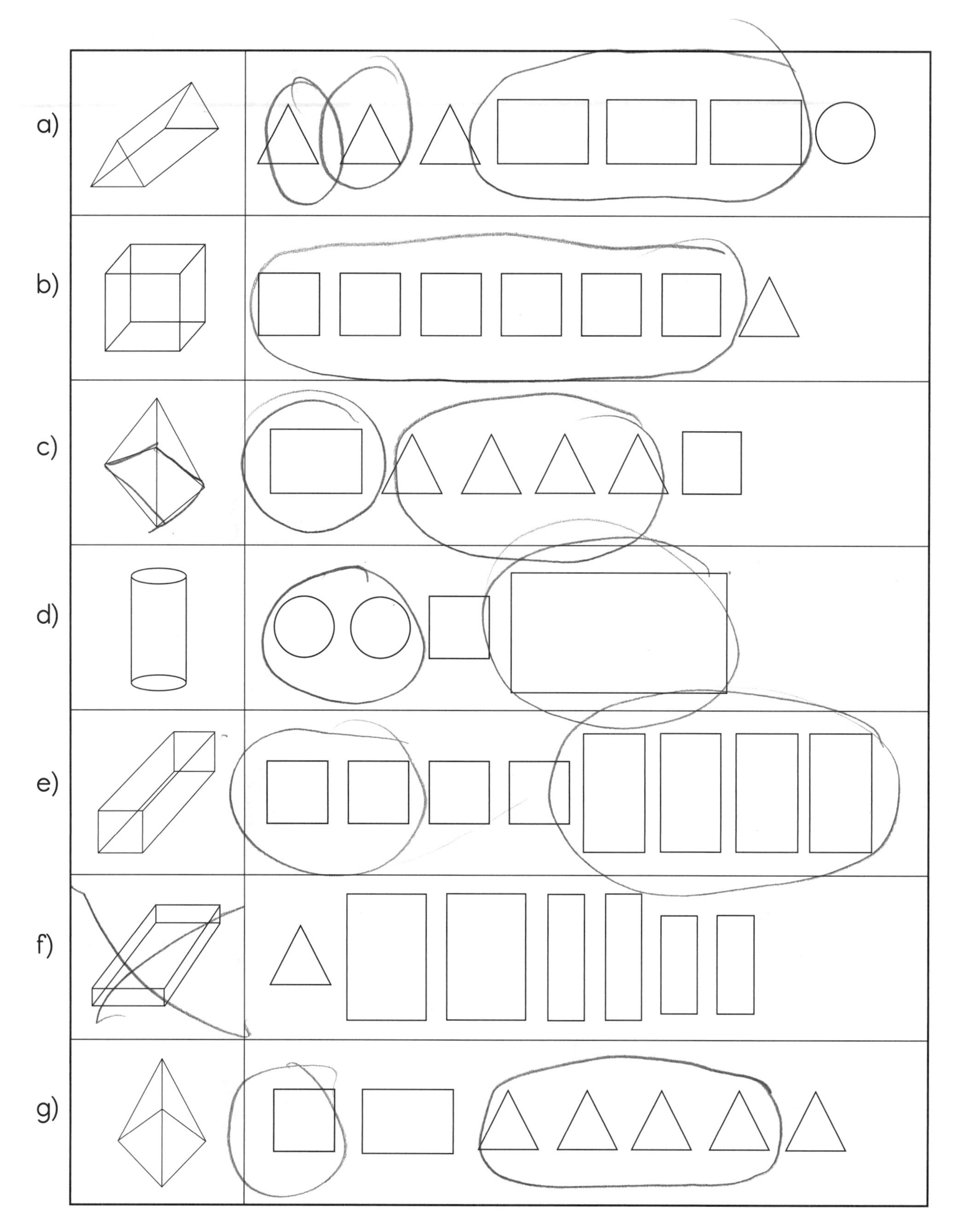

4. Associe le solide à l'objet qui lui ressemble.

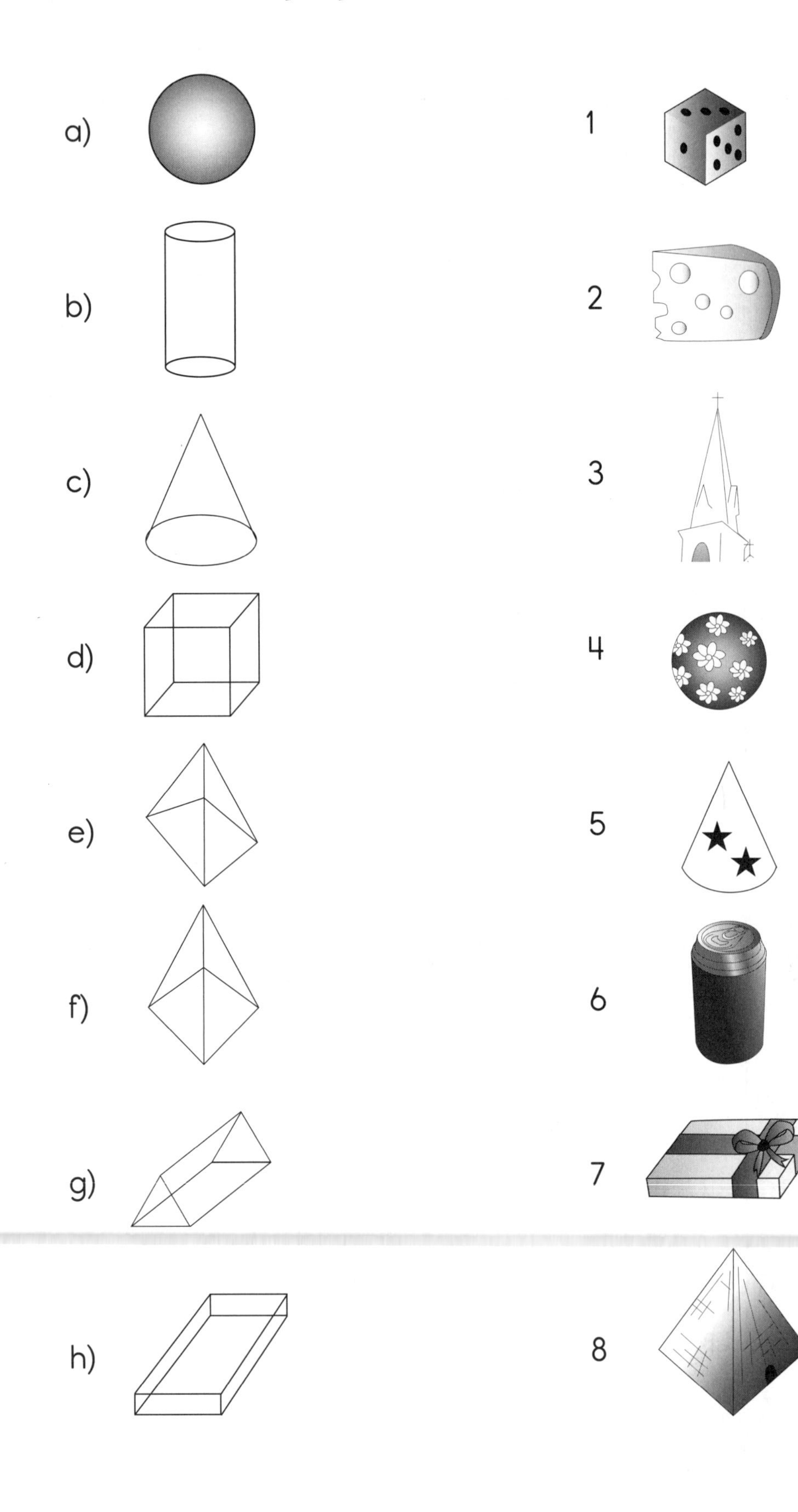

1. Écris le nombre de faces planes ou de faces courbes pour chacun des solides suivants.

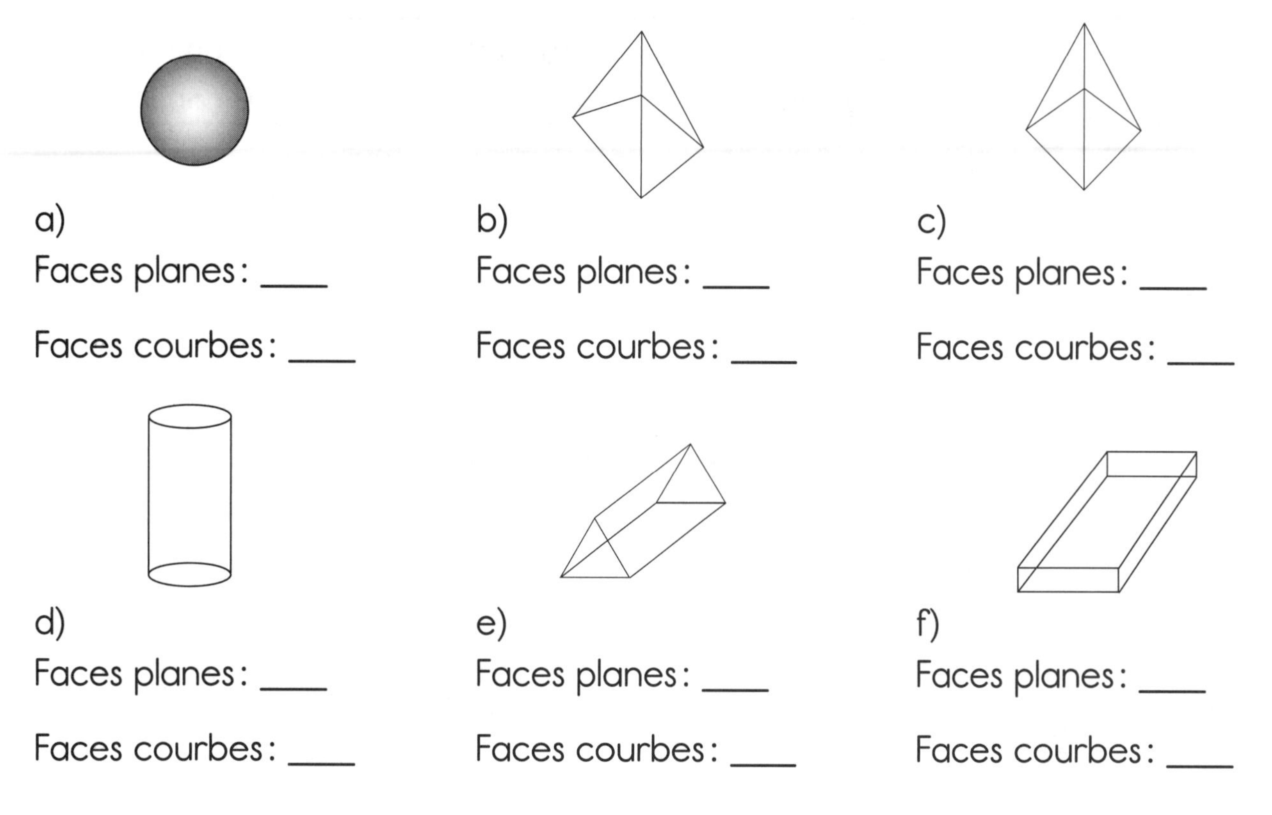

a)
Faces planes : ____
Faces courbes : ____

b)
Faces planes : ____
Faces courbes : ____

c)
Faces planes : ____
Faces courbes : ____

d)
Faces planes : ____
Faces courbes : ____

e)
Faces planes : ____
Faces courbes : ____

f)
Faces planes : ____
Faces courbes : ____

2. Encercle le solide qui est décrit.

a) Il a des faces planes et une face courbe. (cylindre, cube, sphère)

b) Il n'a pas de face carrée. (cube, prisme à base carrée, pyramide à base rectangulaire)

3. Quel développement permet de construire le solide suivant ?

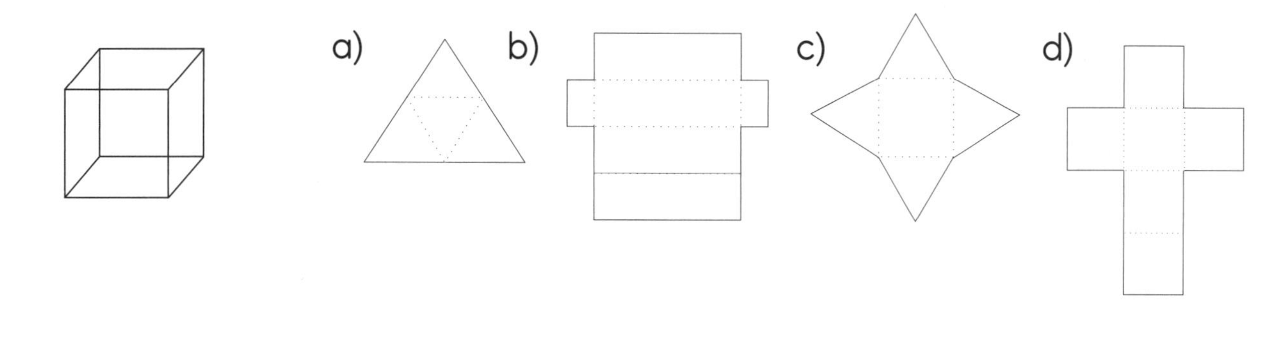

1. Fais un X dans les colonnes qui décrivent les solides suivants.

	Peut rouler seulement	Peut glisser seulement	Peut glisser et rouler
a) 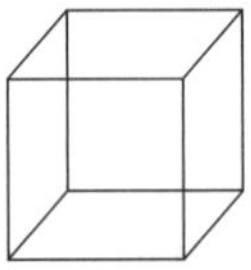			
b) 			
c) 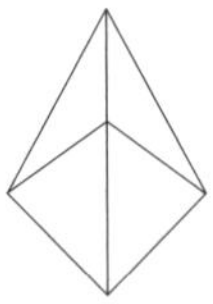			
d) 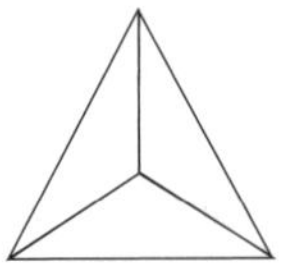			
e) 			
f) 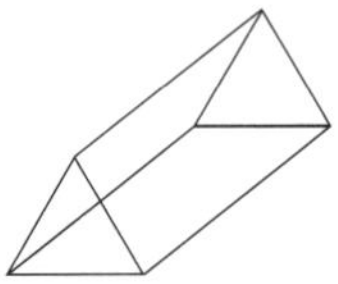			
g) 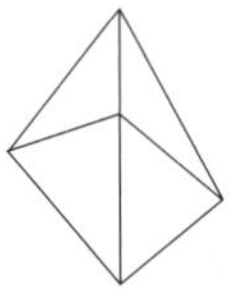			
h) 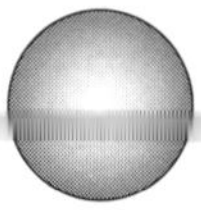			
i) 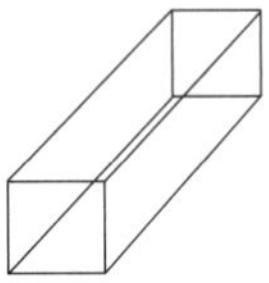			

2. Complète le tableau en faisant un X dans les cases qui décrivent les solides.

	Faces planes	Faces courbes	Faces planes et courbes
a) 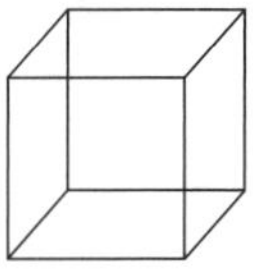			
b) 			
c) 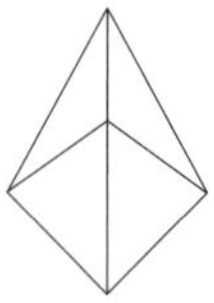			
d) 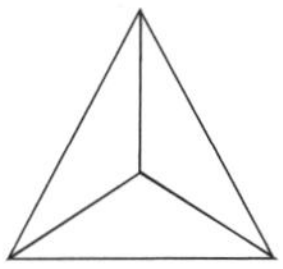			
e) 			
f) 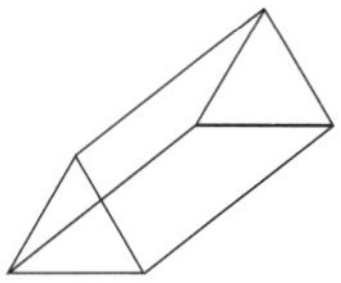			
g) 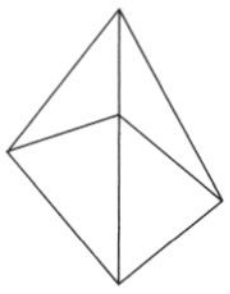			
h) 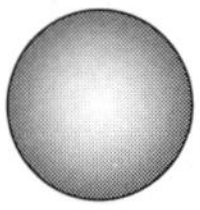			
i) 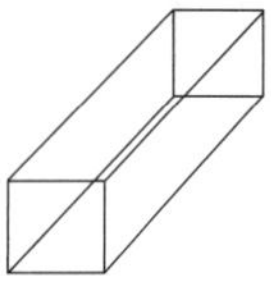			

3. Écris le nombre de figures planes dont sont formés les solides suivants.

	Triangle	Carré	Cercle	Rectangle
a)				
b)				
c)				
d)				
e)				
f)				
g)				
h)				
i)				

1. Reproduis l'autre moitié du dessin.

a) b) c) d)

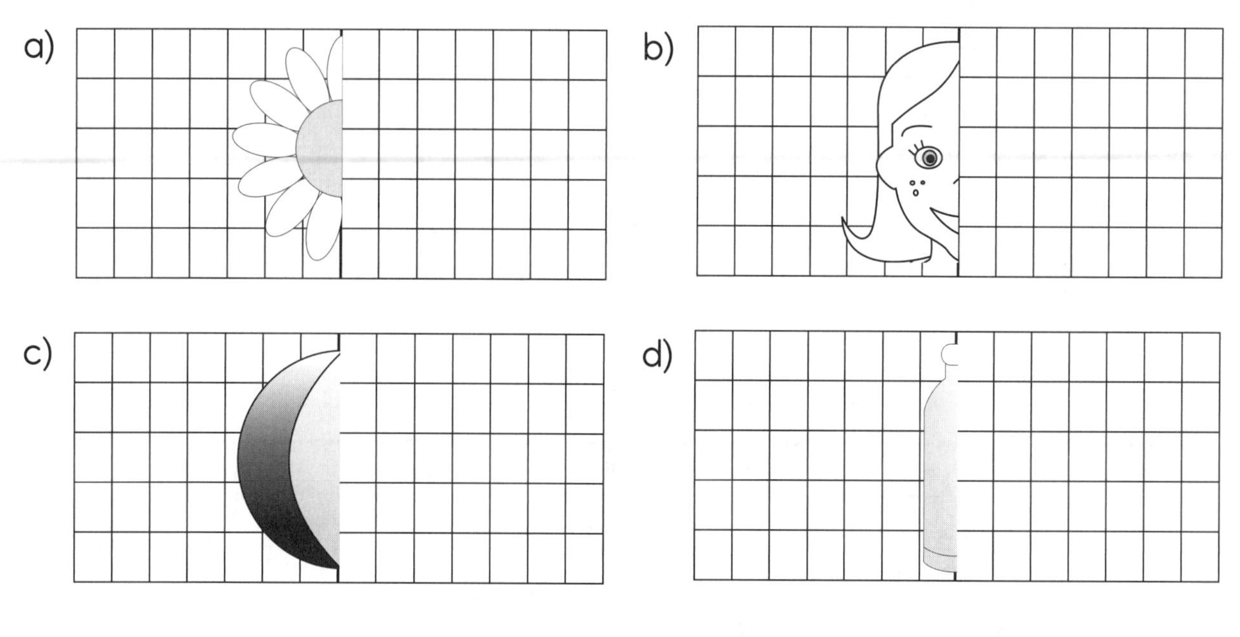

2. Colorie les cases demandées.

a)

5					
4					
3					
2					
1					
	a	b	c	d	e

(b, 2) (b, 3) (b, 4) (b, 5)
(c, 2) (d, 2) (d, 3) (d, 4) (d, 5)

b)

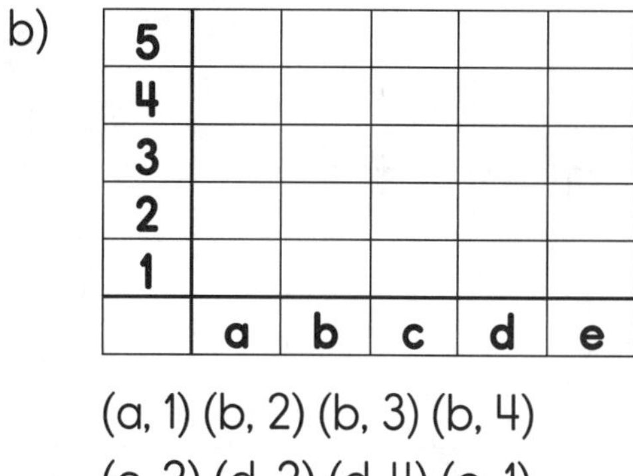

(a, 1) (b, 2) (b, 3) (b, 4)
(c, 2) (d, 2) (d, 4) (e, 1)

3. Colorie le dallage de quatre couleurs différentes.

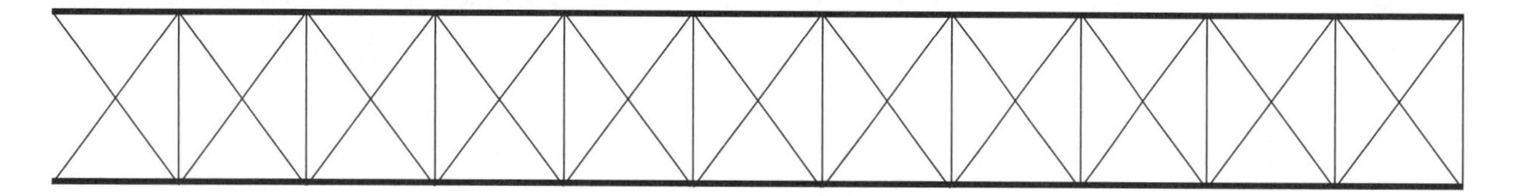

4. Colorie la frise de deux couleurs différentes.

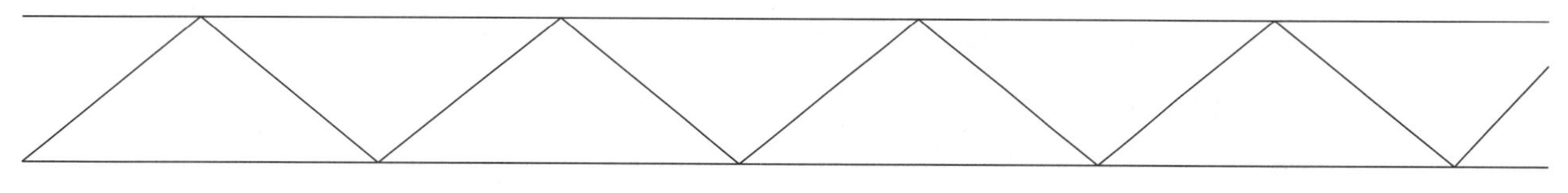

1. **Reproduis l'autre moitié des dessins par réflexion.**

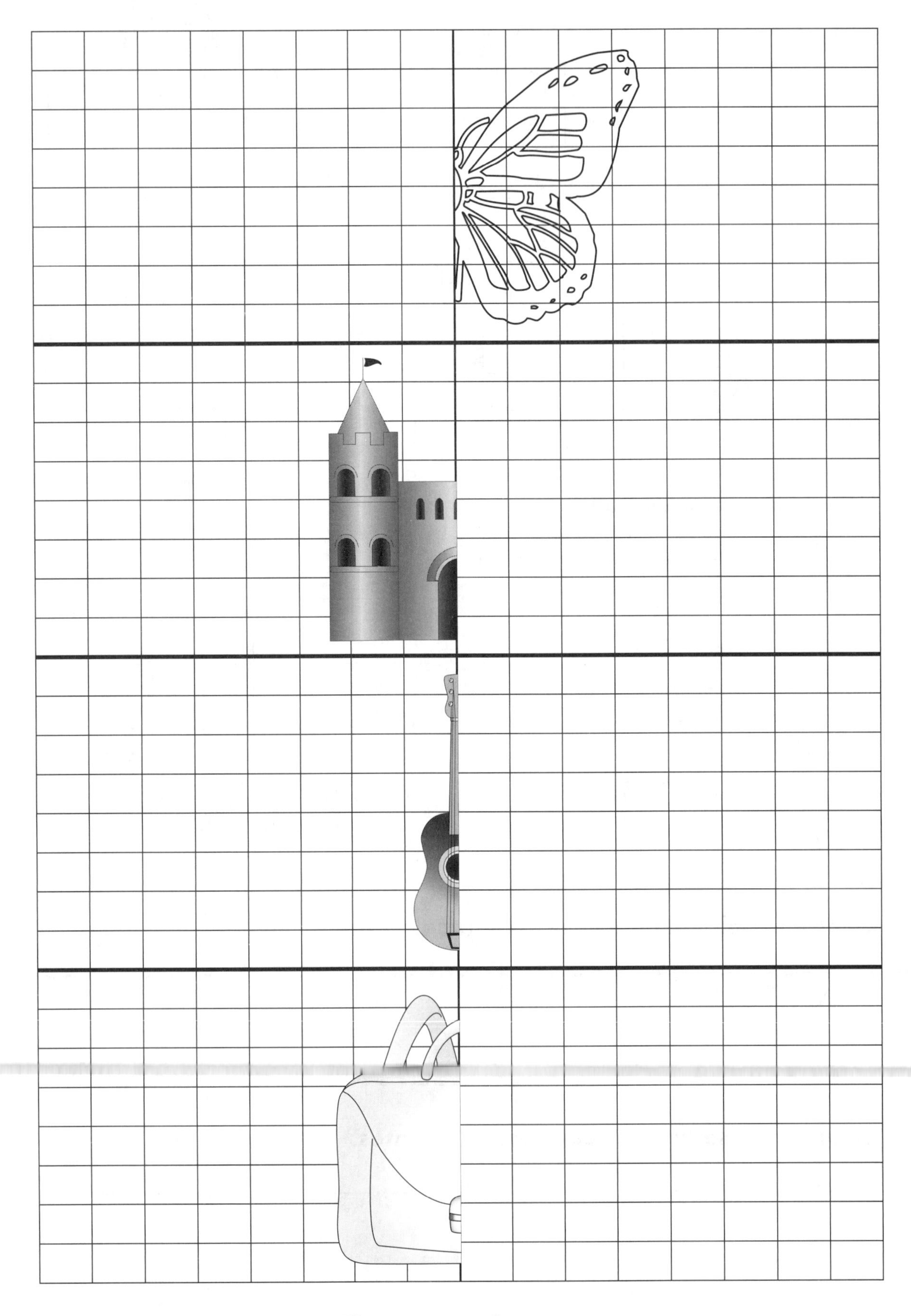

2. Trace les axes de symétrie sur les illustrations suivantes.

3. Voici le plan du pirate qui indique où sont cachés le trésor et d'autres objets. Écris les coordonnées de chaque élément.

Poisson: ________ Île: ___________ Palmier: _________

Trésor: _________ Crochet: ______ Drapeau: ________

Sirène: _________

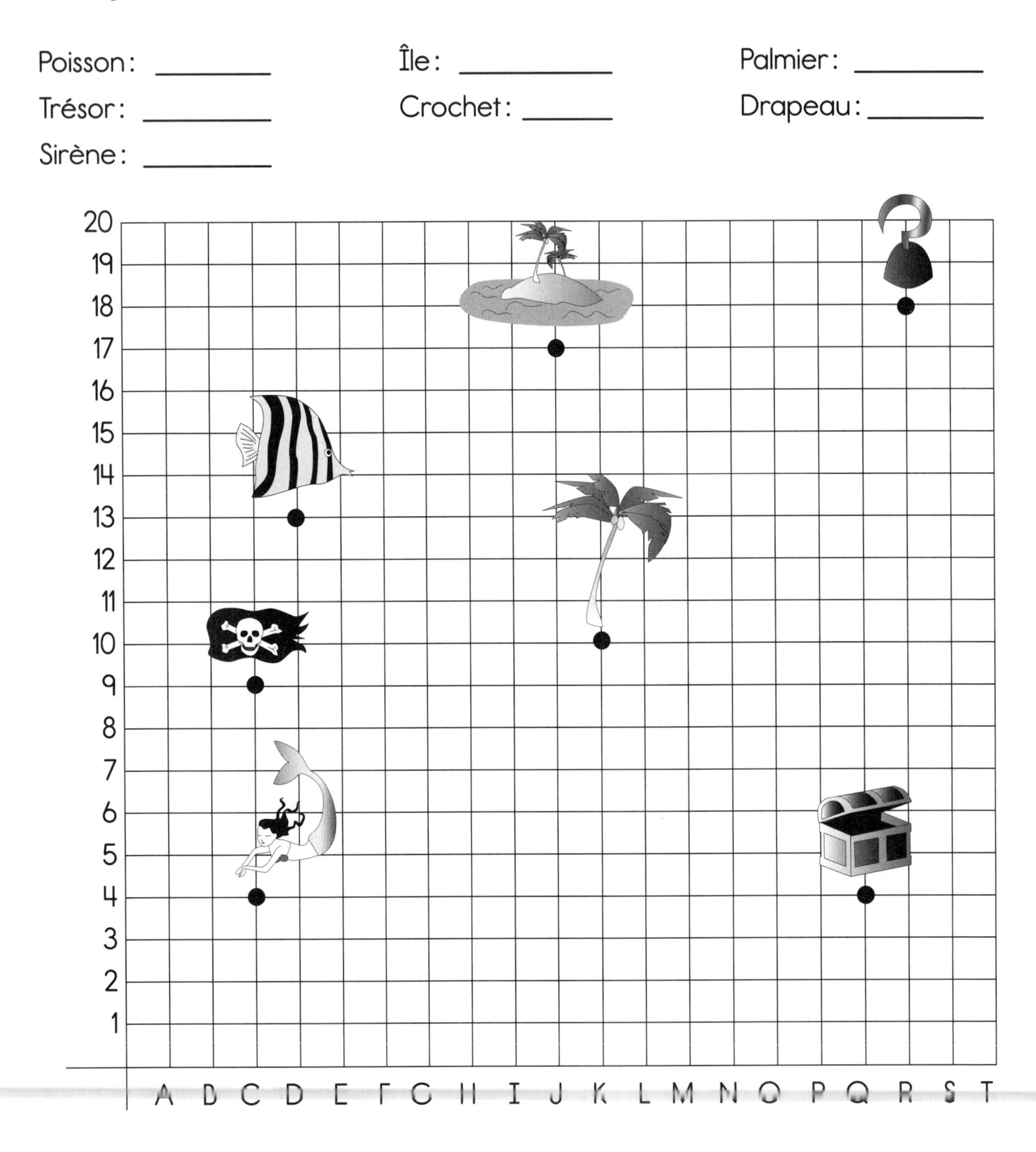

1. Trace les axes de symétrie si c'est possible.

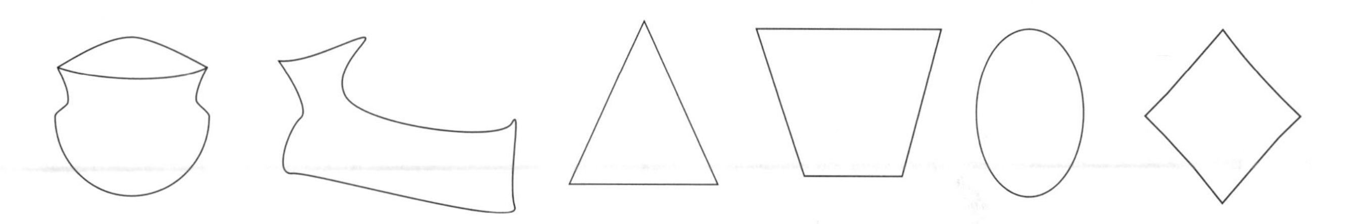

2. Complète la frise suivante en utilisant la réflexion.

3. Dessine des points aux endroits demandés sur le plan.

	1	2	3	4	5
a					
b					
c					
d					
e					
f					

a) Dessine un point rouge dans la case dont les coordonnées sont c-5.

b) Dessine un point vert dans la case dont les coordonnées sont d-1.

c) Dessine un point bleu dans la case dont les coordonnées sont f-3.

d) Dessine un point jaune dans la case dont les coordonnées sont a-4.

1. Reproduis l'autre moitié des dessins par réflexion.

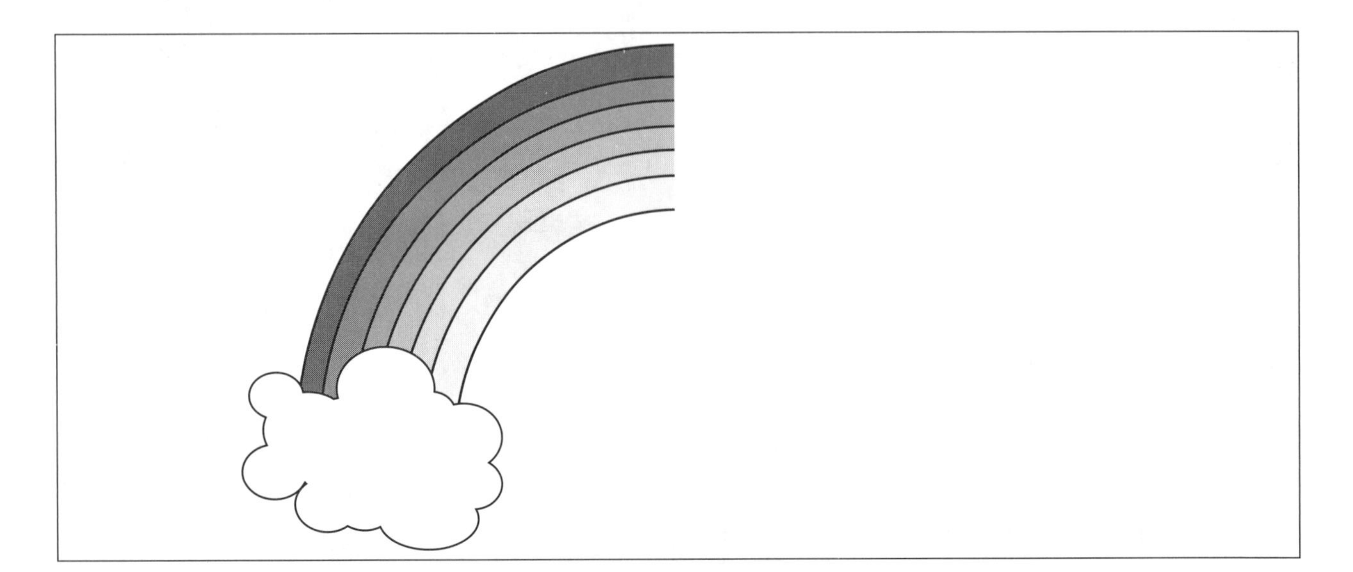

2. Colorie le dallage des couleurs de ton choix.

3. Trace des points selon les coordonnées suivantes :

(1, G), (4, E), (18, E), (17, G), (9, H), (10, H), (9, L), (10, L), (5, L), (13, L), (10, Q)

Maintenant, relie les points suivants :
(1, G) à (4, E) ; (4, E) à (18, E) ; (18, E) à (17, G) ; (17, G) à (1, G) ; (9, H) à (9, L) ;
(9, H) à (10, H) ; (10, H) à (10, L) ; (5, L) à (13, L) ; (13, L) à (10, Q) ; (10, Q) à (5, L)

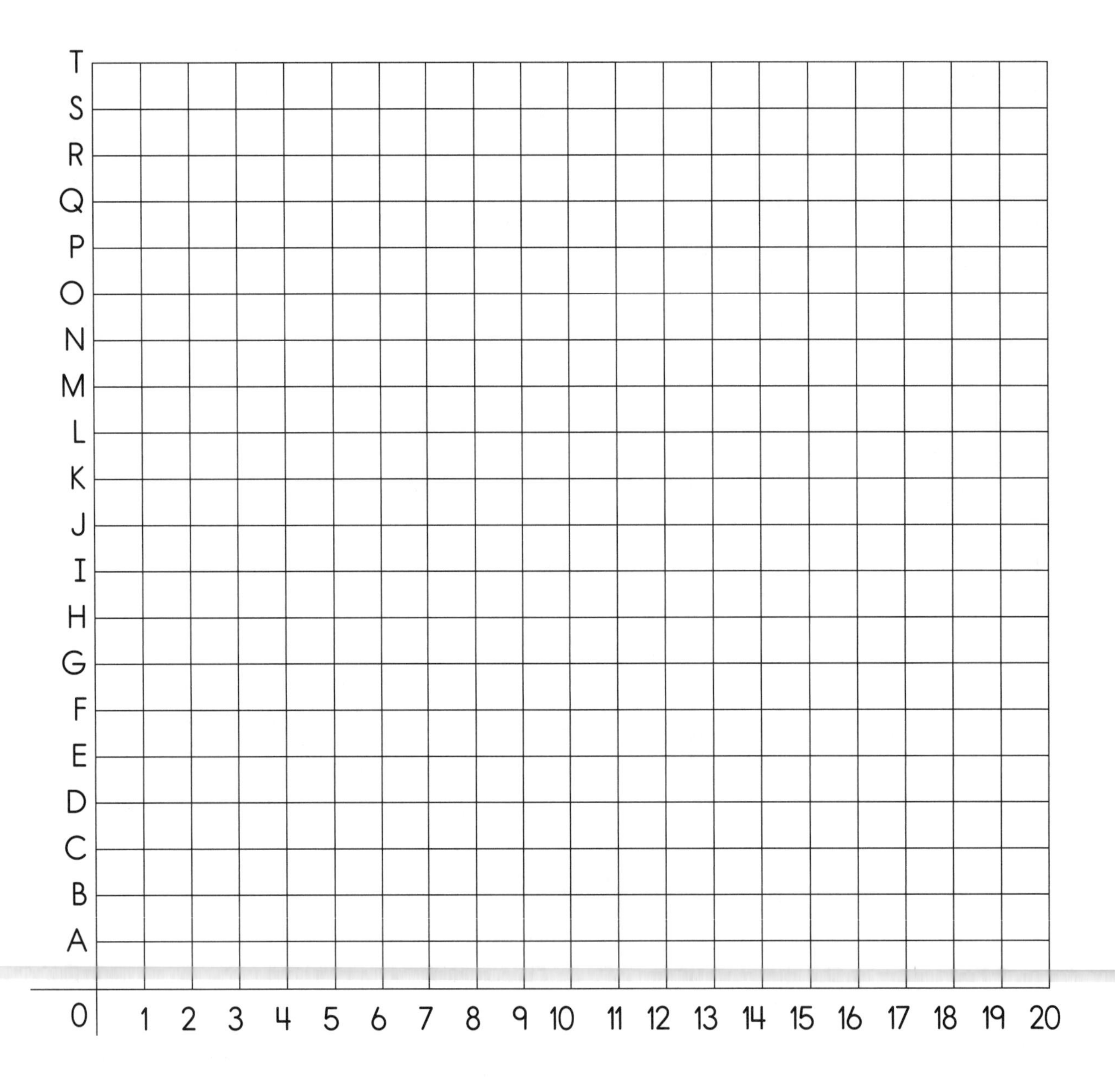

1. Estime en centimètres la mesure des objets suivants. Sers-toi de ta règle pour vérifier ton estimation.

a)

Estimation : ________
Mesure : __________

b)

Estimation : _______
Mesure : ________

c)

Estimation : ________
Mesure : __________

d)

Estimation : _______
Mesure : ________

2. Trouve l'aire et le périmètre.

a)

Aire : ____

Périmètre : ____

b)

Aire : ____

Périmètre : ____

3. Pour trouver le volume, compte combien de cubes-unités ont été nécessaires pour former les solides suivants.

a) Cubes-unités : ____

b) Cubes-unités : ____

c) Cubes-unités : ____

1. Fais un X dans la colonne de l'unité dont tu te servirais pour mesurer les objets suivants.

	m	dm	cm
a) la longueur d'un train			
b) la longueur d'une paille			
c) la longueur d'un ver de terre			
d) la longueur d'une voiture			
e) la longueur de ton pied			

2. Trace des lignes de la longueur demandée.

a) 2 cm

b) 1 dm

c) 7 cm

d) 10 cm

Qu'ont en commun les lignes b et d ? ______________________

3. Quelle est l'estimation la plus juste ?

a) 5 m 20 cm 1 dm

b) 500 m 2 m 20 cm

c) 10 cm 6 m 1 km

4. Calcule l'aire et le périmètre des parties ombragées.

a)

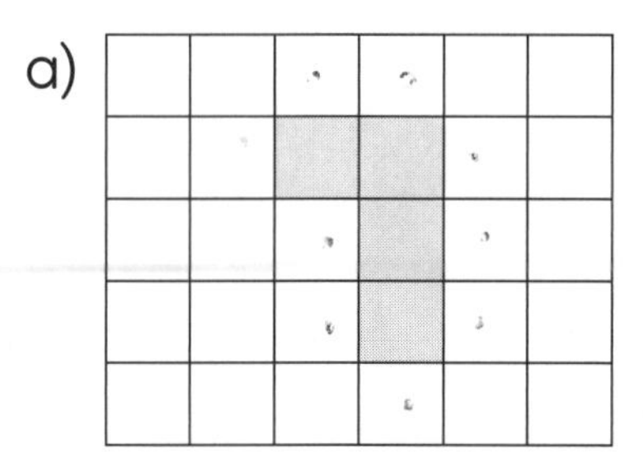

Aire : _____
Périmètre : _____

b)

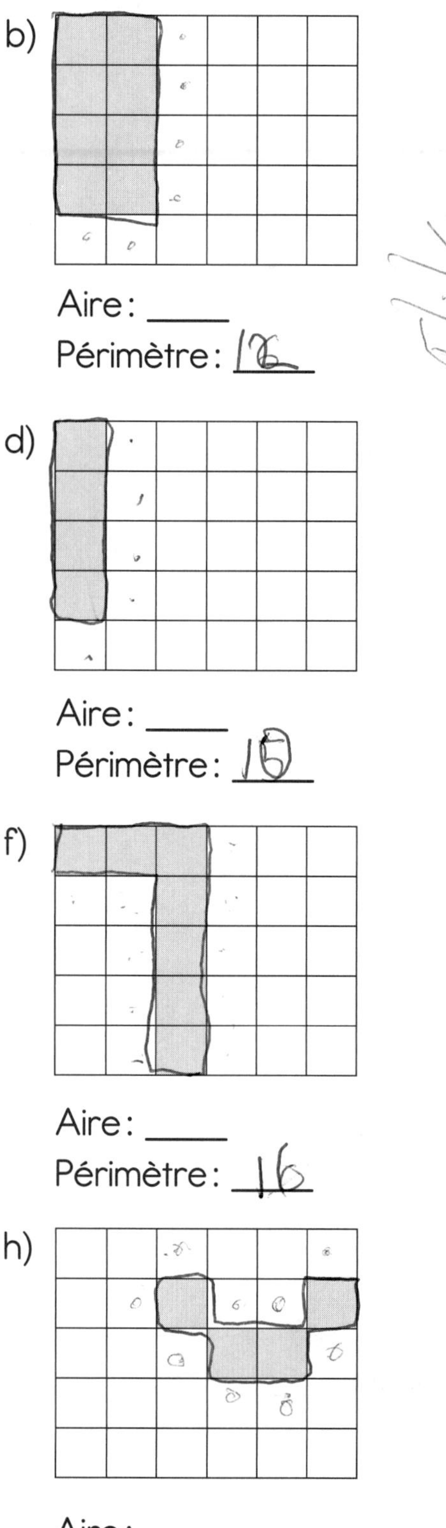

Aire : _____
Périmètre : _____

c)

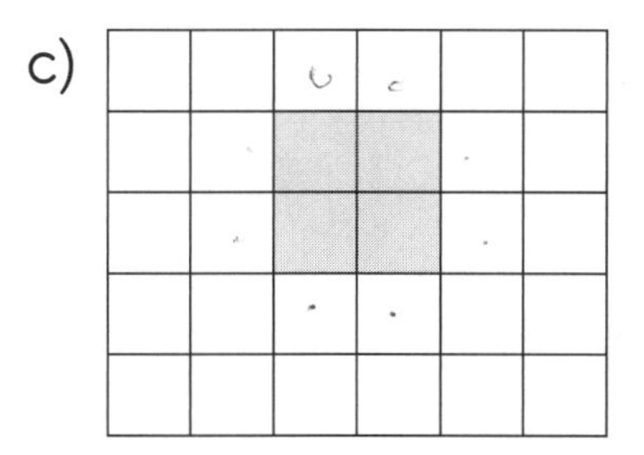

Aire : _____
Périmètre : _____

d)

Aire : _____
Périmètre : _____

e)

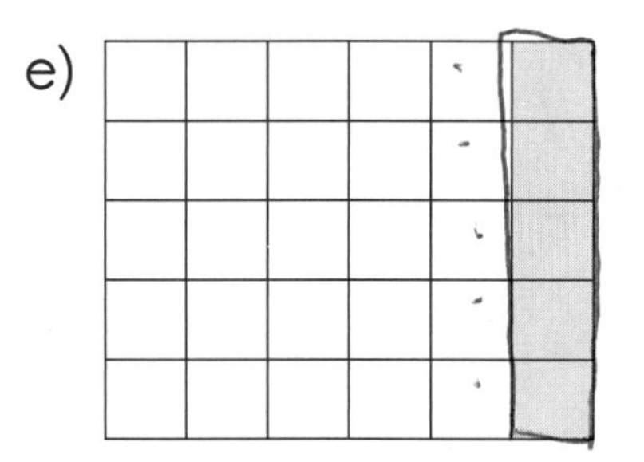

Aire : _____
Périmètre : _____

f)

Aire : _____
Périmètre : _____

g)

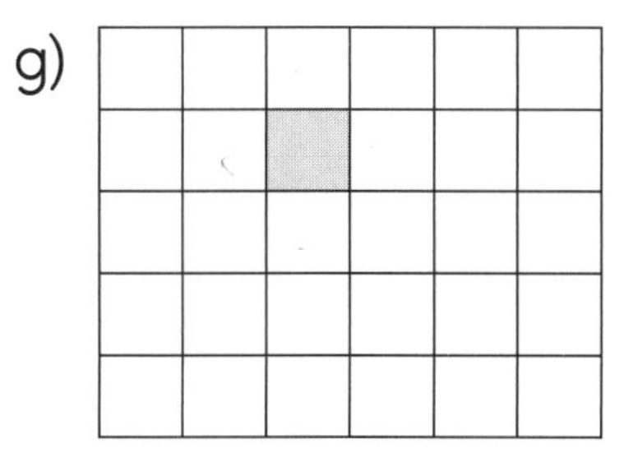

Aire : _____
Périmètre : _____

h)

Aire : _____
Périmètre : _____

5. Pour trouver le volume, compte combien de cubes-unités ont été nécessaires pour former les solides suivants.

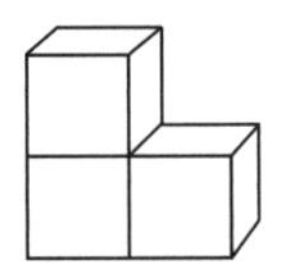

a) Cubes-unités : _____

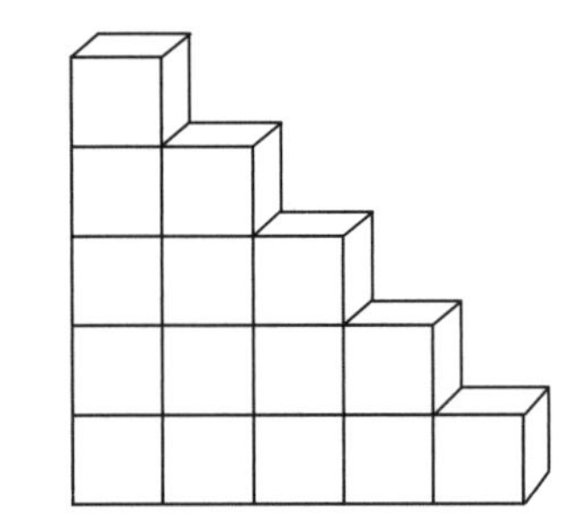

b) Cubes-unités : _____

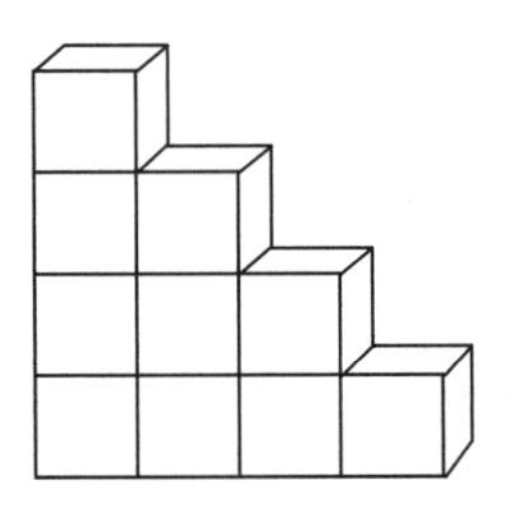

c) Cubes-unités : _____

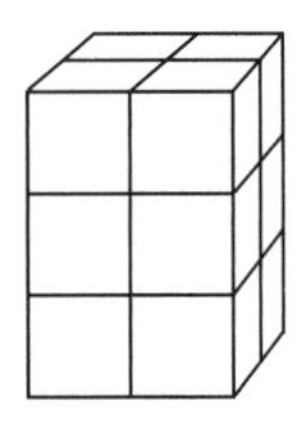

d) Cubes-unités : _____

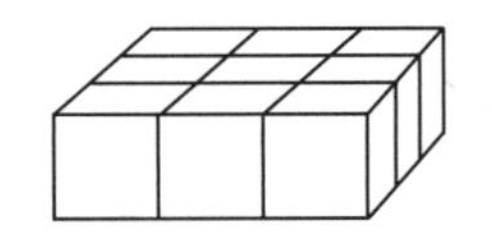

e) Cubes-unités : _____

f) Cubes-unités : _____

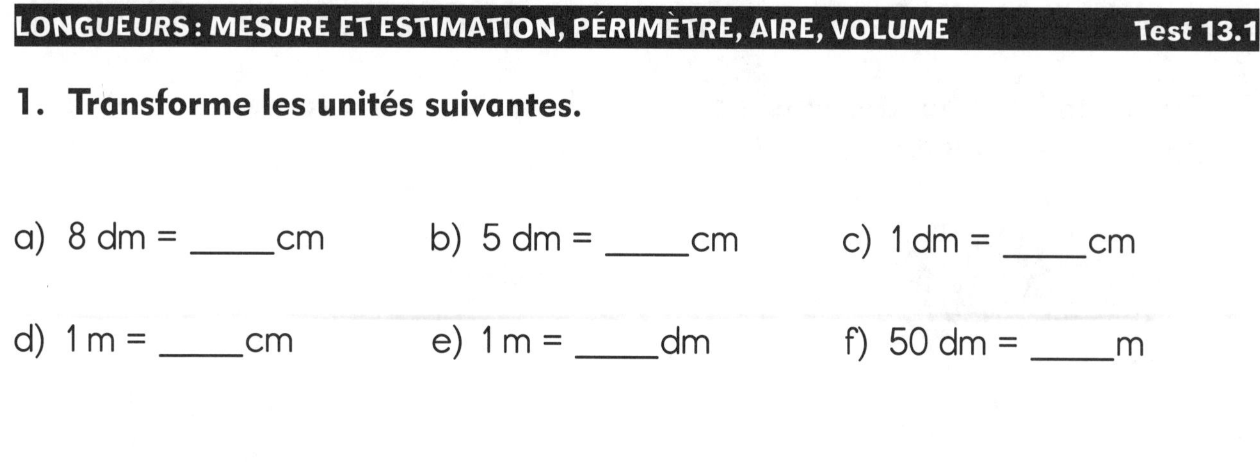

1. Transforme les unités suivantes.

a) 8 dm = _____cm b) 5 dm = _____cm c) 1 dm = _____cm

d) 1 m = _____cm e) 1 m = _____dm f) 50 dm = _____m

2. Colorie 1 dm sur la ligne.

____

3. Trouve l'aire et le périmètre des parties ombragées.

a) 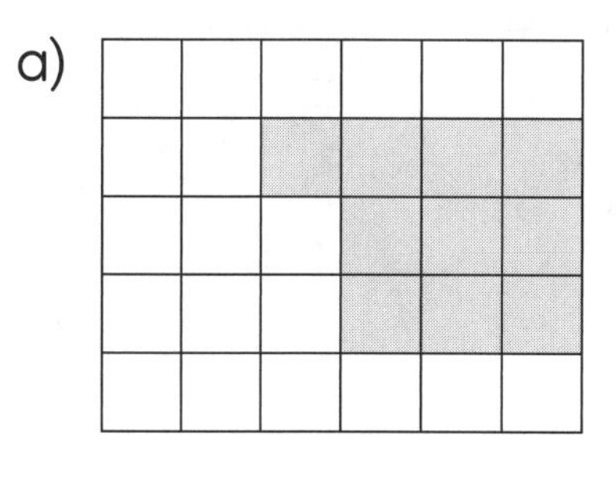

b)

Aire : _____

Périmètre : _____

Aire : _____

Périmètre : _____

4. Pour trouver le volume, compte combien de cubes-unités ont été nécessaires pour former les solides suivants.

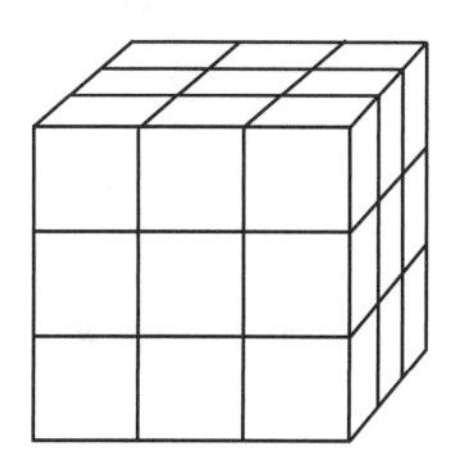

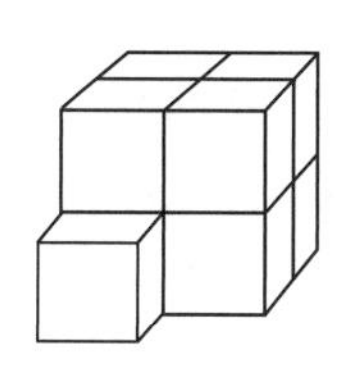

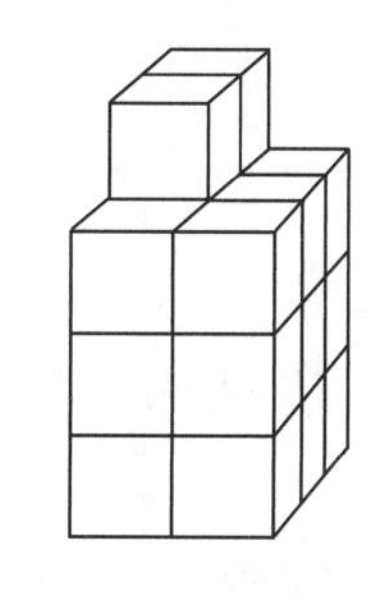

a) Cubes-unités : _____ b) Cubes-unités : _____ c) Cubes-unités : _____

1. Estime la longueur des objets suivants. Ensuite, vérifie ton estimation à l'aide d'une règle.

	Estimation	Mesure
auto		
voilier		
serpent		
vélo		
chenille		
avion		

2. Réponds par vrai ou faux.

a) Dans la réalité, un avion mesure plus de 1000 m. __________

b) Dans la réalité, une vache mesure plus de 4 m de haut. __________

c) Dans la réalité, une gomme à effacer mesure moins de 1 dm. __________

3. Calcule l'aire et le périmètre des parties ombragées.

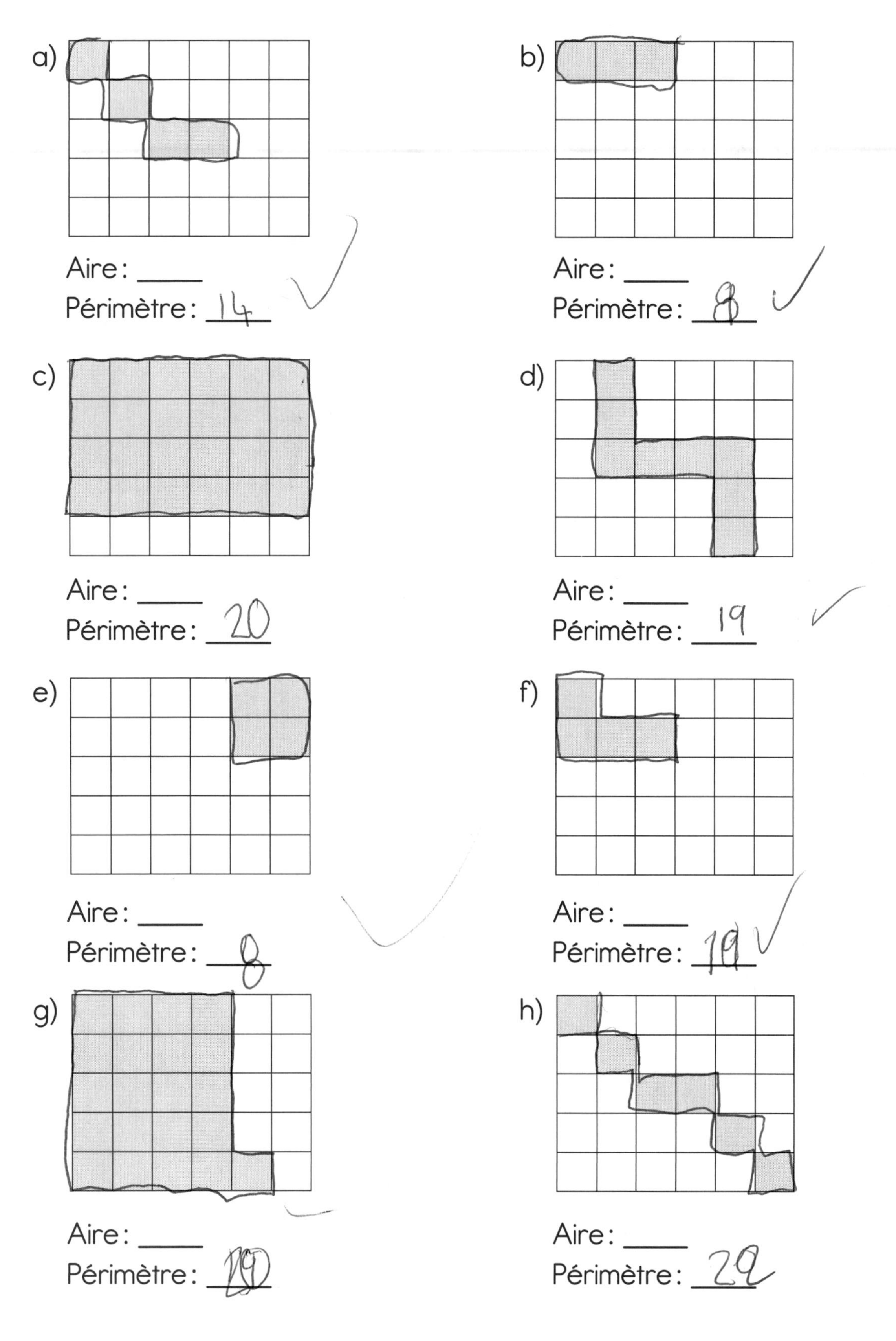

4. Pour trouver le volume, compte combien de cubes-unités ont été nécessaires pour former les solides suivants.

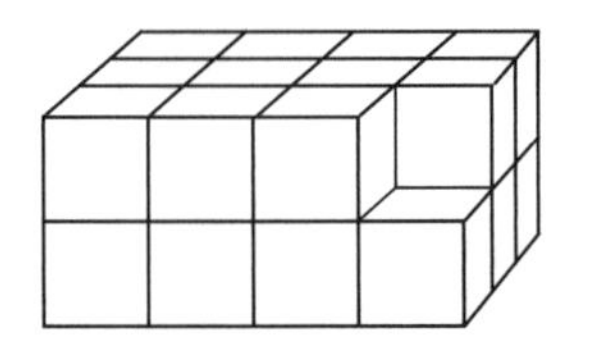

a) Cubes-unités : _____

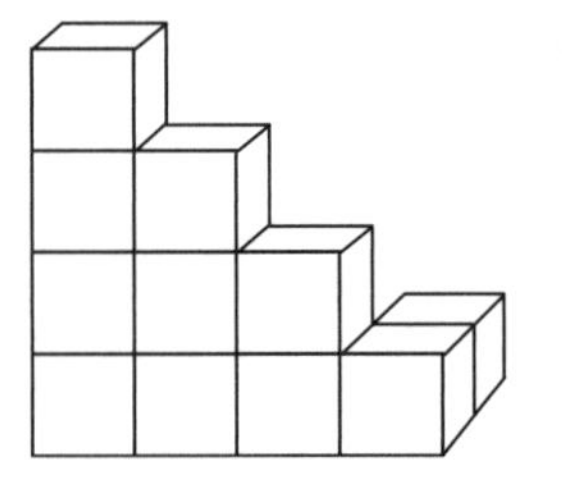

b) Cubes-unités : _____

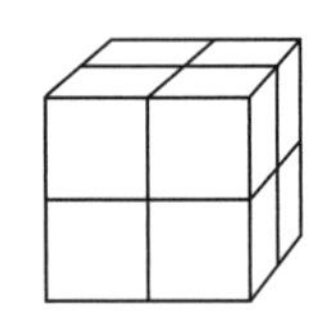

c) Cubes-unités : _____

d) Cubes-unités : _____

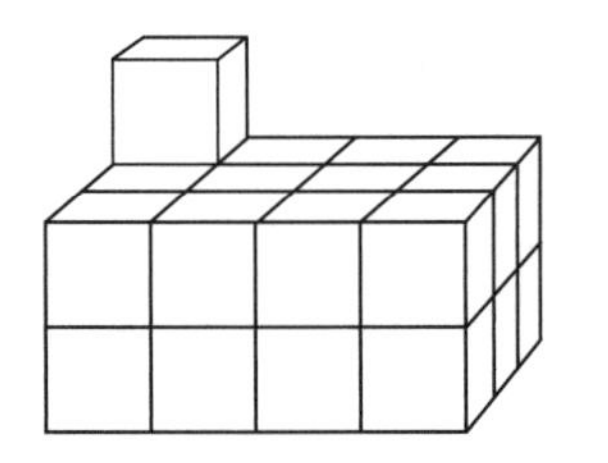

e) Cubes-unités : _____

f) Cubes-unités : _____

1. Écris le moment de la journée où tu accomplis les actions suivantes.

a) Pendre ton petit-déjeuner. ________________

b) Te mettre au lit pour la nuit. ________________

c) Manger ton dîner à l'école. ________________

2. Écris l'heure de l'avant-midi représentée sur chaque horloge.

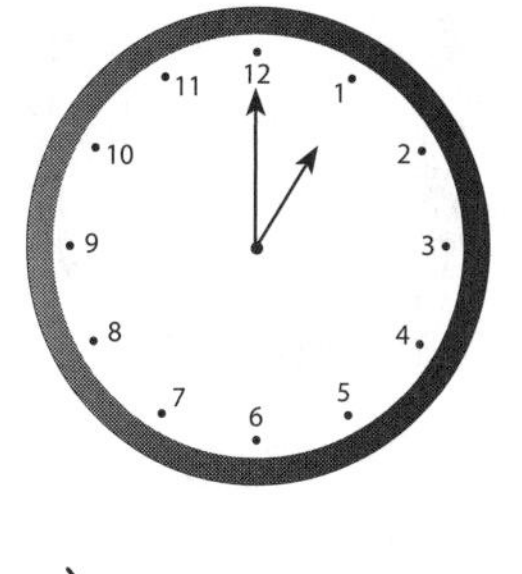

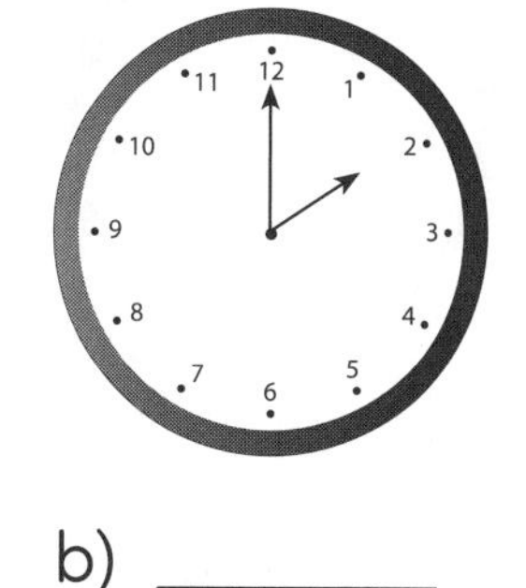

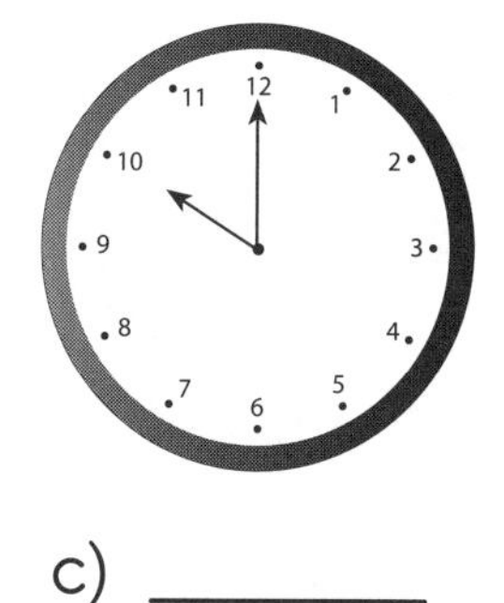

a) ________ b) ________ c) ________

3. Réponds aux questions.

a) Combien y a-t-il de mois dans une année? ____________

b) Combien y a-t-il de jours dans une semaine? ____________

c) Combien y a-t-il de jours dans une année? ____________

d) Combien y a-t-il de minutes dans une heure? ____________

e) Combien y a-t-il d'heures dans une journée? ____________

f) Combien y a-t-il de saisons dans une année? ____________

g) Combien y a-t-il de secondes dans une minute? ____________

h) Combien y a-t-il d'années dans un siècle? ____________

i) Combien y a-t-il de semaines dans un mois? ____________

1. Dessine les aiguilles pour indiquer l'heure qu'il est.

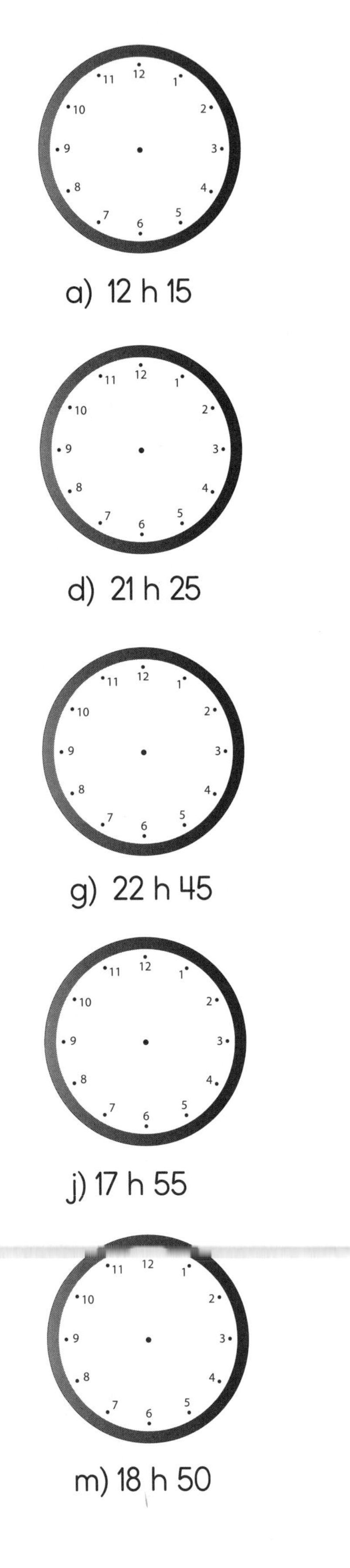

a) 12 h 15

d) 21 h 25

g) 22 h 45

j) 17 h 55

m) 18 h 50

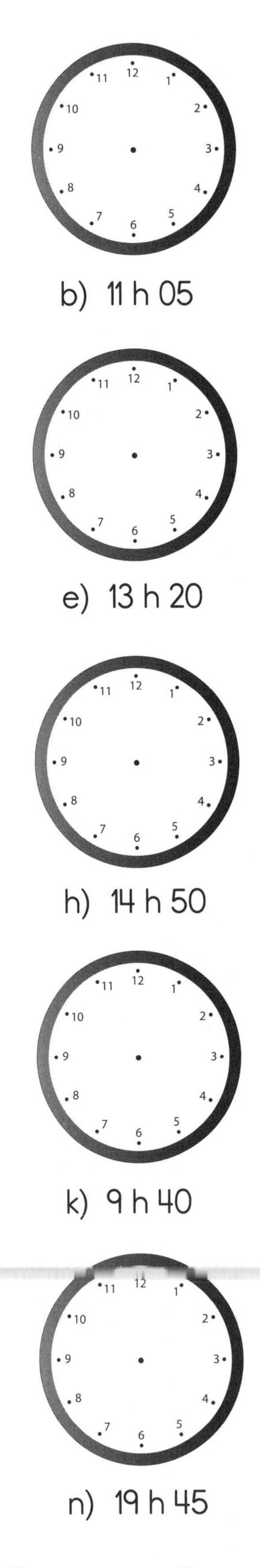

b) 11 h 05

e) 13 h 20

h) 14 h 50

k) 9 h 40

n) 19 h 45

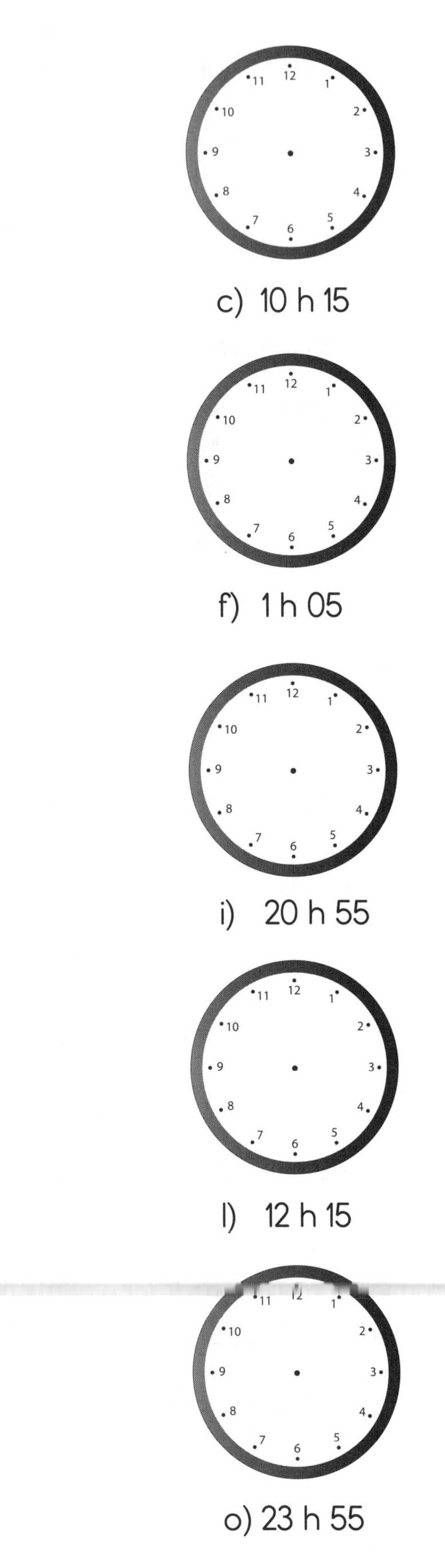

c) 10 h 15

f) 1 h 05

i) 20 h 55

l) 12 h 15

o) 23 h 55

2. Écris l'heure de l'après-midi représentée sur chaque horloge.

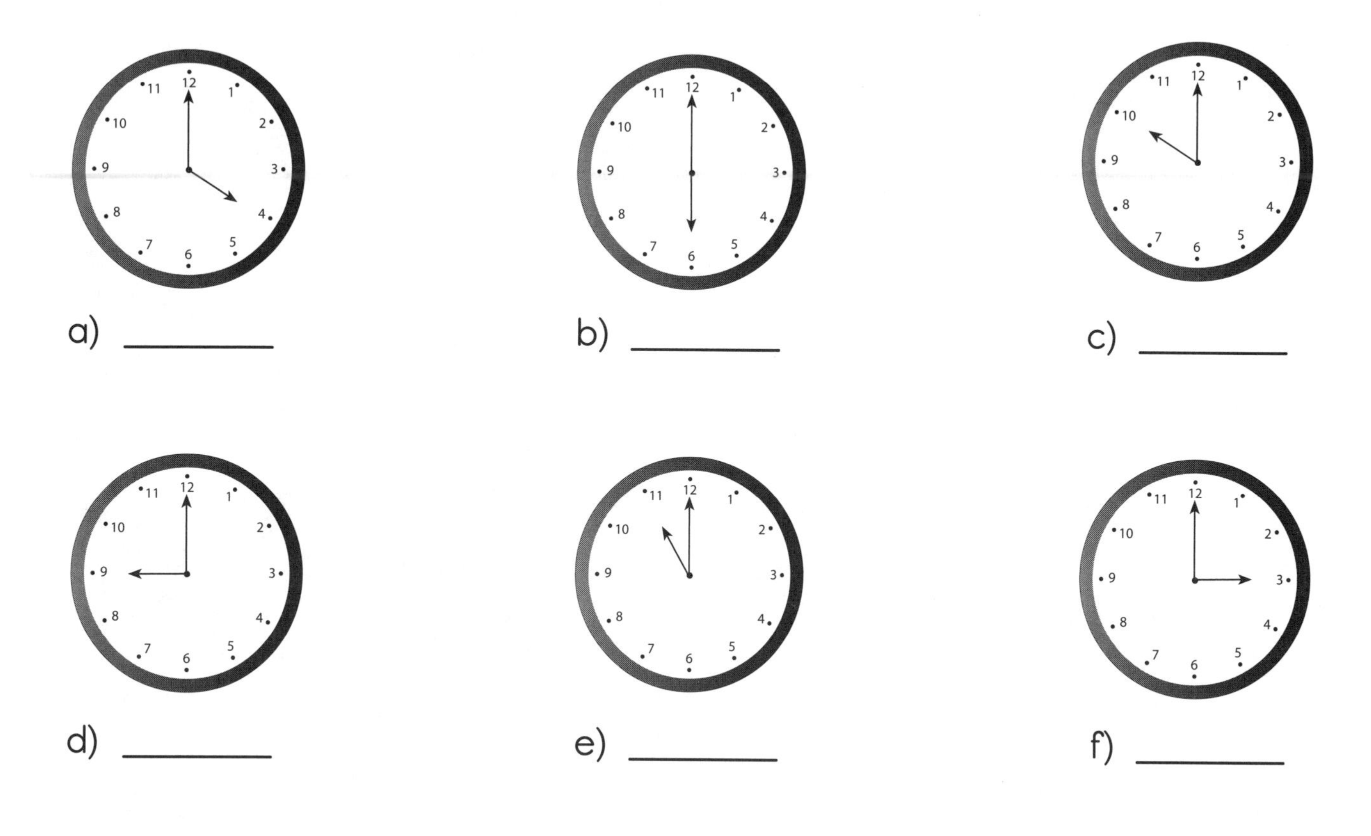

3. Combien y a-t-il de minutes...

a) dans 1 heure ? ______

b) dans 1 h 30 ? ______

c) dans 2 heures ? ______

4. Écris le moment de la journée où tu accomplis les actions suivantes.

a) T'habiller pour aller à l'école. ____________

b) Te mettre en pyjama. ____________

5. Indique l'heure du début ou l'heure de la fin des activités suivantes.

a) Un cours de 30 minutes

b) Un match de soccer de 90 minutes

c) Un film d'une durée de 3 h 05

6. Choisis la bonne unité de mesure pour calculer le temps.

seconde minute heure jour semaine mois année

a) Du mercredi au mercredi ________________

b) Du 1er au 31 ________________

c) De janvier à décembre ________________

d) Le temps que ça prend pour dire bonjour________________

e) La durée d'une chanson ________________

7. Vers quel chiffre pointera la grande aiguille s'il est :

a) 21 h 30 ____ b) 13 h 05 ____ c) 14 h 25 ____

d) 15 h 10 ____ e) 20 h 15 ____ f) 15 h 20 ____

1. Résous les problèmes suivants.

a) Ma mère commence à travailler à 8 h. Elle prend une pause-café à 10 h. Combien de temps a-t-elle travaillé entre 8 h et 10 h ?

____

b) Mon père commence à travailler à minuit. Il finit à 7 h. Combien d'heures travaille-t-il par nuit ?

____

c) Il est 6 h 15. Mon match de soccer commence à 20 h. Combien de temps reste-t-il avant le début de mon match ?

____

2. Écris l'heure de l'avant-midi et de l'après-midi représentée sur chaque horloge.

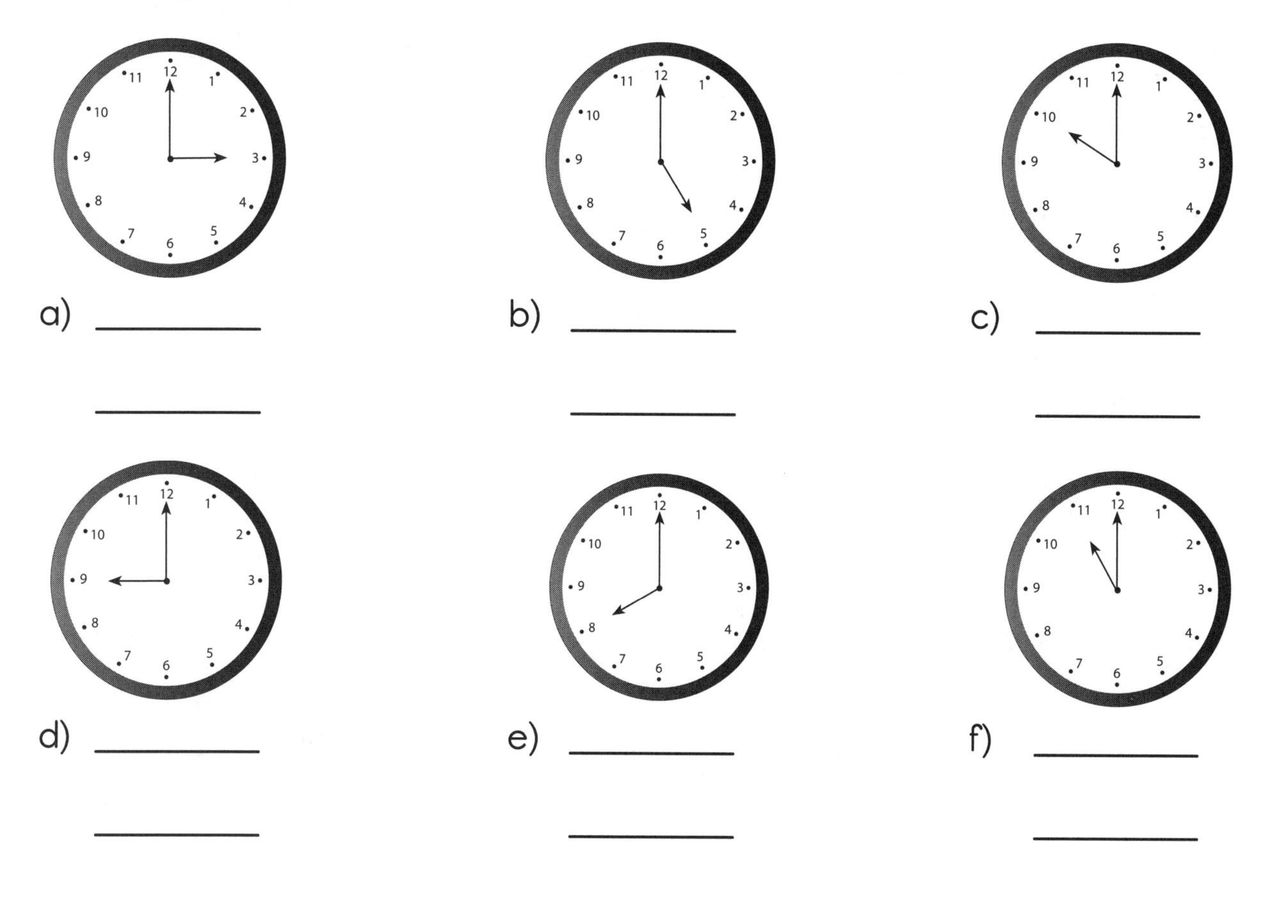

a) _________ _________

b) _________ _________

c) _________ _________

d) _________ _________

e) _________ _________

f) _________ _________

1. Résous les problèmes suivants.

a) Tu fais 1 heure de jogging par jour. Combien d'heures de jogging fais-tu par semaine ?

Trace ta démarche : ______________________ Réponse : __________

b) Tu vas voir l'orthopédagogue une heure par jour du lundi au vendredi. Combien d'heures par semaine vois-tu l'orthopédagogue ?

Trace ta démarche : ______________________ Réponse : __________

c) Tu t'exerces au chant une fois par semaine avec la chorale. Combien de fois vas-tu à tes répétitions dans l'année ?

Trace ta démarche : ______________________ Réponse : __________

d) Tu vas 2 fois par semaine jouer chez ton ami Pietro. Combien de fois par mois vas-tu chez ton ami ?

Trace ta démarche : ______________________ Réponse : __________

e) Tu mets 5 minutes par jour à faire ta toilette. Combien de minutes par semaine passes-tu à faire ta toilette ?

Trace ta démarche : ______________________ Réponse : __________

f) Aloysia fait son lit tous les jours. Combien de jours par année fait-elle son lit ?

Trace ta démarche : ______________________ Réponse : __________

2. Fais un X sur l'horloge qui n'indique pas la bonne heure.

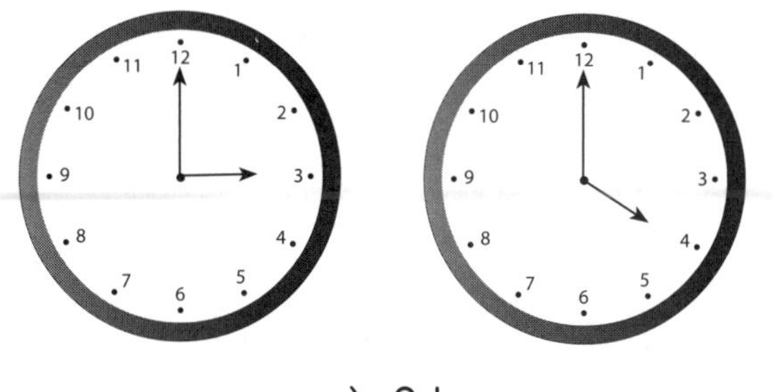

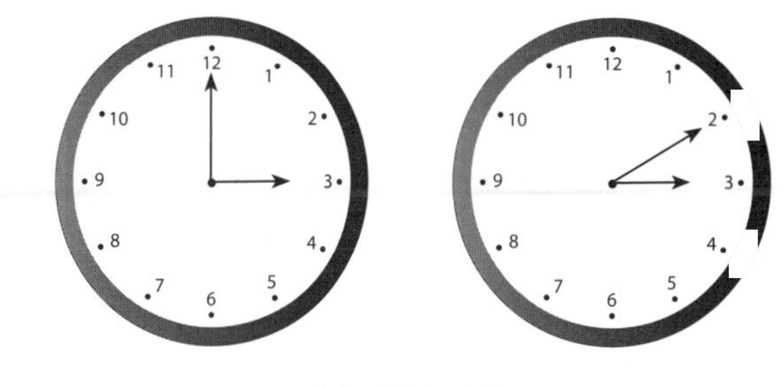

a) 3 h

b) 3 h 10

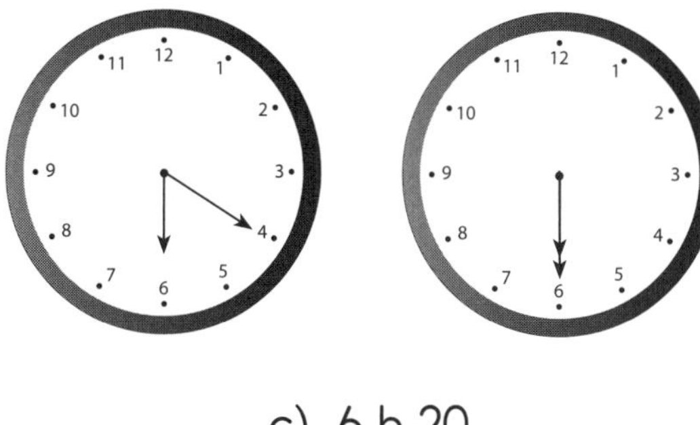

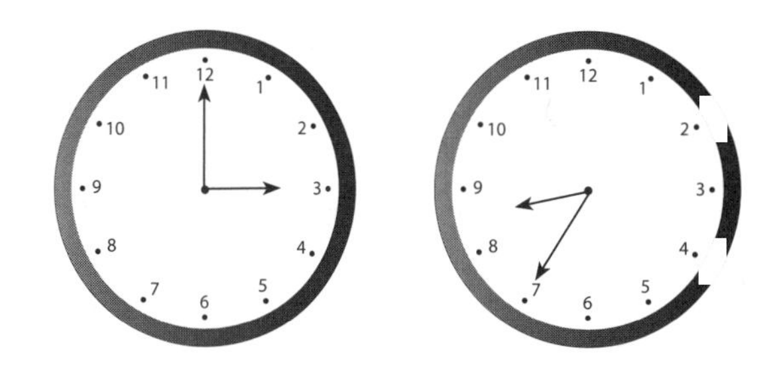

c) 6 h 20

d) 8 h 35

3. Écris l'heure indiquée sur les horloges.

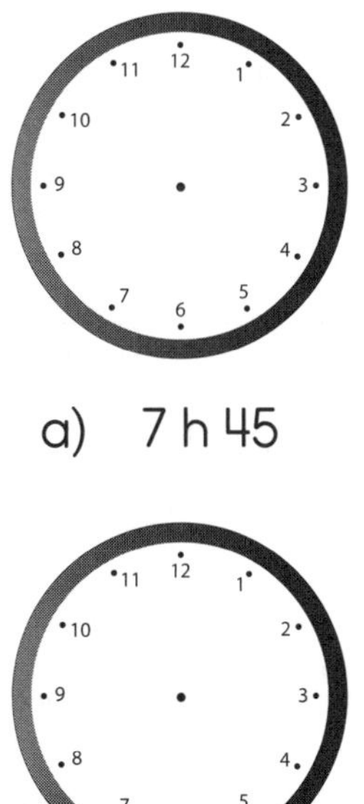

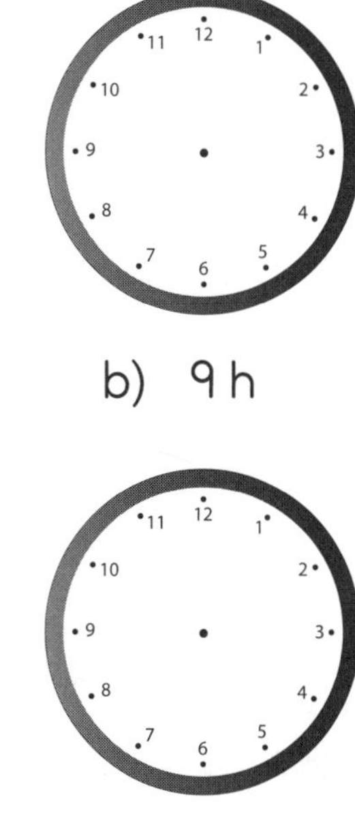

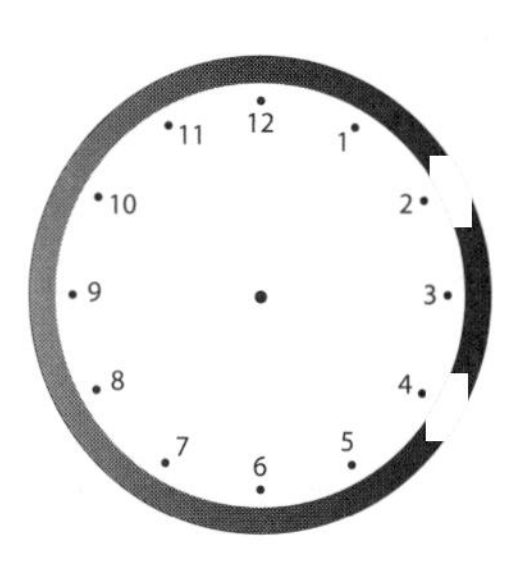

a) 7 h 45

b) 9 h

c) 12 h 10

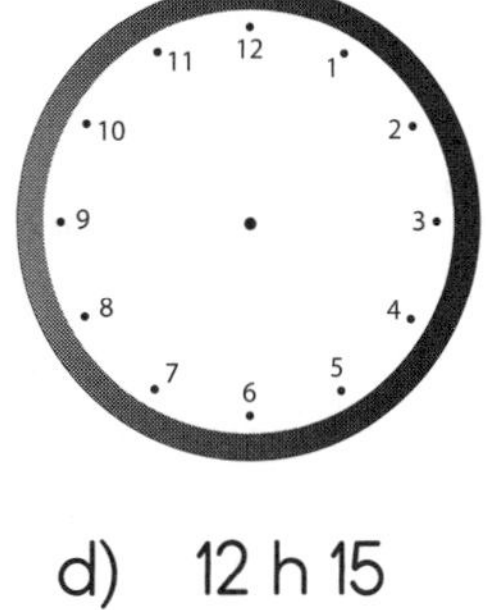

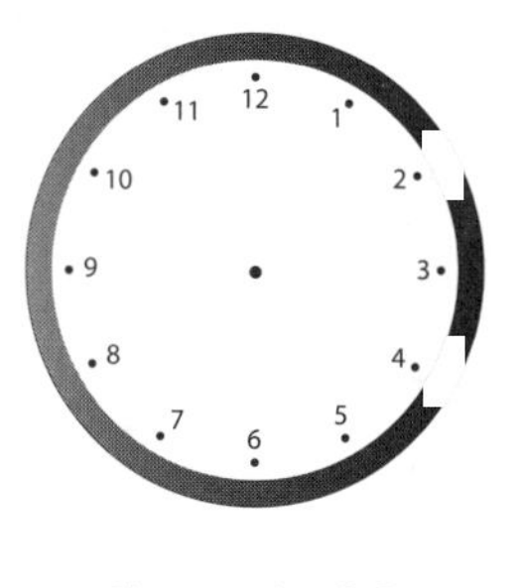

d) 12 h 15

e) 8 h 30

f) 6 h 20

4. Réponds aux questions suivantes.

a) Si le 15 décembre est un samedi, quel jour serons-nous le 25 décembre ?

____

b) Nous sommes le 1er janvier. Tu dois aller chez le médecin le 13 janvier.
Dans combien de jours iras-tu chez le médecin ?

____

c) Combien de jours y a-t-il entre le 28 mars et le 11 avril ?

____

d) Complète le calendrier du mois de janvier.

Dimanche	Lundi	Mardi	Mercredi	Jeudi	Vendredi	Samedi
1						
8						
		17				
		31				

e) En te basant sur le calendrier du mois de janvier, complète le calendrier du mois de février.

Dimanche	Lundi	Mardi	Mercredi	Jeudi	Vendredi	Samedi

1. Voici les genres de livres qui ont été empruntés à la bibliothèque. Utilise le diagramme pour répondre aux questions.

Quantité de livres empruntés

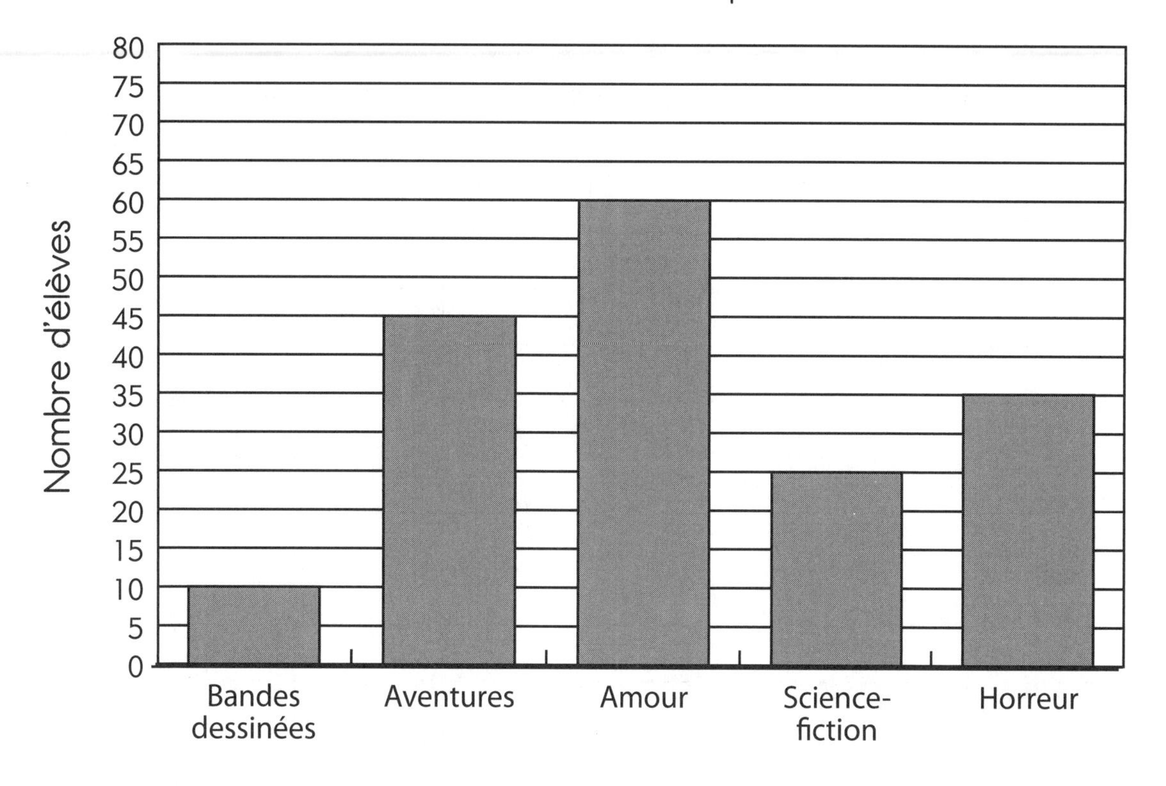

a) Combien d'élèves ont pris des romans d'aventures? ________

b) Combien d'élèves ont pris des romans d'amour? ________

c) Combien d'élèves ont pris des romans d'horreur? ________

d) Combien d'élèves ont pris des romans de science-fiction? ________

e) Combien d'élèves ont pris des bandes dessinées? ________

f) Classe dans l'ordre croissant les genres du moins populaire au plus populaire.

____

1. Voici le nombre de timbres que Youri a achetés entre janvier et août.

janvier : 75	février : 35	mars : 80	avril : 25
mai : 40	juin : 100	juillet : 50	août : 90

Complète le diagramme à ligne brisée puis réponds aux questions.

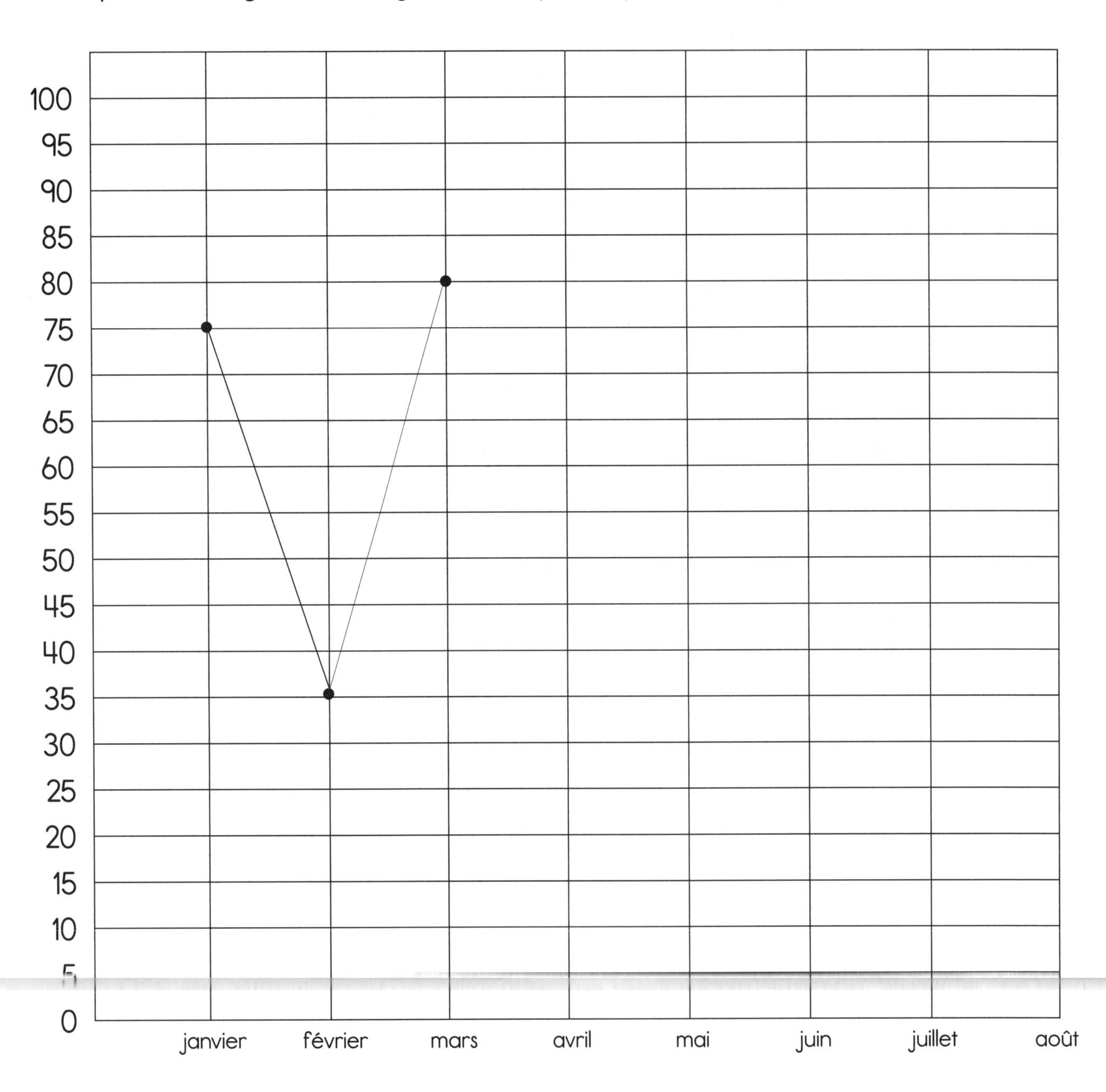

a) Quel mois en a-t-il achetés le plus?

____

b) Quel mois en a-t-il achetés le moins?

____

c) Combien de timbres au total compte la collection de Youri?

____

d) Quelle est la différence entre le nombre de timbres achetés en février et en juin?

____

e) Combien de timbres a-t-il achetés de plus au mois d'août qu'au mois d'avril?

____

f) Quel écart sépare janvier et mars?

____

g) Classe dans l'ordre croissant les mois en commençant par celui où Youri a acheté le moins de timbres.

____

2. Justine travaille dans une pâtisserie. Le diagramme ci-dessous montre le nombre de desserts qu'elle a préparés lundi. Réponds aux questions ci-dessous.

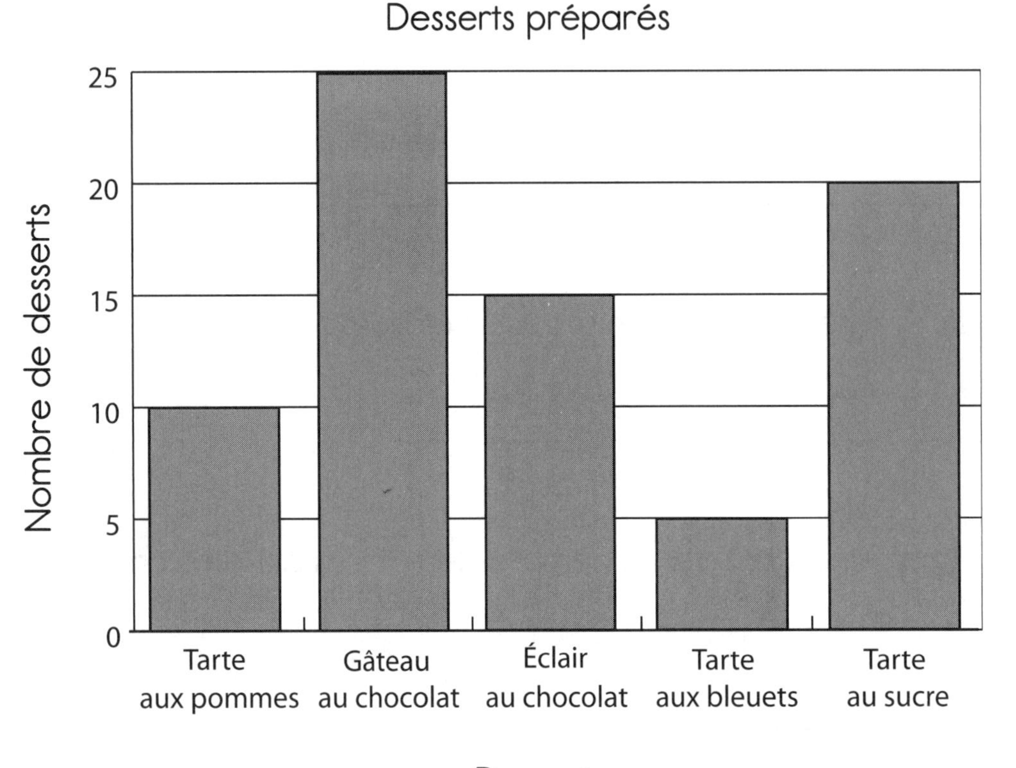

a) Combien de tartes aux pommes a-t-elle préparées? ___________

b) Combien de tartes au sucre a-t-elle préparées? ___________

c) Combien de gâteaux au chocolat a-t-elle préparés? ___________

d) Combien de tartes aux bleuets a-t-elle préparées? ___________

e) Combien d'éclairs au chocolat a-t-elle préparés? ___________

f) Pourquoi crois-tu qu'elle a préparé plus de gâteaux au chocolat?

____

1. **Compose des questions sur le graphique.**

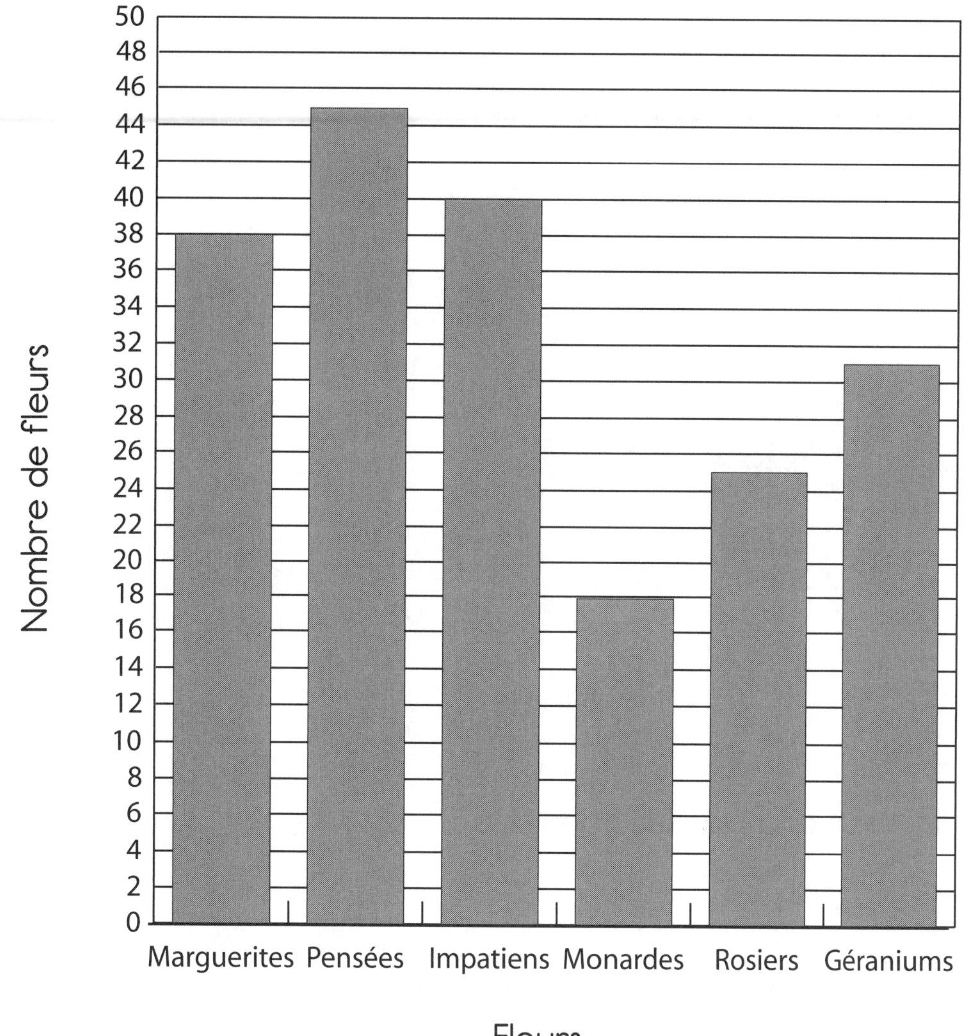

____

____

____

____

____

____

1. Les élèves veulent faire un voyage, et plusieurs destinations sont proposées. En regardant le diagramme, réponds aux questions.

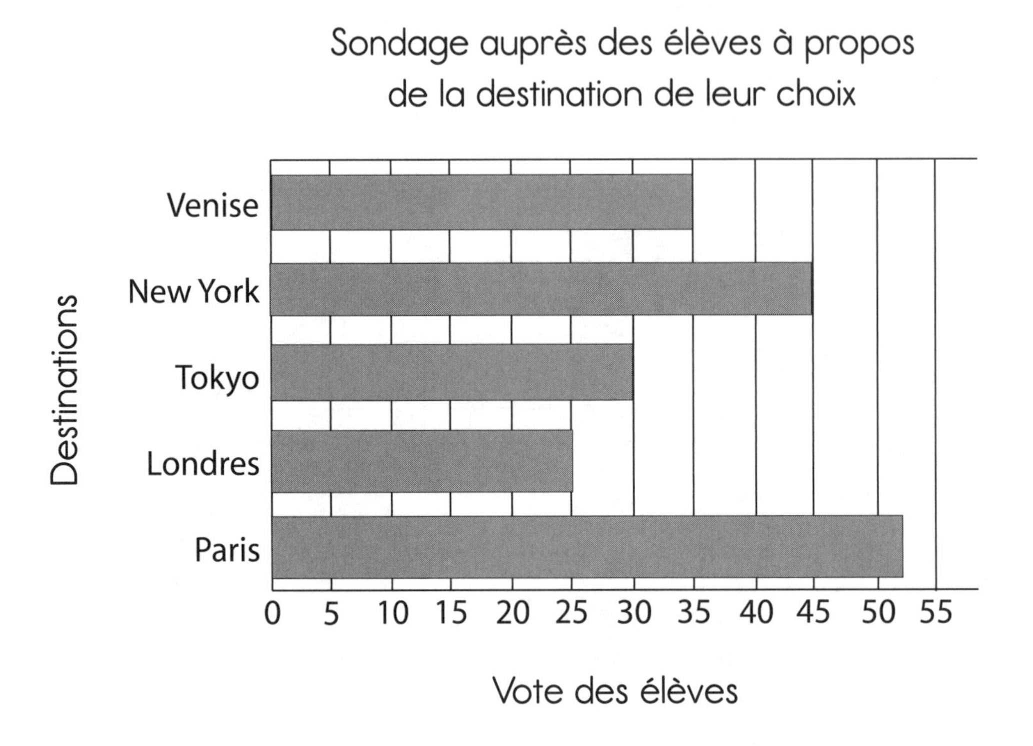

a) Quelle est la destination la plus populaire ? ____________

b) Quelle est la destination la moins populaire ? ____________

c) Comment ce sondage peut-il aider le professeur ? ____________________

____

d) Combien d'élèves préféreraient aller à Tokyo ? ____________

e) Classe les destinations dans l'ordre décroissant, de la plus populaire à la moins populaire.

____

2. Fais un sondage auprès de tes amies et amis pour connaître leur sport préféré.

Noms	**Hockey**	**Tennis**	**Vélo**	**Soccer**	**Ski**
Exemple : Antoine	x				
Total					

a) Combien préfèrent le hockey ? _________

b) Combien préfèrent le tennis ? _________

c) Combien préfèrent le vélo ? _________

d) Combien préfèrent le soccer ? _________

e) Combien préfèrent le ski ? _________

3. Maintenant, dessine un diagramme à bandes avec les résultats de ton sondage.

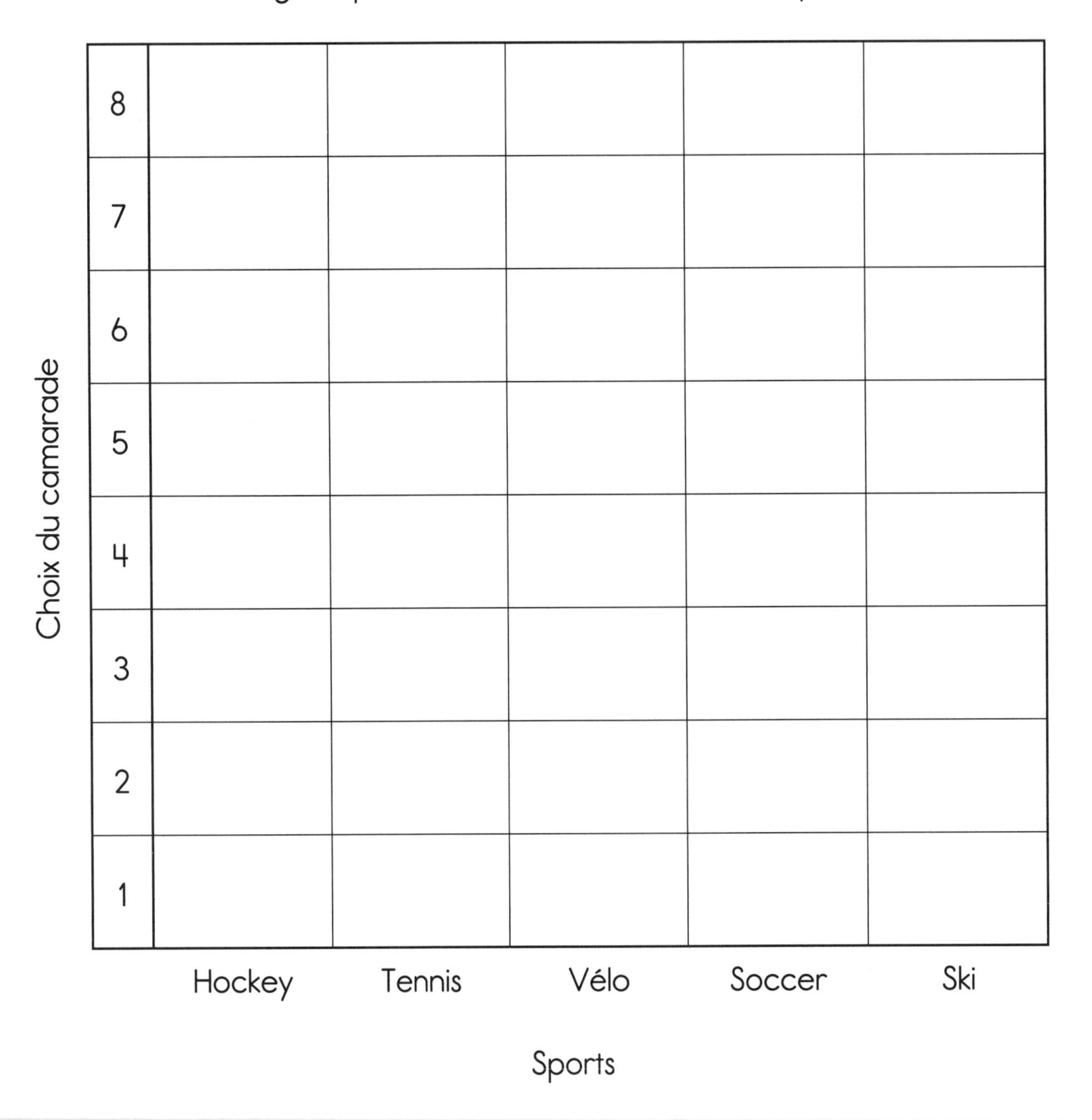

1. **Coche la case qui convient.**

	Certain	Possible	Impossible
a) Je suis capable de regarder un film.			
b) Je suis capable de voler comme un oiseau.			
c) Je suis capable de conduire un autobus scolaire.			
d) Je suis capable de me gratter le nez.			
e) Je suis capable de parler.			

2. **Julie ne sait pas à quel groupe se joindre pour participer à un tirage entre les participants du groupe. Dans le groupe 1, il y a 12 participants et dans le groupe 2, il y a 24 participants.**

Selon toi, dans lequel des groupes Julie a-t-elle le plus de chances de gagner le prix?

____

Pourquoi? ____

1. **Stéphane offre à Gaston de piger deux cartes dans son paquet de 4 cartes. Illustre toutes les combinaisons possibles.**

2. Lance deux dés 9 fois de suite et note tes résultats. Voici un exemple de ce que nous avons obtenu.

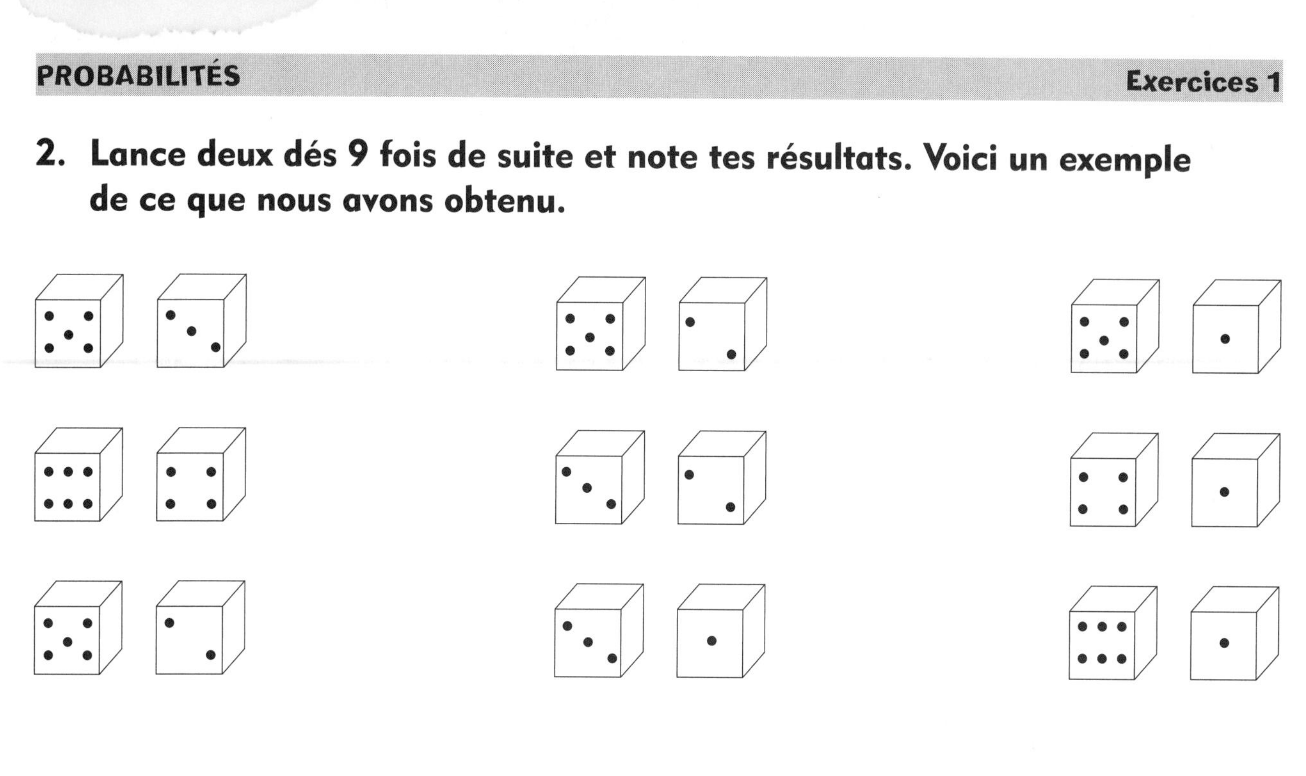

Que remarques-tu ? ______________________________

3. Fais un X sur les illustrations qui sont impossibles.

a) b) c) d)

4. Observe les rectangles suivants.

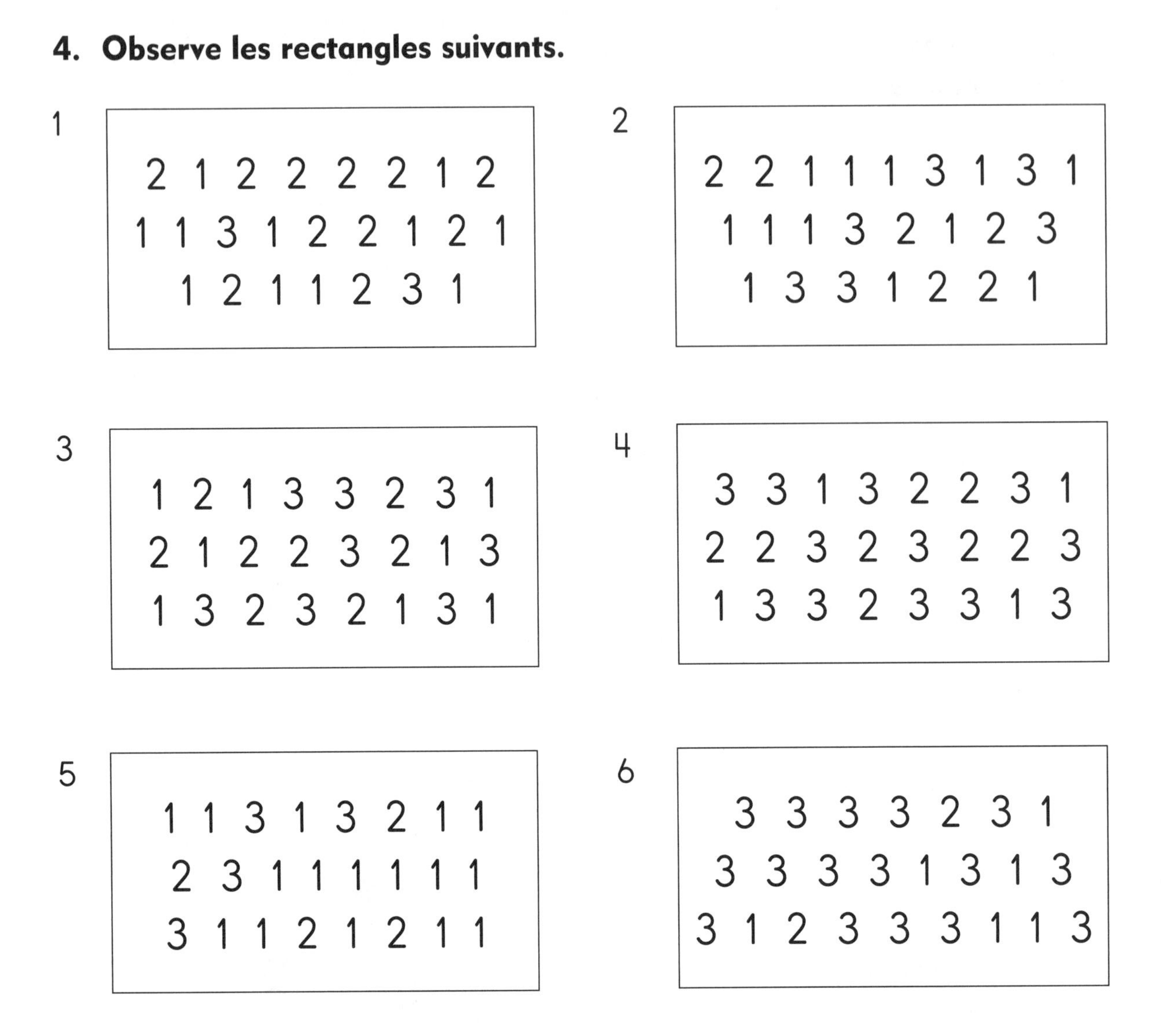

a) Combien de nombres contient chaque rectangle? ____________________

b) Si tu veux avoir un 3, dans quel rectangle as-tu le plus de chances de le trouver? ______ Le moins de chances de le trouver? ____________________

c) Dans quel rectangle as-tu le plus de chances de trouver un 1? ____________

d) Dans quel rectangle as-tu autant de chances de trouver un 1 que de trouver un 2? ________________

1. **En te servant de jaune, de bleu et de noir, colorie les cercles suivants de façon que chaque série soit différente des autres.**

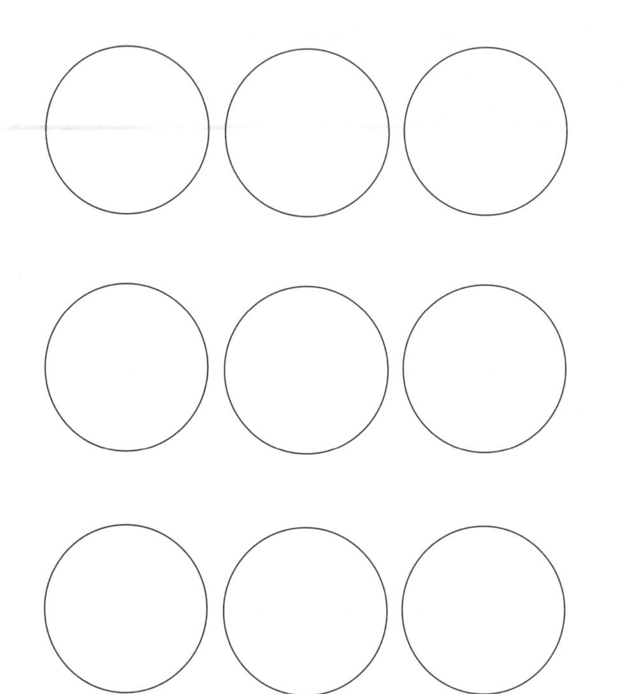

2. **Coche la case qui convient.**

		Certain	Possible	Impossible
a)	Je suis capable de visiter la planète Mercure.			
b)	Je suis capable de boire deux petits verres d'eau.			
c)	Je suis capable de manger tout un bœuf au petit-déjeuner.			
d)	Je suis capable de réciter l'alphabet.			
e)	Je suis capable de gagner une partie de carte.			

1. Remplis les cases avec des situations de ton choix en respectant les X dans les colonnes.

	Certain	Possible	Impossible
		x	
	x		
			x
	x		
		x	
			x

2. Sur laquelle des cibles as-tu le plus de chances d'atteindre le milieu ?

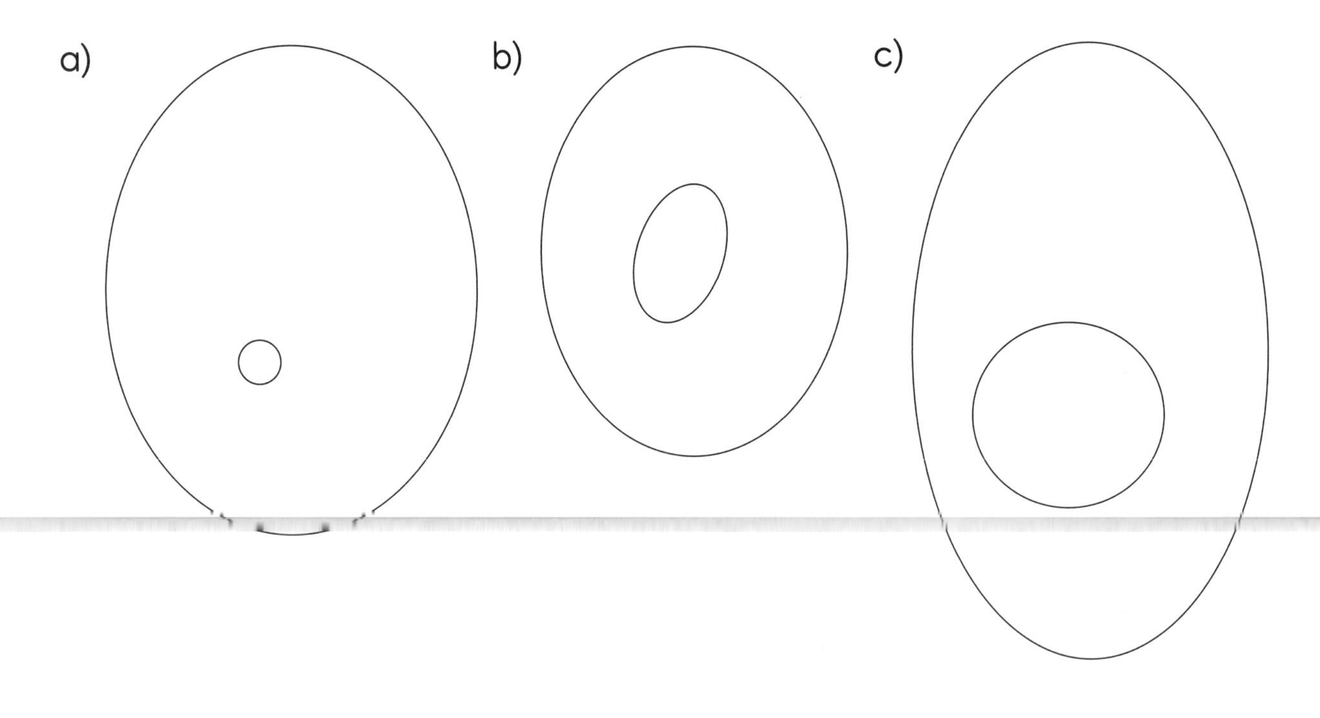

Pourquoi ? ____

3. Trouve des combinaisons possibles avec 5, 4, 7 et 1 :

a) Des combinaisons de 2 chiffres.

______ ______ ______ ______ ______ ______

______ ______ ______ ______ ______ ______

b) Des combinaisons de 4 chiffres.

______ ______ ______ ______ ______ ______

______ ______ ______ ______ ______ ______

c) Des combinaisons de 3 chiffres.

______ ______ ______ ______ ______ ______

______ ______ ______ ______ ______ ______

4. Trouve des combinaisons possibles avec 6, 3, 2 et 4.

a) Des combinaisons de 2 chiffres.

______ ______ ______ ______ ______ ______

______ ______ ______ ______ ______ ______

b) Des combinaisons de 4 chiffres.

______ ______ ______ ______ ______ ______

______ ______ ______ ______ ______ ______

1. Compare les nombres en écrivant <, > ou =.

a) 6947 ________ 7469 b) 4896 ________ 8956 c) 9125 ________ 5129

d) 4258 ________ 2584 e) 3695 ________ 2357 f) 8371 ________ 7813

2. Écris les nombres suivants en chiffres.

a) trois mille neuf cent quarante-neuf : ________________

b) six mille cinq cent quatre-vingt-dix-neuf : ________________

c) sept mille huit cent vingt et un : ________________

3. Trouve la valeur du ou des chiffre soulignés.

a) 1489 ________ b) 7892 ________ c) 3698 ________

d) 9874 ________ e) 3697 ________ f) 9781 ________

4. Arrondis à la centaine près.

a) 4259 ________ b) 5173 ________ c) 3547 ________

d) 3541 ________ e) 3699 ________ f) 7412 ________

5. Réponds aux questions.

a) Combien y a-t-il d'unités dans 2148 ? ________________

b) Combien de centaines y a-t-il dans 3678 ? ________________

c) Quel chiffre est la position des unités dans 3479 ? ________________

d) Combien y a-t-il d'unités de mille dans 3698 ? ________________

6. Trouve la somme de chaque addition.

a) $394 + 68$

b) $485 + 79$

c) $836 + 377$

d) $608 + 735$

e) $1939 + 473$

f) $1634 + 546$

g) $2409 + 863$

h) $3614 + 978$

i) $4376 + 652$

j) $4039 + 355$

k) $5936 + 741$

l) $7329 + 556$

m) $9744 + 128$

n) $6723 + 784$

o) $5400 + 397$

p) $6528 + 647$

q) $8569 + 256$

r) $7633 + 937$

s) $9218 + 366$

t) $8491 + 473$

u) $2785 + 3462$

v) $4986 + 1275$

w) $3984 + 2338$

x) $5293 + 4186$

7. Trouve la différence de chaque soustraction en la décomposant.

Ex. :
$$\begin{array}{r} 675 \\ -\ \underline{348} \end{array} = \begin{array}{r} 600 + 70 + 5 \\ -\ \underline{300 + 40 + 8} \end{array} = \begin{array}{r} 600 + 60 + 15 \\ -\ \underline{300 + 40 + 8} \\ 300 + 20 + 7 \end{array} = \begin{array}{r} 300 \\ 20 \\ +\ \underline{7} \\ \mathbf{327} \end{array}$$

a) 826 = ____ + ____ + ____ = ____ + ____ + ____ = ____
− 453 − ____ ____ ____ − ____ + ____ + ____ ____
____ ____ ____ ____ ____ ____ + ____
____

b) 584 = ____ + ____ + ____ = ____ + ____ + ____ = ____
− 379 − ____ ____ ____ − ____ + ____ + ____ ____
____ ____ ____ ____ ____ ____ + ____
____

c) 706 = ____ + ____ + ____ = ____ + ____ + ____ = ____
− 533 − ____ ____ ____ − ____ + ____ + ____ ____
____ ____ ____ ____ ____ ____ + ____
____

d) 957 = ____ + ____ + ____ = ____ + ____ + ____ = ____
− 638 − ____ ____ ____ − ____ + ____ + ____ ____
____ ____ ____ ____ ____ ____ + ____
____

e) 815 = ____ + ____ + ____ = ____ + ____ + ____ = ____
− 264 − ____ ____ ____ − ____ + ____ + ____ ____
____ ____ ____ ____ ____ ____ + ____
____

f) 648 = ____ + ____ + ____ = ____ + ____ + ____ = ____
− 352 − ____ ____ ____ − ____ + ____ + ____ ____
____ ____ ____ ____ ____ ____ + ____
____

g) 496 = ____ + ____ + ____ = ____ + ____ + ____ = ____
− 137 − ____ ____ ____ − ____ + ____ + ____ ____
____ ____ ____ ____ ____ ____ + ____
____

h) 762 = ____ + ____ + ____ = ____ + ____ + ____ = ____
− 448 − ____ ____ ____ − ____ + ____ + ____ ____
____ ____ ____ ____ ____ ____ + ____

8. Trouve les chiffres manquants dans chaque équation.

a) $\begin{array}{r} 6\square4 \\ +\ 59\square \\ \hline 1219 \end{array}$

b) $\begin{array}{r} \square76 \\ -\ 35\square \\ \hline 518 \end{array}$

c) $\begin{array}{r} 349 \\ +\ 3\square4 \\ \hline 72\square \end{array}$

d) $\begin{array}{r} 7\square3 \\ -\ 466 \\ \hline \square87 \end{array}$

e) $\begin{array}{r} 567 \\ +\ 3\square6 \\ \hline \square93 \end{array}$

f) $\begin{array}{r} 908 \\ -\ 67\square \\ \hline 2\square7 \end{array}$

g) $\begin{array}{r} \square82 \\ +\ 46\square \\ \hline 949 \end{array}$

h) $\begin{array}{r} 6\square9 \\ -\ 28\square \\ \hline 331 \end{array}$

i) $\begin{array}{r} 749 \\ +\ \square72 \\ \hline 13\square1 \end{array}$

j) $\begin{array}{r} 6\square2 \\ -\ 486 \\ \hline 16\square \end{array}$

k) $\begin{array}{r} 29\square \\ +\ \square47 \\ \hline 646 \end{array}$

l) $\begin{array}{r} 45\square \\ -\ 1\square5 \\ \hline 255 \end{array}$

m) $\begin{array}{r} \square35 \\ +\ 564 \\ \hline 99\square \end{array}$

n) $\begin{array}{r} 54\square \\ -\ 2\square6 \\ \hline 267 \end{array}$

o) $\begin{array}{r} 6\square8 \\ +\ \square92 \\ \hline 1270 \end{array}$

p) $\begin{array}{r} 94\square \\ -\ 786 \\ \hline \square61 \end{array}$

q) $\begin{array}{r} 528 \\ +\ 8\square8 \\ \hline 1\square16 \end{array}$

r) $\begin{array}{r} \square27 \\ -\ 651 \\ \hline 1\square6 \end{array}$

s) $\begin{array}{r} 45\square \\ +\ \square63 \\ \hline 1318 \end{array}$

t) $\begin{array}{r} \square83 \\ -\ 25\square \\ \hline 525 \end{array}$

u) $\begin{array}{r} 32\square \\ 497 \\ +\ 6\square4 \\ \hline 1506 \end{array}$

v) $\begin{array}{r} 5\square42 \\ -\ 286\square \\ \hline 3078 \end{array}$

w) $\begin{array}{r} 7\square9 \\ 284 \\ +\ \square57 \\ \hline 1380 \end{array}$

x) $\begin{array}{r} 80\square6 \\ -\ \square792 \\ \hline 3214 \end{array}$

9. Trouve le produit de chaque multiplication.

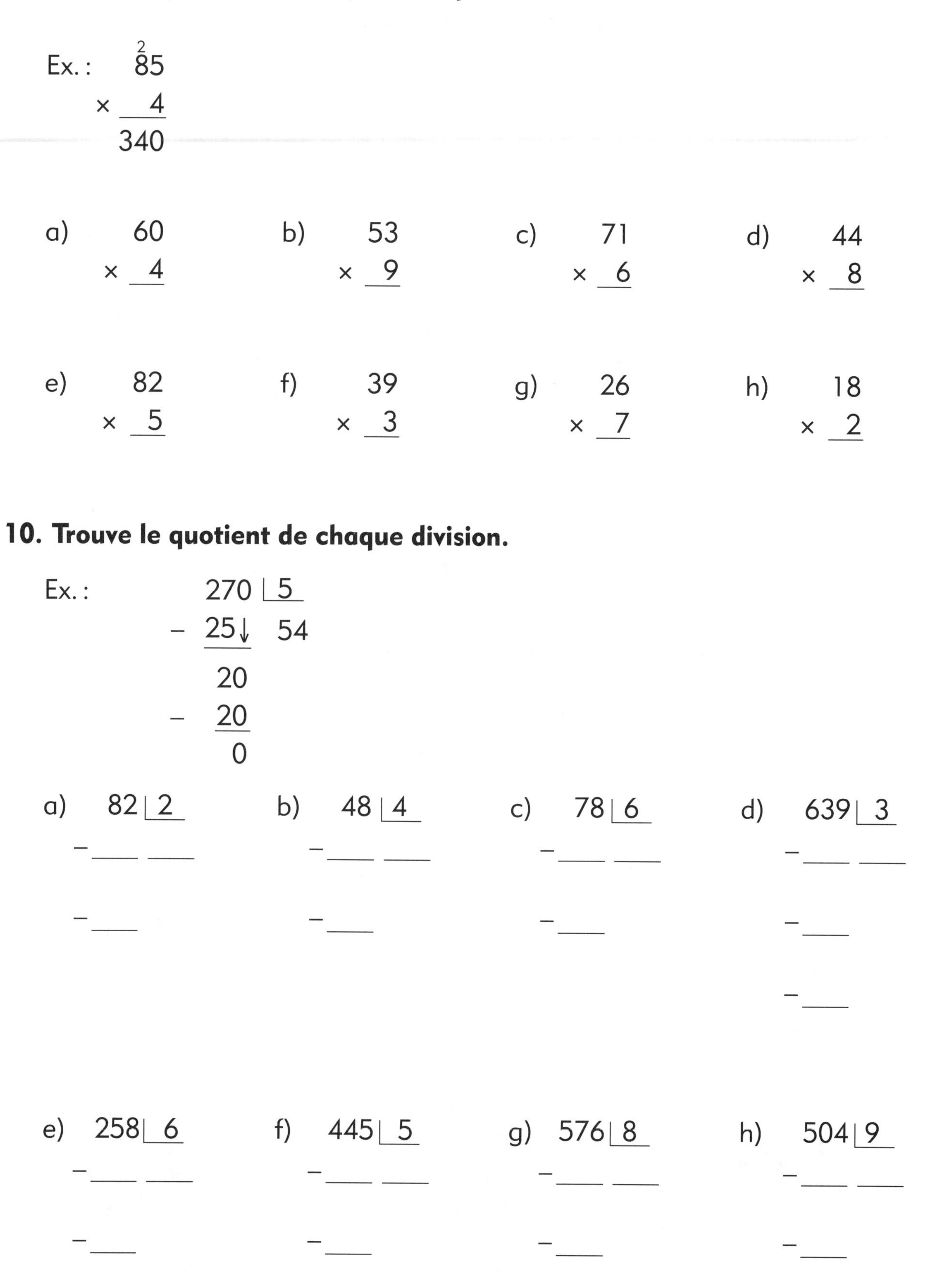

Ex. : $\begin{array}{r} \overset{2}{8}5 \\ \times \quad 4 \\ \hline 340 \end{array}$

a) $\begin{array}{r} 60 \\ \times \quad 4 \\ \hline \end{array}$ b) $\begin{array}{r} 53 \\ \times \quad 9 \\ \hline \end{array}$ c) $\begin{array}{r} 71 \\ \times \quad 6 \\ \hline \end{array}$ d) $\begin{array}{r} 44 \\ \times \quad 8 \\ \hline \end{array}$

e) $\begin{array}{r} 82 \\ \times \quad 5 \\ \hline \end{array}$ f) $\begin{array}{r} 39 \\ \times \quad 3 \\ \hline \end{array}$ g) $\begin{array}{r} 26 \\ \times \quad 7 \\ \hline \end{array}$ h) $\begin{array}{r} 18 \\ \times \quad 2 \\ \hline \end{array}$

10. Trouve le quotient de chaque division.

Ex. :

270 |5
− 25↓ 54
20
− 20
0

a) 82 |2

b) 48 |4

c) 78 |6

d) 639 |3

e) 258 |6

f) 445 |5

g) 576 |8

h) 504 |9

11. Représente chaque nombre décimal en coloriant le nombre de cases approprié si chaque grille représente une unité.

a) 2,5

b) 1,48

c) 3,73

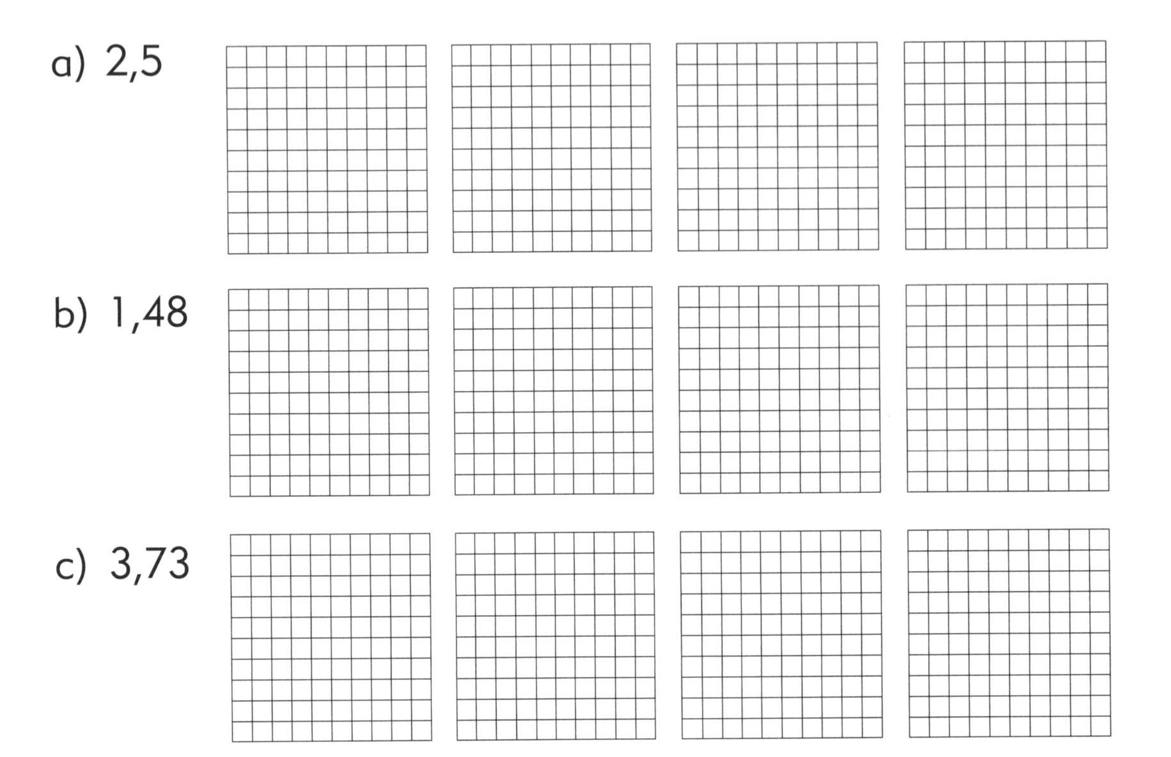

12. Trouve la fraction qui correspond aux parties coloriées.

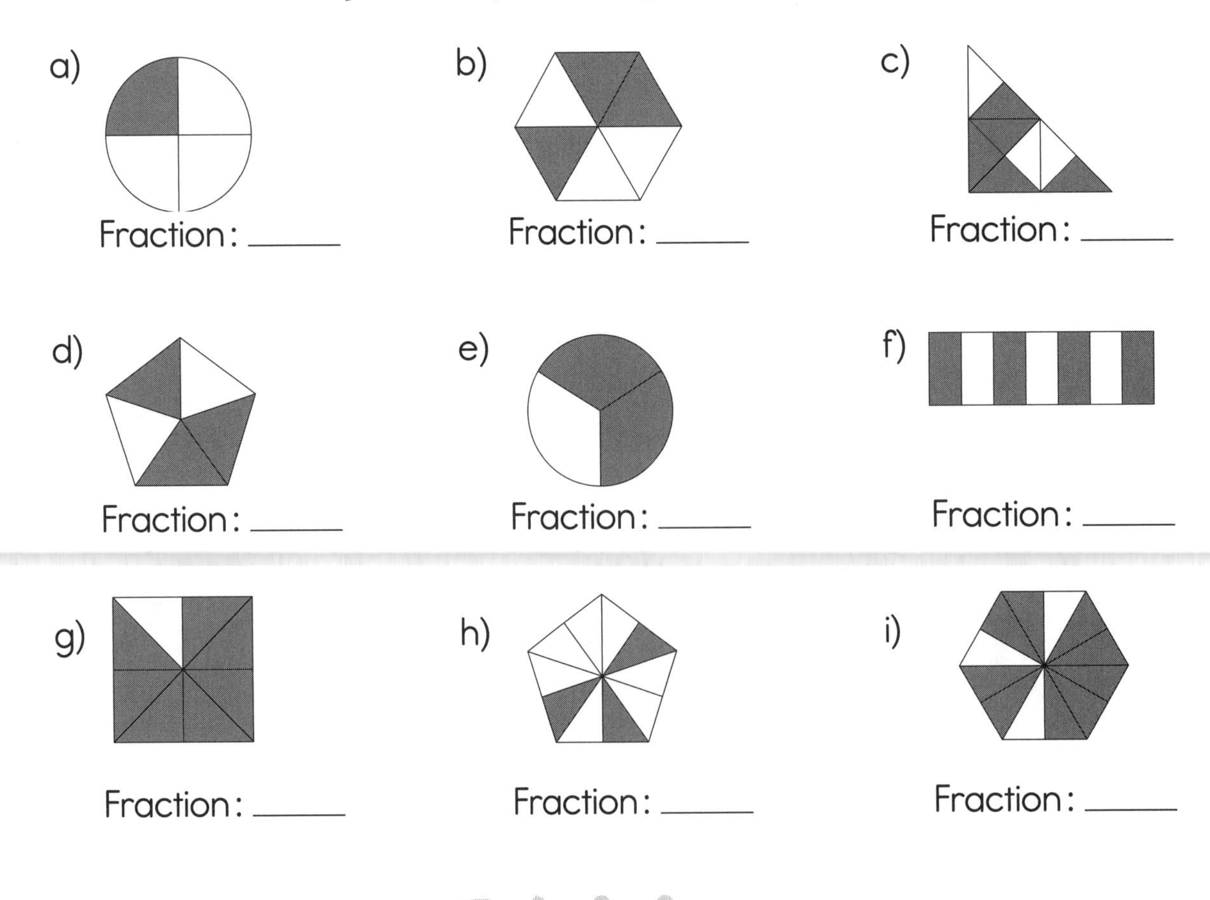

a) Fraction : ______

b) Fraction : ______

c) Fraction : ______

d) Fraction : ______

e) Fraction : ______

f) Fraction : ______

g) Fraction : ______

h) Fraction : ______

i) Fraction : ______

13. Décompose chaque tangram en y traçant avec ta règle des segments de droite afin d'obtenir les figures planes demandées.

a) 1 carré et 2 triangles

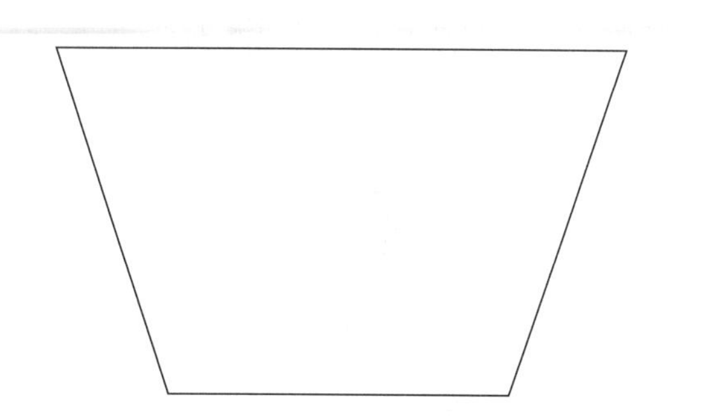

b) 2 triangles, 1 rectangle et 2 parallélogrammes

c) 3 carrés et 2 triangles

d) 2 rectangles et 2 triangles

14. Sur chaque figure, surligne en vert les droites qui sont des axes de réflexion et en rouge les droites qui ne le sont pas.

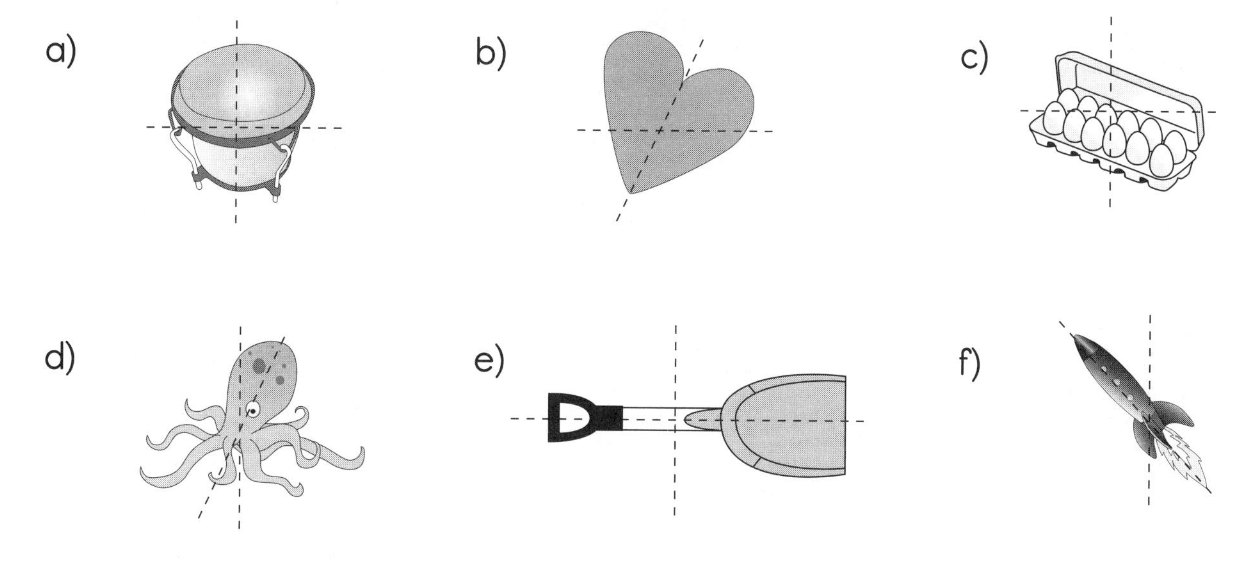

15. Calcule le périmètre des figures représentées par les parties ombragées.

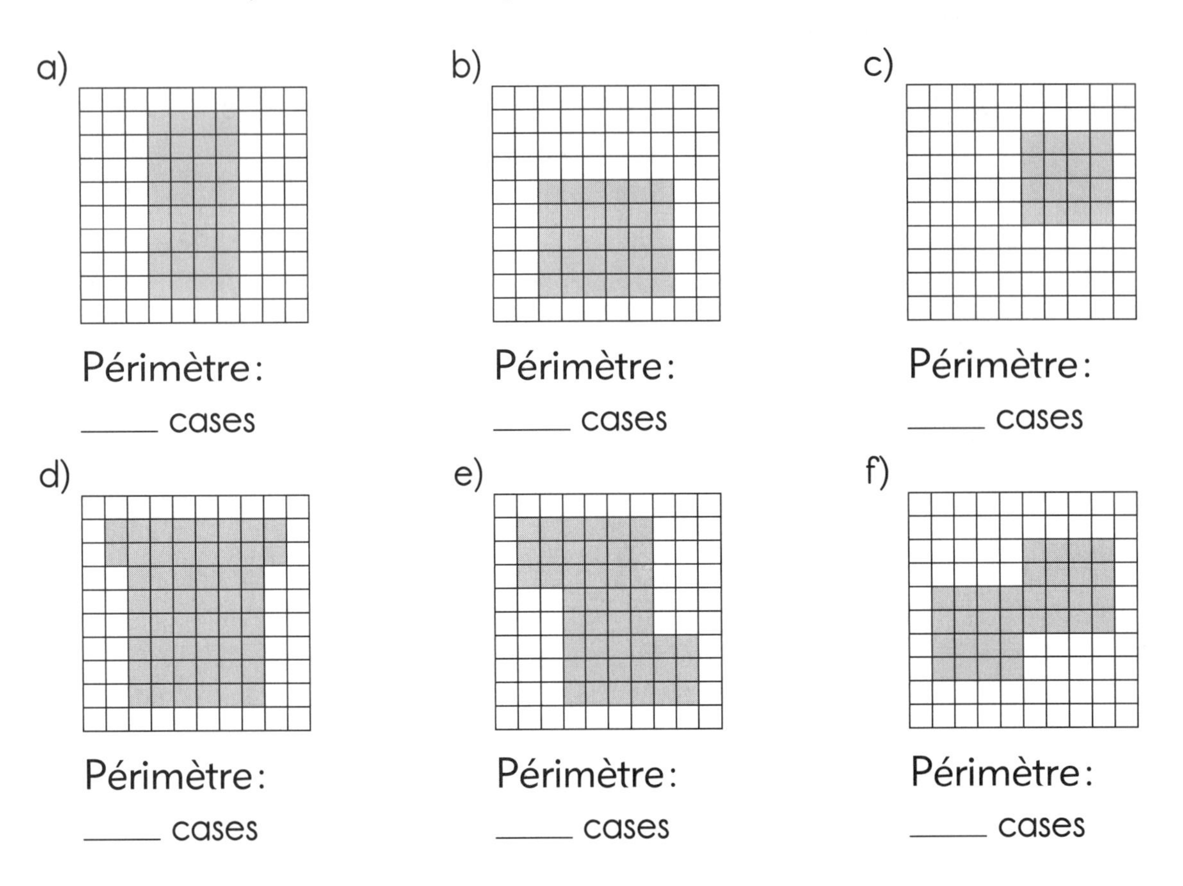

16. Calcule l'aire des figures représentées par les parties ombragées.

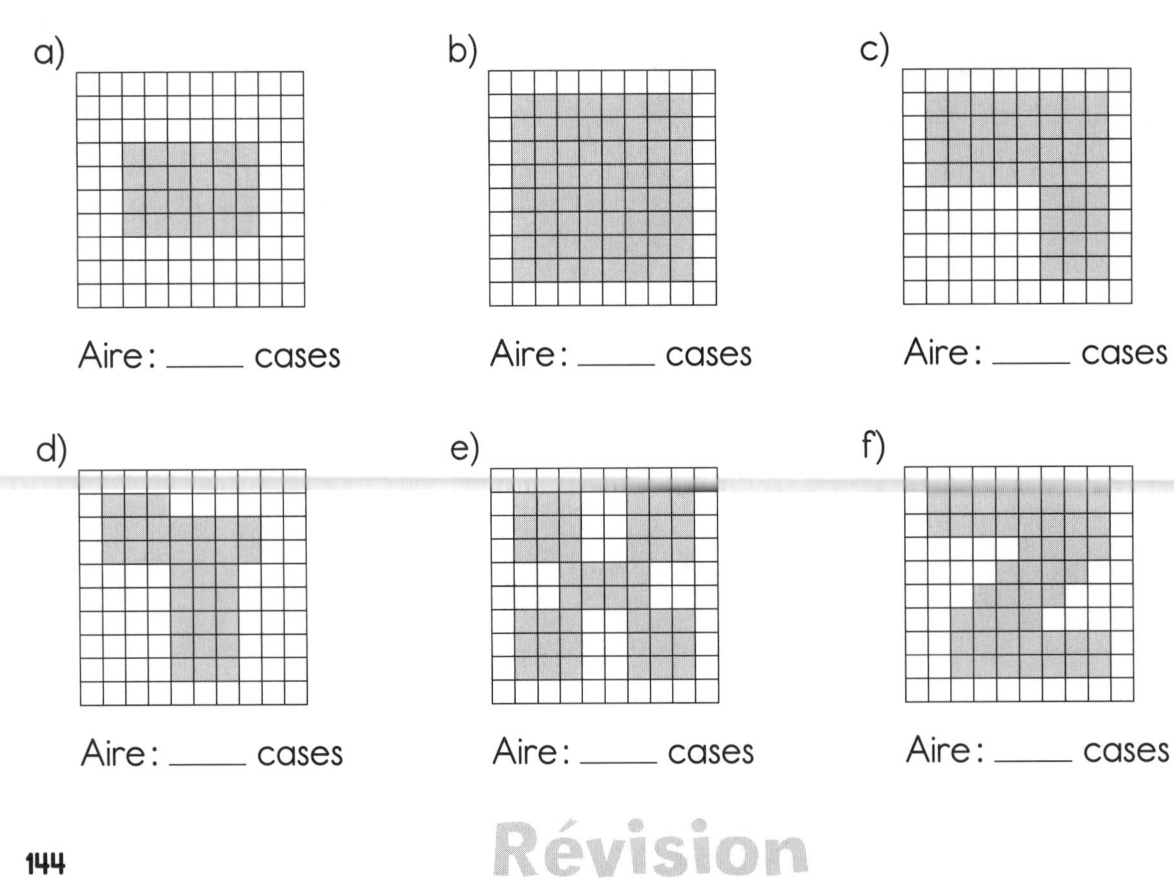

Corrigé

TEST 1

La différence entre chiffre et nombre

Le chiffre est un caractère (0, 1, 2, 3, 4, 5, 6, 7, 8, 9) utilisé pour représenter un nombre qui, lui, est une valeur ou une quantité.

Les nombres naturels

Ce sont les nombres qui servent généralement à dénombrer (0, 1, 2, 3, 4, 5, 6, 7, 8, 9, 10, 11, jusqu'à l'infini).

L'écriture des nombres en toutes lettres

Les nombres composés inférieurs à 100 qui ne se terminent pas par 1, sauf 81 et 91, prennent un trait d'union.

Exemples : quatre-vingt-dix, soixante-huit.

Les nombres composés supérieurs à 100 ne prennent pas de trait d'union sauf leur partie comprise entre 1 et 99.

Exemples : cinq mille six cent soixante-sept, sept mille trois cent trente-trois.

On ajoute « et » lorsqu'un nombre se termine par 1 sauf pour 81 et 91.

Exemples : vingt et un, trente et un.

Les nombres 20 et 100 prennent la marque du pluriel lorsqu'ils sont multipliés et ne sont pas suivis par un autre nombre.

Exemples : deux cents mais deux cent trois ; quatre-vingts mais quatre-vingt-trois.

Mille est toujours invariable.

Exemples : trois mille, trois mille six cent quatre.

Dans la nouvelle orthographe, tous les nombres composés sont joints par un trait d'union.

Exemples : vingt-et-un, trois-mille-six-cent-vingt-cinq.

Les comparaisons

Pour comparer les nombres naturels à l'aide des symboles < (est plus petit que), > (est plus grand que), = (est égal à), il suffit de trouver la valeur de chaque nombre à partir des unités, des dizaines, des centaines et des unités de mille.

Exemples : 8**7**3 < 8**8**2, **5**39 > **4**65, **110** = **110**

L'ordre croissant et décroissant dans les nombres

Pour mettre les nombres naturels dans l'ordre croissant (du plus petit au plus grand) ou décroissant (du plus grand au plus petit), il suffit de trouver la valeur de chaque nombre à partir des unités, des dizaines, des centaines et des unités de mille.

Exemples :

Ordre croissant : 36, 57, 124, 319, 540, 795.

Ordre décroissant : 795, 540, 319, 124, 57, 36.

La décomposition des nombres naturels

C'est la représentation d'un nombre naturel sous la forme d'une somme de ses termes en base 10.

Exemple : 852 = 800 + 50 + 2 ou 8 centaines, 50 dizaines et 2 unités.

Les régularités dans les nombres

Dans une suite arithmétique, formule ou opération qui se présente logiquement et qui permet de déduire la règle pour trouver le nombre suivant.

Exemple : 6, 9, 12, 15, 18

On déduit qu'il faut additionner 3 à chaque terme pour écrire la suite.

Page 9

1 : a) 8175 b) 6121 c) 1300 d) 25 000 e) 12 280

2 : a) 24 310 b) 9970 c) 10 140 d) 9780

3 : a) < b) = c) > d) > e) < f) >

4 : a) 9 milliers, 0 centaine, 1 dizaine et 3 unités
b) 2 milliers, 3 centaines, 8 dizaines et 0 unité
c) 4 milliers, 2 centaines, 4 dizaines et 1 unité
d) 22 milliers, 6 centaines, 5 dizaines et 8 unités

Page 10

1 : a) 176, 177, 178, 179, 180, 181, 182, 183, 184
b) 623, 624, 625, 626, 627, 628, 629, 630, 631
c) 955, 956, 957, 958, 959, 960, 961, 962, 963
d) 1581, 1582, 1583, 1584, 1585, 1586, 1587, 1588, 1589 e) 5355, 5356, 5357, 5358, 5359, 5360, 5361, 5362, 5363 f) 9162, 9163, 9164, 9165, 9166, 9167, 9168, 9169, 9170

2 : a) 64 b) 1324 c) 2644 d) 9249

3 : a) 126, 128, 130, 132, 134, 136, 138, 140, 142 Régularité : + 2 b) 40, 30, 34, 24, 28, 18, 22, 12, 16 Régularité : - 10 + 4 c) 1533, 1536, 1539, 1542, 1545, 1548, 1551, 1554, 1557 Régularité : + 3
d) 740, 743, 742, 745, 744, 747, 746, 749, 748 Régularité : + 3 -1 e) 180, 175, 170, 165, 160, 155, 150, 145, 140 Régularité : - 5

Page 11

4 : a) 9 unités b) 7 dizaines c) 1 unité de mille
d) 2 dizaines e) 6 centaines f) 9 centaines
g) 8 dizaines h) 9 centaines i) 4 unités de mille
j) 3 unités k) 3 dizaines l) 3 dizaines

5 : a) 1258, 1358, 1478, 3698, 9874 b) 111, 125, 136, 224, 978 c) 9521, 9547, 9621, 9874 d) 5014, 5231, 5321, 5497

6 : a) 9000 + 800 + 50 + 4 b) 300 + 60 + 5 c) 900 + 80 + 7 d) 3000 + 200 + 10 + 5 e) 5000 + 800 + 70 + 1 f) 400 + 50 +8

Page 12

7 : 3152, 3153, 3154, 3155, 3156, 3157, 3158, 3159, 3160, 3161, 3162, 3163, 3164, 3165, 3166, 3167, 3168, 3169, 3170, 3171, 3172, 3173, 3174, 3175, 3176, 3177, 3178, 3179, 3180

8 : a) 5000 + 200 + 10 + 2 b) 2464 c) 7000 + 800 + 90 + 5 d) 6598 e) 4000 + 800 + 90 + 6

TEST 1.1

Page 13

1 : a) 1130, 1135, 1140, 1145, 1150, 1155, 1160,

1165 Régularité : + 5 b) 2321, 2346, 2371, 2396, 2421, 2446, 2471, 2496 Régularité : + 25 c) 8620, 8610, 8600, 8590, 8580, 8570, 8560, 8550 Régularité : –10 d) 1315, 1215, 1115, 1015, 915, 815, 715, 615 Régularité : – 100 e) 2242, 2251, 2260, 2269, 2278, 2287, 2296, 2305 Régularité : + 9
2 : a) 1 centaine b) 2 unités c) 1 unité de mille d) 5 centaines e) 8 dizaines f) 9 centaines
3 : a) 4 milliers, 5 centaines, 8 dizaines, 9 unités
b) 1 millier, 2 centaines, 3 dizaines, 6 unités
c) 7 milliers, 8 centaines, 9 dizaines, 5 unités
d) 9 milliers, 8 centaines, 5 dizaines, 2 unités
e) 1 millier, 2 centaines, 5 dizaines, 8 unités

Page 14

1 : a) 2507 b) 4150 c) 3409 d) 1910 e) 2500 f) 5207
2 : a) 8510 b) 3420 c) 7831 d) 413
3 : a)
4 : c)
5 :

1024	1025	1026	1027	1028	1029	1030	1031	1032
1033	1034	1035	1036	1037	1038	1039	1040	1041
1042	1043	1044	1045	1046	1047	1048	1049	1050
1051	1052	1053	1054	1055	1056	1057	1058	1059
1060	1061	1062	1063	1064	1065	1066	1067	1068
1069	1070	1071	1072	1073	1074	1075	1076	1077
1078	1079	1080	1081	1082	1083	1084	1085	1086
1087	1088	1089	1090	1091	1092	1093	1094	1095
1096	1097	1098	1099	1100	1101	1102	1103	1104

Page 15

6 : a) UM : 20 C :1 D : 5 U : 8 b) UM : 25 C : 9 D : 8 U : 7 c) UM : 15 C : 9 D : 8 U : 7
7 : a) > b) < c) < d) < e) < f) >
8 : a) 73, 79, 75, 95, 37, 59, par exemple b) 739, 735, 395, 593, 597, 937, par exemple c) 3795, 3759, 9375, 5937, 9753, 5739, par exemple.
9 : a) dix mille cinq cent quarante-sept b) quinze mille sept cent quatre-vingt-un

Page 16

10 : a) 25 789 unités, 2578 dizaines, 257 centaines, 25 milliers
b) 21478 unités, 2147 dizaines, 214 centaines, 21 milliers
c) 29 999 unités, 2999 dizaines, 299 centaines, 29 milliers
d) 18 741 unités, 1874 dizaines, 187 centaines, 18 milliers
e) 22 369 unités, 2236 dizaines, 223 centaines, 22 milliers

TEST 2

Page 17

1 : a) 31 261, 31 262, 31 263, 31 264, 31 265 Régularité : + 1
b) 43 320, 43 275, 43 230, 43 185, 43 140 Régularité : – 45
c) 49 989, 50 109, 50 229, 50 349, 50 469 Régularité : + 120
2 : a) quarante-cinq mille cent vingt-trois b) cinquante-neuf mille huit cent soixante et onze c) trente mille cent vingt-cinq d) cinquante et un mille deux cent cinquante-huit
3 : a) < b) > c) <
4 : a) 8 centaines b) 5 milliers c) 7 centaines d) 5 unités
5 : Ordre croissant : 28 995, 29 539, 30 933, 45 412
Ordre décroissant : 45 412, 30 933, 29 539, 28 995

Page 18

1 : 31 552, 31 553, 31 554, 31 555, 31 556, 31 557, 31 558, 31 559, 31 560, 31 561, 31 562, 31 563, 31 564, 31 565, 31 566, 31 567, 31 568, 31 569, 31 570, 31 571, 31 572, 31 573, 31 574, 31 575, 31 576, 31 577, 31 578, 31 579, 31 580
2 : a) 3 dizaines de mille, 1 unité de mille, 5 centaines, 8 dizaines, 9 unités b) 3 dizaines de mille, 9 unités de mille, 7 centaines, 8 dizaines, 5 unités
c) 3 dizaines de mille, 0 unité de mille, 1 centaine, 4 dizaines, 8 unités d) 3 dizaines de mille, 6 unités de mille, 7 centaines, 7 dizaines, 7 unités e) 3 dizaines de mille, 3 unités de mille, 3 centaines, 3 dizaines, 3 unités f) 3 dizaines de mille, 7 unités de mille, 9 centaines, 7 dizaines, 8 unités

Page 19

3 : a) 46 524 b) 41 c) 9 d) 1
4 : a) 45 790 b) 44 120 c) 43 340 d) 47 460 e) 47 000 f) 49 550
5 : a) 45 800 b) 44 100 c) 43 300 d) 47 500 e) 47 000 f) 49 600
6 : a) 49 950 b) 51 258 c) 41 899 d) 39 789

Page 20

7 : a) 5 dizaines de mille, 8 unités de mille, 7 centaines, 5 dizaines
b) 4 dizaines de mille, 7 unités de mille, 8 centaines, 9 dizaines et 6 unités
c) 5 dizaines de mille, 2 unités de mille, 4 centaines, 7 dizaines et 8 unités d) 5 dizaines de mille, 4 unités de mille, 7 centaines, 8 dizaines et 3 unités
e) 5 dizaines de mille, 5 unités de mille, 1 centaine, 1 dizaine et 1 unité
f) 5 dizaines de mille, 5 unités de mille, 5 centaines, 5 dizaines et 5 unités
8 : a) 51 023, 51 101, 51 236, 51 369, 51 478
b) 50 269, 53 125, 54 896, 55 789, 58 741
c) 51 031, 55 032, 56 769, 56 878, 59 539
9 : a) 58 716, 54 966, 53 011, 51 691, 50 933
b) 57 444, 56 707, 55 799, 52 291, 50 000

TEST 2.1

Page 21

1 : a) Avant : 31 784 ; Après : 45 240 ; Entre : 54 259
b) Avant : 39 991 ; Après : 40 524 ; Entre : 51 362
c) Avant : 37 562 ; Après : 40 248 ; Entre : 45 841
d) Avant : 31 784 ; Après : 45 240 ; Entre : 54 240
2 : b) UM : 56 C : 7 D : 4 U : 1 c) UM : 44 C : 3 D : 6 U : 2
3 : a) 35 442 b) 20 c) 5 d) 5

Page 22

1 :

31 221	31 222	31 223	31 224	31 225	31 226	31 227	31 228	31 229
31 230	31 231	31 232	31 233	31 234	31 235	31 236	31 237	31 238
31 239	31 240	31 241	31 242	31 243	31 244	31 245	31 246	31 247
31 248	31 249	31 250	31 251	31 252	31 253	31 254	31 255	31 256
31 257	31 258	31 259	31 260	31 261	31 262	31 263	31 264	31 265
31 266	31 267	31 268	31 269	31 270	31 271	31 272	31 273	31 274
31 275	31 276	31 277	31 278	31 279	31 280	31 281	31 282	31 283
31 284	31 285	31 286	31 287	31 288	31 289	31 290	31 291	31 292
31 293	31 294	31 295	31 296	31 297	31 298	31 299	31 300	31 301

2 : a) 35 480, 35 481, 35 482, 35 483, 35 484
b) 33 222, 33 223, 33 224, 33 225, 33 226
c) 34 586, 34 588, 34 590, 34 592, 34 594
d) 37 639, 37 642, 37 645, 37 648, 37 651
e) 38 305, 38 307, 38 309, 38 311, 38 313
f) 30 746, 30 747, 30 748, 30 749, 30 750

Page 23

3 : a) 40 589 unités, 4058 dizaines, 405 centaines, 40 milliers
b) 45 121 unités, 4512 dizaines, 451 centaines, 45 milliers
c) 47 256 unités, 4725 dizaines, 472 centaines, 47 milliers
d) 44 788 unités, 4478 dizaines, 447 centaines, 44 milliers
e) 45 367 unités, 4536 dizaines, 453 centaines, 45 milliers

Page 24

4 : a) UM : 55 C : 4 D : 7 U : 8 b) UM : 59 C : 8 D : 2 U : 3 c) UM : 55 C : 6 D : 6 U : 1
5 : a) > b) < c) < d) < e) < f) >
6 : a) 50 028, 50 125, 52 627, 54 215, 55 129
b) 55 139, 55 897, 58 124, 58 128, 59 236

TEST 3

Page 25

1 : a) 75 963 b) 89 c) 4 d) 7
2 : a) 98 452 b) 66 739 c) 78 321 d) 77 896
3 :

61 026	61 027	61 028	61 029	61 030	61 031	61 032	61 033	61 034
61 035	61 036	61 037	61 038	6 1039	61 040	61 041	61 042	61 043
61 044	61 045	61 046	61 047	61 048	61 049	61 050	61 051	61 052
61 053	61 054	61 055	61 056	61 057	61 058	61 059	61 060	61 061
61 062	61 063	61 064	61 065	61 066	61 067	61 068	61 069	61 070
61 071	61 072	61 073	61 074	61 075	61 076	61 077	61 078	61 079
61 080	61 081	61 082	61 083	61 084	61 085	61 086	61 087	61 088
61 089	61 090	61 091	61 092	61 093	61 094	61 095	61 096	61 097
61 098	61 099	61 100	61 101	61 102	61 103	61 104	61 105	61 106

Page 26

1 : a) 60 milliers, 7 centaines, 8 dizaines, 9 unités
b) 64 milliers, 8 centaines, 2 dizaines, 3 unités
c) 63 milliers, 4 centaines, 7 dizaines, 4 unités
d) 66 milliers, 6 centaines, 6 dizaines, 6 unités
e) 69 milliers, 8 centaines, 2 dizaines, 5 unités
2 : a) 66 240, 66 245, 66 250, 66 255, 66 260 Régularité : + 5 b) 61 267, 61 277, 61 287 61 297, 61 307 Régularité : + 10 c) 66 219, 66 221, 66 223, 66 225, 66 227 Régularité : + 2 d) 62 242, 62 251, 62 260, 62 269, 62 278 Régularité : + 9 e) 68 492, 68 592, 68 692, 68 792, 68 892 Régularité : + 100
3 : a) 65 034 b) 60 012 c) 67 703 d) 69 650 e) 62 502 f) 61 107

Page 27

4 : a) 71 228 b) 78 961 c) 77 355
5 : 71 238
6 : 69 367
7 : a) 7 dizaines de mille, 1 unité de mille, 5 centaines, 8 dizaines, 7 unités b) 7 dizaines de mille, 8 unités de mille, 3 centaines, 6 dizaines, 9 unités c) 7 dizaines de mille, 0 unité de mille, 5 centaines, 8 dizaines, 1 unité d) 7 dizaines de mille, 5 unités de mille, 4 centaines, 1 dizaine, 6 unités e) 7 dizaines de mille, 6 unités de mille, 2 centaines, 3 dizaines, 6 unités f) 7 dizaines de mille, 2 unités de mille, 5 centaines, 4 dizaines, 7 unités

Page 28

8 : a) 95 123 unités, 9512 dizaines, 951 centaines, 95 milliers
b) 80 475 unités, 8047 dizaines, 804 centaines, 80 milliers
c) 96 347 unités, 9634 dizaines, 963 centaines, 96 milliers
d) 90 147 unités, 9014 dizaines, 901 centaines, 90 milliers
e) 88 563 unités, 8856 dizaines, 885 centaines, 88 milliers

TEST 3.1

Page 29

1 : a) 9 unités b) 5 dizaines de mille
2 : a) 79 000 b) 66 500 c) 93 100 d) 97 400 e) 63 300 f) 98 100
3 : a) 95 438, 95 437, 95 436, 95 435 b) 66 128, 66 129, 66 130, 66 131 c) 73 565, 73 570, 73 575, 73 580
4 : a) quatre-vingt-dix-neuf mille b) quatre-vingt mille deux cent cinquante-huit
5 : a) > b) > c) < d) < e) > f) >

Page 30

1 : a) UM : 61 C : 7 D : 8 U : 9; b) UM : 66 C : 2 D : 8 U : 5; c) UM : 69 C : 1 D : 2 U : 3
2 : a) 65 127, 65 128, 65 129, 65 130, 65 131
b) 62 747, 62 748, 62 749, 62 750, 62 751
c) 60 145, 60 146, 60 147, 60 148, 60 149
d) 66 972, 66 973, 66 974, 66 975, 66 976
e) 69 460, 69 461, 69 462, 69 463, 69 464
f) 9162, 9163, 9164, 9165, 9166
3 : a) 66 790 b) 68 750 c) 64 120 d) 63 180

Page 31

4 : a) 70 000 + 200 + 50 + 8 b) 70 906 c) 70 000 + 8 000 + 200 + 60 + 9 d) 75 507 e) 70 000 + 4000 + 600 + 30 + 2
5 : a) 76 980 b) 70 000 c) 72 401 d) 79 512 e) 72 994
6 : a) 70 000 b) 500 c) 9 unités d) 50 e) 100 f) 70 000 g) 7000 h) 3 unités

Page 32

7 : a) 80 256, 87 523, 89 125 b) 80 125, 97 521, 98 458 c) 89 254, 94 125, 96 214 d) 80 129, 80 256, 84 133

8 : a) 84 525 : 84 000, 500, 20, 5 b) 96 236 : 96 000, 200, 30, 6 c) 90 120 : 90 000, 100, 20 d) 90 164 : 90 000, 100, 60, 4 e) 85 429 : 85 000, 400, 20, 9 f) 97 537 : 97 000, 500, 30, 7

9 : a) > b) > c) > d) < e) < f) >

TEST 4

Les additions

Le répertoire mémorisé

Les tables d'addition doivent être apprises par cœur afin de résoudre des opérations plus complexes.

+	**0**	**1**	**2**	**3**	**4**	**5**	**6**	**7**	**8**	**9**
0	0	1	2	3	4	5	6	7	8	9
1	1	2	3	4	5	6	7	8	9	10
2	2	3	4	5	6	7	8	9	10	11
3	3	4	5	6	7	8	9	10	11	12
4	4	5	6	7	8	9	10	11	12	13
5	5	6	7	8	9	10	11	12	13	14
6	6	7	8	9	10	11	12	13	14	15
7	7	8	9	10	11	12	13	14	15	16
8	8	9	10	11	12	13	14	15	16	17
9	9	10	11	12	13	14	15	16	17	18

L'addition de deux nombres naturels à 2 et 3 chiffres

Addition de chaque terme du premier nombre (unité, dizaine, centaine) avec chaque terme correspondant du second nombre (unité, dizaine) qui implique souvent des retenues.

Exemple :

```
  573        573        573
+  64      +  64      +  64
 ----       ----       ----
    7         37        637
3 + 4 = 7  7 + 6 = 13  5 + 1 = 6
```

L'addition de deux nombres naturels à 4 chiffres

Addition de chaque terme du premier nombre (unité, dizaine, centaine, unité de mille) avec chaque terme correspondant du second nombre (unité, dizaine, centaine, unité de mille) qui implique souvent des retenues.

```
 8573        8573        8573          8573
+2364       +2364       +2364         +2364
 ----        ----        ----         -----
    7          37         937         10 937
3 + 4 = 7   7 + 6 = 13  5 + 3 + 1 = 9  8 + 2 = 10
```

Page 33

1 :

+ 5	
5	10
7	12
3	8
8	13
6	11
10	15
4	9
9	14

+ 7	
8	15
11	18
3	10
15	22
12	19
10	17
4	11
9	16

+ 4	
10	14
12	16
3	7
13	17
6	10
7	11
4	8
9	13

2 : a) 39 b) 99 c) 77 d) 322 e) 541 f) 911 g) 681 h) 901 i) 710 j) 3641 k) 5170 l) 9520

3 : a) 500 + 125 = 625 b) 23 + 31 + 26 = 80 c) 119 + 187 = 306

Page 34

1 :

+	1	5	9	8	4	6	7
6	7	11	15	14	10	12	13
5	6	10	14	13	9	11	12
9	10	14	18	17	13	15	16
4	5	9	13	12	8	10	11
8	9	13	17	16	12	14	15
3	4	8	12	11	7	9	10
7	8	12	16	15	11	13	14

2 : a) 2 + 3 + 6 = 11 b) 4 + 7 + 3 = 14 c) 6 + 6 = 12 d) 7 + 8 = 15 e) 6 + 3 = 9 f) 5 + 6 + 3 = 14 g) 7 + 2 + 5 = 14 h) 4 + 7 + 4 = 15 i) 8 + 2 + 6 = 16

3 :

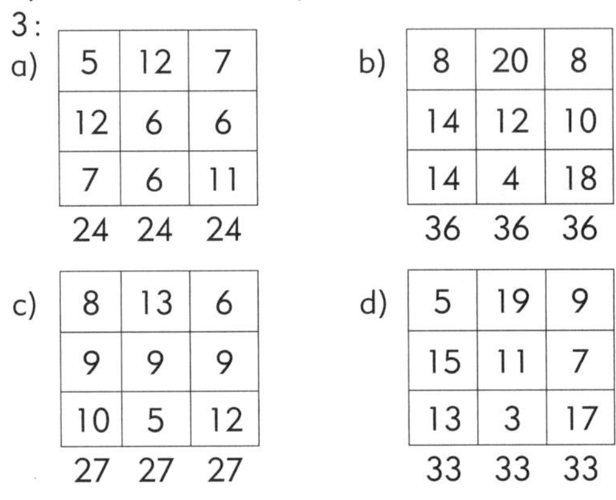

a)

5	12	7
12	6	6
7	6	11
24	24	24

b)

8	20	8
14	12	10
14	4	18
36	36	36

c)

8	13	6
9	9	9
10	5	12
27	27	27

d)

5	19	9
15	11	7
13	3	17
33	33	33

Page 35

4 : a) 80 b) 768 c) 436 d) 689 e) 815 f) 593 g) 562 h) 80 i) 368 j) 254 k) 240 l) 213

5 : a) 6655 b) 2017 c) 1541 d) 7656

Page 36

6 : a) 127 + 284 = 411 b) 215 + 256 + 256 = 727 c) 136 + 127 + 58 = 321 d) 574 + 458 + 158 = 1190

TEST 4.1

Page 37

1 : a) 4 + 9 = 13 b) 6 + 7 = 13 c) 3 + 10 = 13 d) 9 + 7 = 16 e) 10 + 6 = 16 f) 11 + 4 = 15 g) 8 + 5 = 13 h) 9 + 4 = 13 i) 344 + 125 = 469 j) 224 + 175 = 399 k) 628 + 183 = 811 l) 344 + 227 = 571 m) 141 + 110 = 251 n) 175 + 175 = 350 o) 276 + 236 = 512 p) 526 + 1253 = 1779

2 : a) 342 + 184 = 526 b) 218 + 231 = 449 c) 435 + 386 = 821 d) 180 + 449 = 629 e) 433 + 325 = 758 f) 215 + 283 = 498

3 : a) 7684 b) 5783 c) 9253 d) 9154 e) 5856 f) 9210 g) 3001 h) 3605

4 : 1258 + 712 + 12 + 3 = 1985

Page 38

1 :

+ ↔	5	9	7	10	8
3	8	12	10	13	11
6	11	15	13	16	14
4	9	13	11	14	12
2	7	11	9	12	10
5	10	14	12	15	13
7	12	16	14	17	15
9	14	18	16	19	17

2 : 7 + 8 = 15 4 + 8 = 12 4 + 5 = 9 8 + 9 = 17
3 + 8 = 11 6 + 8 = 14 7 + 9 = 16 2 + 5 = 7
6 + 7 = 13 2 + 3 = 5 6 + 3 = 9 5 + 8 = 13
5 + 9 = 14 2 + 7 = 9 4 + 9 = 13 2 + 9 = 11
3 + 4 = 7 3 + 9 = 12 2 + 4 = 6 3 + 7 = 10
7 + 8 = 15 4 + 8 = 12 4 + 5 = 9 8 + 9 = 17
4 + 7 = 11 3 + 5 = 8 2 + 8 = 10 4 + 6 = 10

Page 39

3 : 100 et 50 ; 75 et 75 ; 98 et 52 ; 140 et 10 ; 125 et 25 ; 138 et 12 ; 88 et 62 ; 61 et 89

4 : 1re colonne : 618 2e colonne : 626 3e colonne : 661 4e colonne : 667

Page 40

5 : a) 3052 b) 12 806 c) 9169 d) 2589 e) 7185 f) 3341 g) 5482 h) 7478 i) 3784 j) 8354 k) 6772 l) 4997

6 :

+ 125	
115	240
127	252
633	758
128	253
600	725
100	225
425	550
409	534

+ 328	
158	486
111	439
302	630
138	466
121	449
105	433
410	738
179	507

+ 411	
100	511
112	523
133	544
513	924
601	1012
507	918
444	855
125	536

7 : a) 6359 b) 3845 c) 4845 d) 9396 e) 5840 f) 3295

TEST 5

Les soustractions

Le répertoire mémorisé

Les tables de soustraction doivent être apprises par cœur pour résoudre des opérations plus complexes.

-	0	1	2	3	4	5	6	7	8	9
18										9
17									9	8
16								9	8	7
15							9	8	7	6
14						9	8	7	6	5
13					9	8	7	6	5	4
12				9	8	7	6	5	4	3
11			9	8	7	6	5	4	3	2
10		9	8	7	6	5	4	3	2	1
9	9	8	7	6	5	4	3	2	1	0
8	8	7	6	5	4	3	2	1	0	
7	7	6	5	4	3	2	1	0		
6	6	5	4	3	2	1	0			
5	5	4	3	2	1	0				
4	4	3	2	1	0					
3	3	2	1	0						
2	2	1	0							
1	1	0								

La soustraction de deux nombres à 2 et 3 chiffres

Soustraction de chaque terme du second nombre (unité, dizaine) à partir de chaque terme correspondant du premier nombre (unité, dizaine, centaine) qui implique souvent des emprunts.

Exemple :

	6 1	6 1
758	~~7~~58	~~7~~58
− 64	− 64	− 64
4	94	694
8 − 4 = 4	15 − 6 = 9	6 − 0 = 6

La soustraction de deux nombres à 4 chiffres

Soustraction de chaque terme du second nombre (unité, dizaine, centaine, unité de mille) à partir de chaque terme correspondant du premier nombre (unité, dizaine, centaine, unité de mille) qui implique souvent des emprunts.

Exemple :

	6 1	4 16	4 16
5758	5~~7~~58	~~5~~~~7~~58	~~5~~~~7~~58
− 2964	− 2964	− 2964	− 2964
4	94	794	2794
8 − 4 = 4	15 − 6 = 9	16 − 9 = 7	4 − 2 = 2

Page 41

1 : a) 20 − 4 = 16 b) 16 − 3 = 13 c) 17 − 4 = 13 d) 17 − 8 = 9 e) 11 − 7 = 4 f) 15 − 8 = 7 g) 6 − 3 = 3 h) 20 − 5 = 15 i) 9 − 8 = 1 j) 12 − 6 = 6 k) 13 − 7 = 6 l) 16 − 4 = 12

2 : a) 812 b) 127 c) 333 d) 251 e) 500 f) 673 g) 270 h) 617 i) 519 j) 858 k) 232 l) 250 m) 2365 n) 2107 o) 2877 p) 7313

3 : a) 23 − 15 = 8 b) 58 − 12 = 46

Page 42

1 :

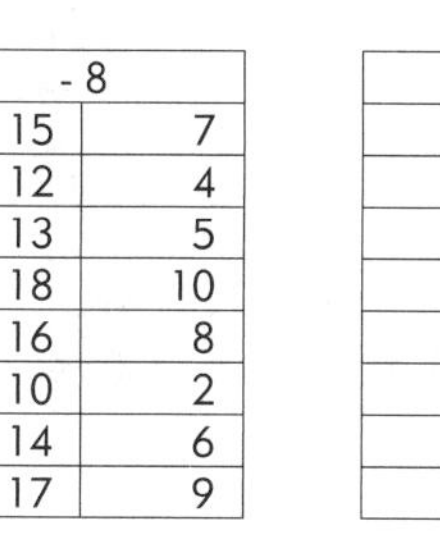

- 8	
15	7
12	4
13	5
18	10
16	8
10	2
14	6
17	9

- 6	
12	6
15	9
11	5
9	3
15	9
10	4
13	7
17	11

- 7	
10	3
14	7
9	2
12	5
8	1
15	8
11	4
13	6

2 :

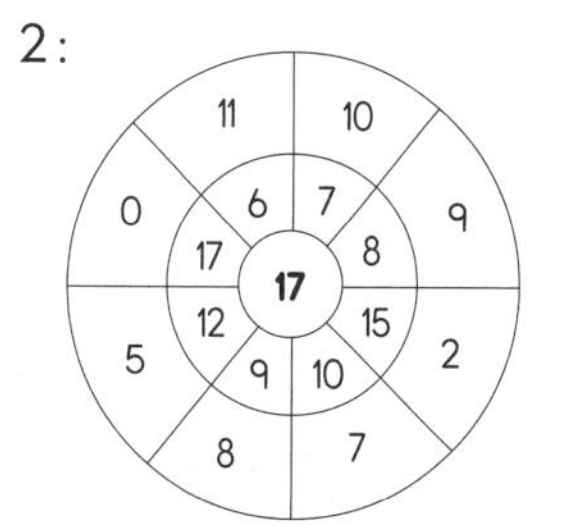

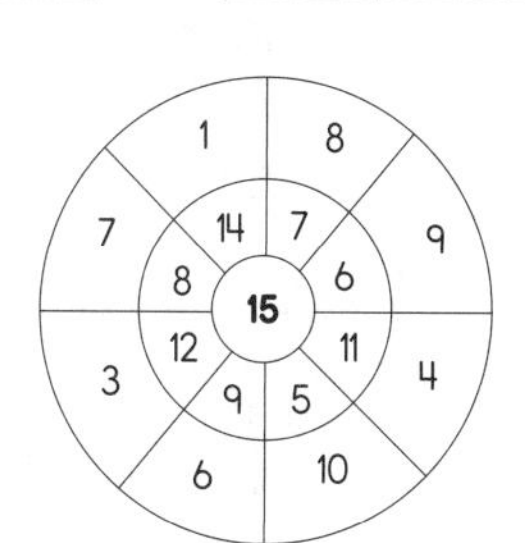

3 :

-	12	3	8	6	4	7	9	5	11
17	5	14	9	11	13	10	8	12	6
15	3	12	7	9	11	8	6	10	4
13	1	10	5	7	9	6	4	8	2
16	4	13	8	10	12	9	7	11	5
12	0	9	4	6	8	5	3	7	1
14	2	11	6	8	10	7	5	9	3

Page 43

4 : a) 28 b) 63 c) 30 d) 262 e) 506 f) 400 g) 505 h) 331 i) 264 j) 83 k) 441 l) 155

5 : a) 735 - 348 = 387 b) 959 - 425 = 534 c) 857 - 531 = 326 d) 626 - 312 = 314 e) 656 - 237 = 419 f) 952 - 527 = 425 g) 283 - 133 = 150 h) 663 - 405 = 258 i) 514 - 369 = 145

6 : a) 259 – 27 = 232
b) 68 + 48 = 116 ; 525 – 116 = 409

Page 44

7 : a) 1111 b) 2307 c) 3763 d) 6524 e) 3265 f) 3235 g) 6576 h) 5314

8 : a) 3669 b) 1155 c) 2155 d) 6706 e) 3150 f) 605

9 :

↗ - 1258	
2115	857
1271	13
1633	375
4128	2870
6000	4742
1500	242
4250	2992
4090	2832

↗ - 551	
1158	607
1111	560
3021	2470
1387	836
1219	668
1050	499
4104	3553
1799	1248

↗ - 2147	
6100	3953
4112	1965
7133	4986
5513	3366
4601	2454
5107	2960
4444	2297
3125	978

10 : a) 9290 b) 263 c) 370 d) 1521

TEST 5.1

Page 45

1 :

-	12	3	8	6	4	7	9	5	11
18	6	15	10	12	14	11	9	13	7
20	8	17	12	14	16	13	11	15	9
24	12	21	16	18	20	17	15	19	13
19	7	16	11	13	15	12	10	14	8
25	13	22	17	19	21	18	16	20	14
23	11	20	15	17	19	16	14	18	12

2 : a) 22 b) 231 c) 237 d) 35 e) 337 f) 163 g) 51 h) 189 i) 170 j) 138 k) 33 l) 20 m) 153 n) 143 o) 55 p) 134 q) 43 r) 125 s) 132 t) 140

Page 46

1 : 50 et 5 ; 76 et 31 ; 70 et 25 ; 69 et 24 ; 49 et 4 ; 68 et 23 ; 77 et 32 ; 58 et 13

2 : phrase mystère : Tu travailles bien.

3 : a) 52 – 37 = 15 ; 15 + 37 = 52 b) 80 – 26 = 54 ; 54 + 26 = 80

Page 47

4 : a) 25 – 13 = 12 b) 144 – 72 = 72 c) 274 – 14 – 36 = 224 ou 14 + 36 = 50 ; 274 – 50 = 224 d) 568 – 321 = 247 e) 2896 – 1258 = 1638 f) 1259 – 178 = 1081

Page 48

5 : a) 748 b) 6148 c) 6299 d) 1769 e) 617 f) 3037 g) 2406 h) 2484 i) 5235

6 :

-	1258	3681	2589	1028	1147
6974	5716	3293	4385	5946	5827
4148	2890	467	1559	3120	3001
7892	6634	4211	5303	6864	6745
6410	5152	2729	3821	5382	5263
7852	6594	4171	5263	6824	6705

7 : a) 5752 b) 635 c) 4789 d) 448 e) 4739 f) 587

TEST 6

Les multiplications

La multiplication par addition répétée

Pour multiplier un nombre, on peut additionner consécutivement ce nombre le nombre de fois indiqué dans la multiplication.

Exemple : 7 x 4   7 + 7 + 7 + 7 = 28

Le répertoire mémorisé

Les tables de multiplication doivent être apprises par cœur afin de résoudre des opérations plus complexes.

X	**0**	**1**	**2**	**3**	**4**	**5**	**6**	**7**	**8**	**9**
0	0	0	0	0	0	0	0	0	0	0
1	0	1	2	3	4	5	6	7	8	9
2	0	2	4	6	8	10	12	14	16	18
3	0	3	6	9	12	15	18	21	24	27
4	0	4	8	12	16	20	24	28	32	36
5	0	5	10	15	20	25	30	35	40	45
6	0	6	12	18	24	30	36	42	48	54
7	0	7	14	21	28	35	42	49	56	63
8	0	8	16	24	32	40	48	56	64	72
9	0	9	18	27	36	45	54	63	72	81

La multiplication d'un nombre à 3 chiffres par un nombre à 1 chiffre

Multiplication de chaque terme (unité, dizaine, centaine) du premier nombre par le second nombre (unité) qui implique parfois des retenues.

Exemple :

2	4 2	4 2
374	374	374
x 6	x 6	x 6
4	44	2244
6 x 4 = 24	(6 x 7) + 2 = 44	(6 x 3) + 4 = 22

La multiplication d'un nombre à 3 chiffres par un nombre à 2 chiffres

Multiplication de chaque terme (unité, dizaine, centaine) du premier nombre par chaque terme du second nombre (unité, dizaine) qui implique parfois des retenues.

Exemple :

				2	1 2	1 2
6	4 6	4 6	4 6	4 6	4 6	4 6
459	459	459	459	459	459	459
x 37	x 37	x 37	x 37	x 37	x 37	x 37
3	13	3213	3213	3213	3213	3213
			0	+ 70	+ 770	+ 13770
						16 983

7 x 9 = 63   (7 x 5) + 6 = 41(7 x 4) + 4 = 32   3 x 9 = 27   (3 x 5) + 2 = 17(3 x 4) + 1 = 13

Page 49

1 : a) 4 x 2 = 8 b) 5 x 5 = 25 c) 2 x 3 = 6 d) 3 x 9 = 27 e) 11 x 7 = 77

2 : a) 12 b) 35 c) 24 d) 16 e) 21 f) 8 g) 18 h) 6 i) 30

3 :

x	0	1	2	3	4	5	6
0	0	0	0	0	0	0	0
4	0	4	8	12	16	20	24
2	0	2	4	6	8	10	12
5	0	5	10	15	20	25	30
3	0	3	6	9	12	15	18
6	0	6	12	18	24	30	36
7	0	7	14	21	28	35	42
9	0	9	18	27	36	45	54

Page 50

1 : Table de 1 : 0, 1, 2, 3, 4, 5, 6, 7, 8, 9 10 Table de 2 : 0, 2, 4, 6, 8, 10, 12, 14, 16, 18, 20 Table de 3 : 0, 3, 6, 9, 12, 15, 18, 21, 24, 27, 30

2 :

x	**1**	**5**	**8**	**4**	**3**	**9**	**6**	**10**	**2**	**7**
4	4	20	32	16	12	36	24	40	8	28
5	5	25	40	20	15	45	30	50	10	35

Page 51

3 : a) 5 b) 1 c) 4 d) 2 e) 3

4 : a) 4 x 3 = 12 b) 9 x 2 = 18 c) 5 x 5 = 25
d) 6 x 4 = 24 e) 7 x 3 = 21 f) 9 x 4 = 36

Page 52

5 : a) 3 x 7 = 21 b) 8 x 2 = 16 c) 10 x 3 = 30
d) 3 x 8 = 24 e) 12 x 5 = 60 f) 9 x 10 = 90

Test 6.1

Page 53

1 : a) 30 b) 8 c) 32 d) 24 e) 36 f) 18 g) 36 h) 16 i) 45 j) 14 k) 27 l) 40

2 : Table de 4 : 0, 4, 8, 12, 16, 20, 24, 28, 32, 36, 40
Table de 5 : 0, 5, 10, 15, 20, 25, 30, 35, 40, 45, 50
Table de 6 : 0, 6, 12, 18, 24, 30, 36, 42, 48, 54, 60

Page 55

2 : a) 8 x 4 = 32 b) 7 x 5 = 35 c) 3 x 7 = 21
d) 2 x 9 = 18 e) 1 x 5 = 5 f) 4 x 8 = 32 g) 2 x 3 = 6
h) 7 x 6 = 42

3 :

a)

x	3	5	8	6	4
7	21	35	56	42	28
3	9	15	24	18	12
4	12	20	32	24	16
6	18	30	48	36	24
5	15	25	40	30	20

b)

x	5	7	9	10	8
2	10	14	18	20	16
6	30	42	54	60	48
9	45	63	81	90	72
10	50	70	90	100	80

Page 56

4 : a) 408 b) 228 c) 174 d) 164 e) 134 f) 60 g) 36 h) 69 i) 114 j) 30 k) 155 l) 168

5 :

x 5	
11	55
14	70
30	150
13	65
12	60
10	50
41	205
17	85

x 9	
61	549
41	369
71	639
55	495
46	414
51	459
44	396
31	279

x 7	
61	427
41	287
71	497
55	385
46	322
51	357
44	308
31	217

6 : a) 70 x 100 = 7000 b) 10 x 620 = 6200
c) 40 x 100 = 4000 d) 210 x 10 = 2100
e) 91 x 100 = 9100 f) 410 x 1 = 410

7 : a) 16 x 100 = 1600 b) 30 x 3 = 90
c) 15 x 10 = 150

TEST 7

Les divisions

La division par soustraction répétée

Pour diviser un nombre, on peut soustraire consécutivement de ce nombre le diviseur

Exemple : 28 ÷ 7   28 – 7 = 21 ; 21 – 7 = 14 ; 14 – 7 = 7 ; 7 – 7 = 0.

On compte combien de fois on soustrait le nombre 7 jusqu'à ce qu'il ne soit plus possible de soustraire. Dans cet exemple, on arrive à 0 en ayant soustrait 4 fois le nombre 7 et la réponse est : 28 ÷ 7 = 4.

Le répertoire mémorisé

Les tables de division doivent être apprises par cœur afin de résoudre des opérations plus complexes.

÷	**1**	**2**	**3**	**4**	**5**	**6**	**7**	**8**	**9**
81									9
72								9	8
64								8	
63							9		7
56							8	7	
54						9			6
49							7		
48						8		6	
45					9				5
42						7	6		
40					8			5	
36				9		8			4
35					7		5		
32				8				4	
30					6	5			
28				7			4		
27			9						3
25					5				
24			8	6		4		3	
21			7				3		
20				5	4				
18		9	6			3			2
16		8		4				2	
15			5		3				
14		7					2		
12		6	4	3		2			
10		5			2				
9	9		3						1
8	8	4		2				1	
7	7						1		
6	6	3	2			1			
5	5				1				
4	4	2		1					
3	3		1						
2	2	1							
1									

La division d'un nombre à 3 chiffres par un nombre à 1 chiffre

Division des termes du premier nombre (unité, dizaine, centaine) par les termes du second nombre (unité) qui implique parfois des retenues.

Exemple :

```
252|3      252|3      252|3
24  8    - 24  8    - 24  84
           ---        ---
            12         12
                     - 12
                      ---
                        0
24 ÷ 3 = 8            12 ÷ 3 = 4
```

La division d'un nombre à 4 chiffres par un nombre à 2 chiffres

Division des termes du premier nombre (unité, dizaine, centaine) par les termes du second nombre (dizaine, unité) qui implique parfois des retenues.

Exemple :

```
8472|24    8472|24    8472|24    8472|24    8472|24
72   3   - 72   3   - 72  35   - 72  35   - 72  353
           ---        ---        ---        ---
            12        127        127        127
                               - 120      - 120
                                 ---        ---
                                   7         72
                                           - 72
                                            ---
                                              0
72 ÷ 24 = 3           120 ÷ 24 = 5          72 ÷ 24 = 3
```

Page 57

2 : a) 3 ensembles de 4 éléments b) 3 ensembles de 3 éléments c) 3 ensembles de 7 éléments d) 3 ensembles de 5 éléments

3 : a) 4 ensembles de 3 éléments b) 4 ensembles de 2 éléments c) 4 ensembles de 5 éléments d) 4 ensembles de 4 éléments

4 : 36 ÷ 2 = 18

5 : a) 8 ÷ 2 = 4 b) 6 ÷ 2 = 3 c) 10 ÷ 5 = 2 d) 9 ÷ 3 = 3 e) 8 ÷ 4 = 2 f) 16 ÷ 4 = 4 g) 20 ÷ 2 = 10 h) 20 ÷ 5 = 4 i) 12 ÷ 3 = 4

Page 58

6 : a) 6 ensembles de 2 éléments b) 2 ensembles de 5 éléments c) 4 ensembles de 3 éléments d) 3 ensembles de 3 éléments e) 5 ensembles de 3 éléments f) 4 ensembles de 5 éléments g) 6 ensembles de 4 éléments h) 9 ensembles de 2 éléments

Page 59

1 : 5 ensembles de 4 éléments
2 : 4 ensembles de 3 éléments
3 : 6 ensembles de 3 éléments
4 : 5 ensembles de 5 éléments

Page 60

5 : a) 28 ÷ 4 = 7 28 ÷ 7 = 4 b) 15 ÷ 3 = 5 15 ÷ 5 = 3 c) 63 ÷ 7 = 9 63 ÷ 9 = 7 d) 24 ÷ 6 = 4 24 ÷ 4 = 6 e) 50 ÷ 10 = 5 50 ÷ 5 = 10 f) 48 ÷ 8 = 6 48 ÷ 6 = 8 g) 8 ÷ 4 = 2 8 ÷ 2 = 4 h) 63 ÷ 9 = 7 63 ÷ 7 = 9 i) 30 ÷ 6 = 5 30 ÷ 5 = 6 j) 21 ÷ 7 = 3 21 ÷ 3 = 7 k) 45 ÷ 5 = 9 45 ÷ 9 = 5 l) 60 ÷ 10 = 6 60 ÷ 6 = 10 m) 18 ÷ 9 = 2 18 ÷ 2 = 9 n) 24 ÷ 6 = 4 24 ÷ 4 = 6 o) 90 ÷ 10 = 9 90 ÷ 9 = 10 p) 48 ÷ 12 = 4 48 ÷ 4 = 12 q) 44 ÷ 11 = 4 44 ÷ 4 = 11 r) 24 ÷ 12 = 2 24 ÷ 2 = 12

TEST 7.1

Page 61

1 :

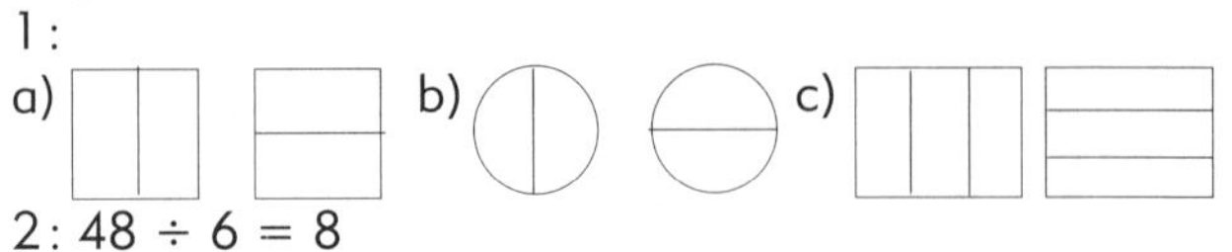

2 : 48 ÷ 6 = 8

3 :

Dividende	Diviseur	Quotient
24	2	12
30	5	6
36	4	9

Page 62

1 : a) 24 ÷ 6 = 4 b) 40 ÷ 20 = 2 c) 120 ÷ 12 = 10 d) 36 ÷ 3 = 12 e) 30 ÷ 2 = 15

Page 63

2 : a) 12 ÷ 3 = 4 b) 12 ÷ 4 = 3 c) 30 ÷ 6 = 5 d) 24 ÷ 2 = 12 e) 27 ÷ 3 = 9 f) 25 ÷ 5 = 5 g) 9 ÷ 9 = 1 h) 8 ÷ 2 = 4 i) 24 ÷ 2 = 12 j) 24 ÷ 4 = 6 k) 10 ÷ 2 = 5 l) 12 ÷ 3 = 4 m) 14 ÷ 2 = 7

Page 64

3 : 1re colonne : 1, 2, 3, 4, 5, 6, 7, 8, 9, 10, 11, 12
2e colonne : 1, 2, 3, 4, 5, 6, 7, 8, 9, 10, 11, 12
3e colonne : 1, 2, 3, 4, 5, 6, 7, 8, 9, 10, 11, 12
4e colonne : 1, 2, 3, 4, 5, 6, 7, 8, 9, 10, 11, 12

TEST 8

Les fractions

Quantité qui désigne une partie d'un tout sous la forme d'un rapport entre deux entiers positifs séparés par une ligne horizontale. Le numérateur est en haut et le dénominateur est en bas.

Exemple : $\frac{5}{8}$

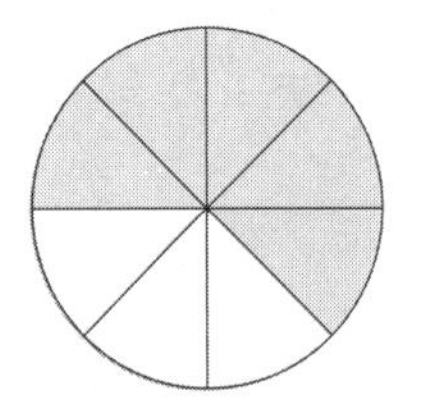

Le numérateur

C'est le premier terme d'une fraction qui indique combien de parties égales d'un tout sont considérées.

Exemple : $\frac{2}{3}$

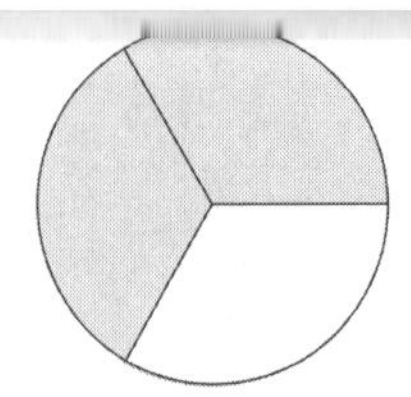

Le dénominateur
C'est le deuxième terme d'une fraction qui indique en combien de parties égales un tout a été divisé.
Exemple : $\frac{4}{9}$

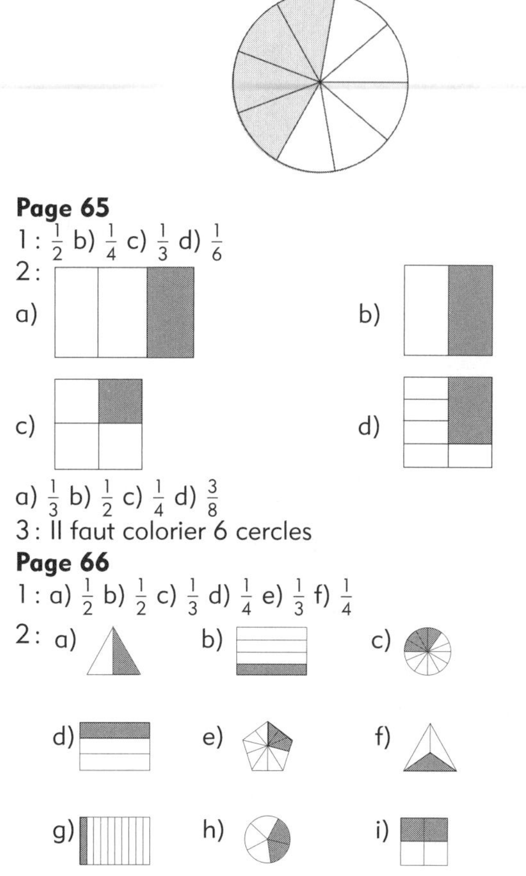

Page 65
1 : $\frac{1}{2}$ b) $\frac{1}{4}$ c) $\frac{1}{3}$ d) $\frac{1}{6}$
2 :
a) b) c) d)

a) $\frac{1}{3}$ b) $\frac{1}{2}$ c) $\frac{1}{4}$ d) $\frac{3}{8}$
3 : Il faut colorier 6 cercles
Page 66
1 : a) $\frac{1}{2}$ b) $\frac{1}{2}$ c) $\frac{1}{3}$ d) $\frac{1}{4}$ e) $\frac{1}{3}$ f) $\frac{1}{4}$
2 : a) b) c) d) e) f) g) h) i)

Page 67
3 : a) Il faut colorier un oiseau. b) Il faut colorier un oiseau. c) Il faut colorier 4 oiseaux. d) Il faut colorier 3 oiseaux. e) Il faut colorier 5 oiseaux. f) Il faut colorier un oiseau. g) Il faut colorier 3 oiseaux. h) Il faut colorier 5 oiseaux.
Page 68
4 : b
5 : a) b) c) d) e) f) g) h) i)

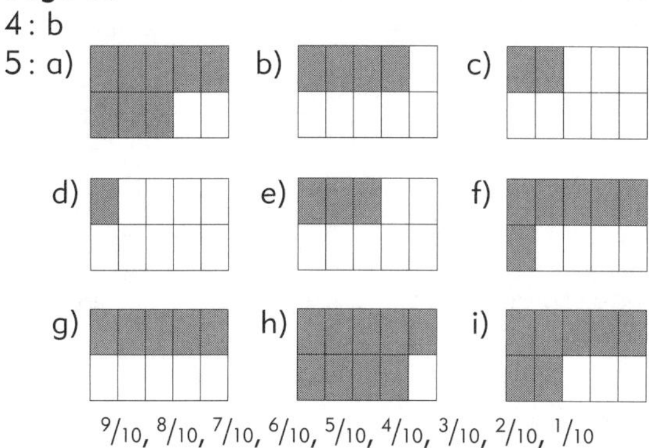

9/10, 8/10, 7/10, 6/10, 5/10, 4/10, 3/10, 2/10, 1/10

TEST 8.1
Page 69
1 : a) Il faut colorier 9 rectangles. b) Il faut colorier un rectangle. c) Il faut colorier 2 rectangles. d) Il faut colorier 4 rectangles.
2 : c
3 :

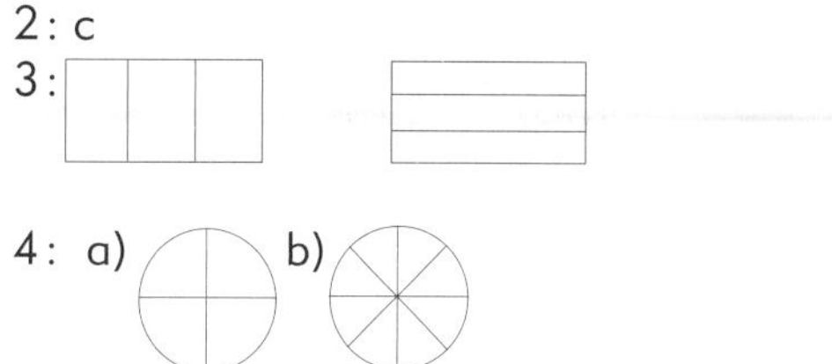

4 : a) b)

Page 70
1 : a) $\frac{3}{8}$ b) $\frac{1}{4}$ c) $\frac{2}{5}$ d) $\frac{2}{3}$ e) $\frac{1}{3}$ f) $\frac{3}{4}$ g) $\frac{1}{2}$ h) $\frac{1}{2}$

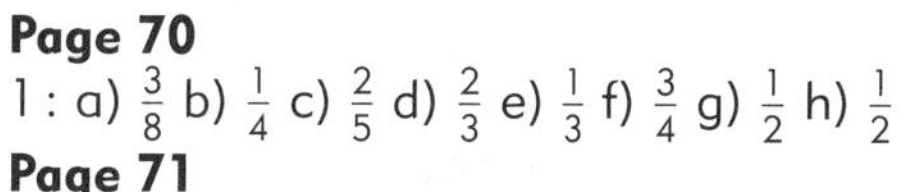

Page 71
2 : a) Il faut colorier 5 rectangles. b) Il faut colorier 2 rectangles. c) Il faut colorier 3 rectangles. d) Il faut colorier 6 rectangles. e) Il faut colorier un rectangle. f) Il faut colorier 7 rectangles. g) Il faut colorier 9 rectangles. h) Il faut colorier 6 rectangles. i) Il faut colorier 3 rectangles.
Page 72
3 :

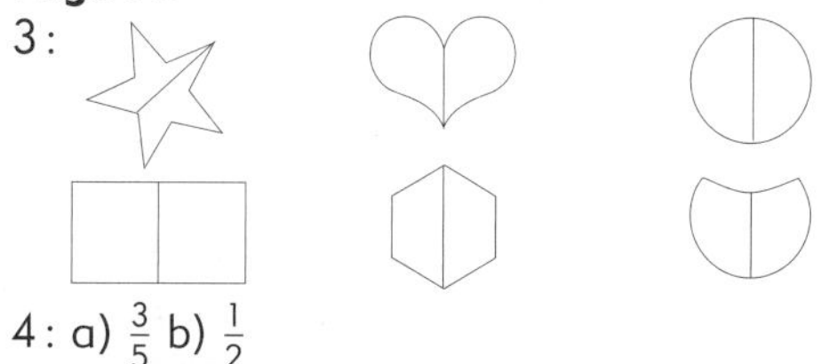

4 : a) $\frac{3}{5}$ b) $\frac{1}{2}$

TEST 9
Les nombres décimaux
Le nombre décimal
Nombre entier suivi d'une fraction décimale (séparés par une virgule), c'est-à-dire dixième, centièmes et millièmes
Exemple :
7 unités + 3 dixièmes + 9 centièmes + 4 millièmes
$7 + \frac{3}{10} + \frac{9}{100} + \frac{4}{1000}$ 7,394
L'ordre croissant et décroissant dans les nombres décimaux
Pour mettre les nombres décimaux dans l'ordre croissant (du plus petit au plus grand) ou décroissant (du plus grand au plus petit), il suffit d'aligner les virgules de ces nombres décimaux et de déterminer leur valeur. Pour ce faire, on peut ajouter des zéros pour remplacer la décimale manquante et une virgule après un nombre naturel.
Exemple : si on veut mettre les nombres 2,34 – 2,6 – 1,975 – 3 – 1,8 – 2,44 dans l'ordre croissant.
2,340
2,600
1,975
3,000
1,800
2,440
L'ordre croissant est donc 1, 8 – 1,975 – 2,34 – 2,44 – 2,6 – 3.

La comparaison des nombres décimaux

Pour comparer les nombres décimaux à l'aide des symboles < (est plus petit que), > (est plus grand que), = (est égal à), il suffit d'aligner les virgules de ces nombres décimaux et de comparer leur valeur. Pour ce faire, on peut ajouter des zéros pour remplacer la décimale manquante et une virgule après un nombre naturel.

Exemple : si on veut comparer les nombres 65,7 et 64,94.

65,700
69,940
65,7 > 64,94

L'addition des nombres décimaux dont la somme ne dépasse pas l'ordre des centièmes

Addition de chaque terme du premier nombre (centième, dixième, unité, dizaine, centaine, unité de mille) avec chaque terme correspondant du second nombre (centième, dixième, unité, dizaine, centaine, unité de mille) après avoir aligné la virgule de chaque nombre.

```
   1 11
  3456,59
+  823,7
---------
  4280,29
```

La soustraction des nombres décimaux dont la somme ne dépasse pas l'ordre des centièmes

Soustraction de chaque terme du second nombre (centième, dixième, unité, dizaine, centaine, unité de mille) à partir de chaque terme correspondant du premier nombre (centième, dixième, unité, dizaine, centaine, unité de mille) après avoir aligné la virgule de chaque nombre.

```
  2    5 14
  3456,50
-  823,79
---------
  2632,71
```

Page 73

1 : a) Il faut colorier 1 carré. Décimal : 0,1 b) Il faut colorier 4 carrés. Décimal : 0,4 c) Il faut colorier 7 carrés. Décimal : 0,7 d) Il faut colorier 5 carrés. Décimal : 0,5 e) Il faut colorier 3 carrés. Décimal : 0,3 f) Il faut colorier 9 carrés. Décimal : 0,9 g) Il faut colorier 10 carrés. Décimal : 1,0 h) Il faut colorier 2 carrés. Décimal : 0,2

Page 74

1 : a) 0,5 b) 3,9 c) 2,4 d) 0,7 e) 10,1 f) 20,9
2 : a) 1,6 ; 2,4 ; 4,8 ; 6,3 ; 14,1 b) 2,50 ; 2,53 ; 2,55 ; 2,58 ; 2,59 c) 12,9 ; 13,9 ; 23,2 ; 26,9 ; 37,7
3 : a) 7,5 ; 6,5 ; 4,6 ; 3,7 ; 2,4 b) 32,9 ; 32,7 ; 32,5 ; 32,2 ; 32,1 c) 37,7 ; 26,9 ; 23,2 ; 13,9 ; 12,9

Page 75

4 : Ramzy, la plus petite ; Justine, la plus grande.
5 : a) 2,07 $ b) 3,12 $ c) 0,65 $ d) 3,85 $ e) 6,09 $ f) 9,48 $ g) 4,94 $

Page 76

6 : a) 0,09 b) 0,94 c) 0,9 d) 0,3 e) 0,93 f) 0,80
7 : 4,41
8 : a) 2,53 $ b) 2,24 $

Test 9.1

Page 77

1 : a) Il faut colorier 19 cases. b) Il faut colorier 44 cases. c) Il faut colorier 65 cases. d) Il faut colorier 78 cases. e) Il faut colorier 89 cases. f) Il faut colorier 99 cases.

Page 78

1 : a) 0,73 b) 0,63 c) 0,04 d) 0,90 e) 0,30 f) 0,01

Page 79

2 : a) 6,61 $ b) 5,27 $ c) 7,26 $ d) 4,45 $ e) 9,79 $ f) 5,50 $ g) 2,94 h) 8,37

Page 80

3 : a) 0,75 b) 0,95

TEST 10

Les figures planes de base

Le carré : figure géométrique plane qui possède 4 côtés congrus et 4 angles droits.

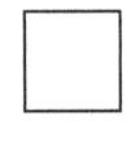

Le rectangle : figure géométrique plane qui possède 2 paires de côtés congrus et 4 angles droits.

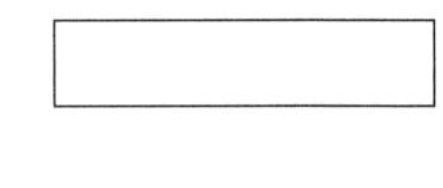

Le triangle : figure géométrique plane qui possède 3 côtés.

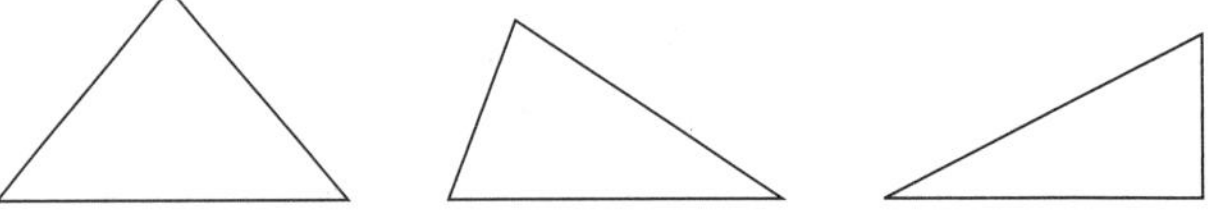

Le cercle : figure géométrique plane et circulaire dont le centre est à égale distance de tous les points faisant partie du contour de la figure.

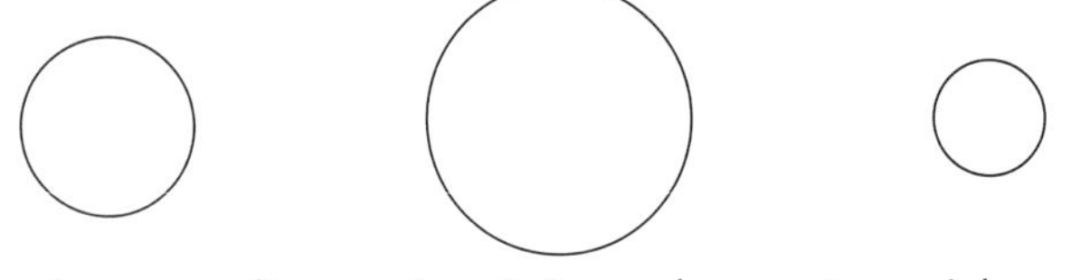

Le losange : figure géométrique plane qui possède 4 côtés congrus.

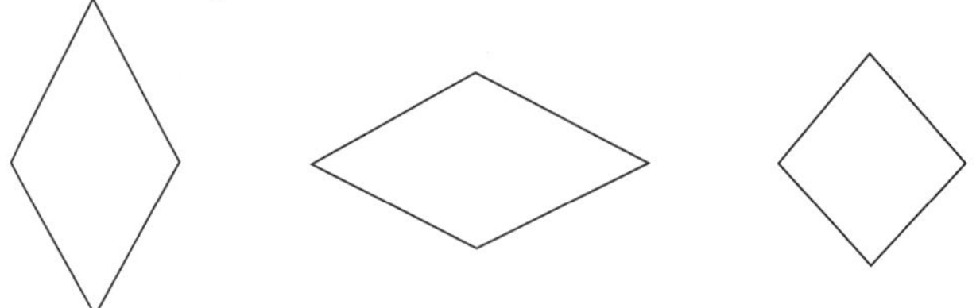

Page 81
1 : Il faut colorier b, c, d, e, f
2 : a) droit b) aigu c) obtus d) plat
3 : a) 8 b) 5 c) 3 d) 4) e) 5
Page 82
1 : réponses au choix.
Page 83
2 : Il faut colorier a, g et i
3 : Carrés : 3 Losanges : 2 Triangles : 2
Rectangles : 6 Cercles : 8
Page 84
4 : a, c, d, e
5 : a, c, d, f, g
6 : a, e
7 : b
8 : c

TEST 10.1
Page 85
1 : a) Nombre de côtés : 8 Nombre d'angles : 8
b) Nombre de côtés : 4 Nombre d'angles : 4
c) Nombre de côtés : 3 Nombre d'angles : 3
d) Nombre de côtés : 5 Nombre d'angles : 5
e) Nombre de côtés : 4 Nombre d'angles : 4
f) Nombre de côtés : 4 Nombre d'angles : 4
2 :

Page 86
1 : réponse au choix.
2 : aigu, droit, obtus, plat
3 : réponses au choix.
Page 87
4 :
a) b) c) d) e) f) g)

5 : réponses au choix.
Page 88
6 : réponses au choix.
7 : réponses au choix.
8 : réponses au choix.
9 : réponses au choix.

TEST 11
Les solides
Les solides sont des figures à trois dimensions limitées par une surface fermée.

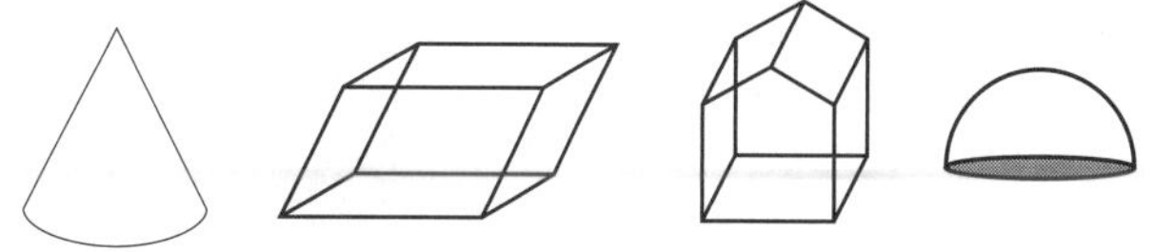

Les attributs des solides : les solides se caractérisent pr leurs faces (surfaces planes ou courbes qui les déliment), leurs arêtes (segments qui sont déterminés par la rencontre de deux faces) et leurs sommets (points qui sont déterminés par la rencontre de trois arêtes).

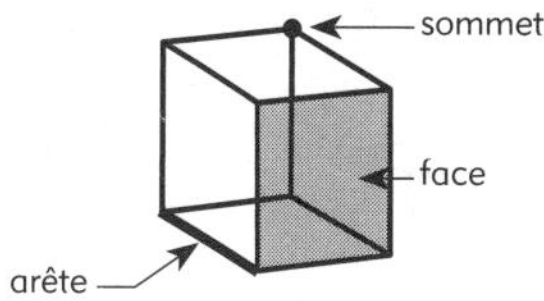

Les polyèdres : solides dont les faces sont des polygones.

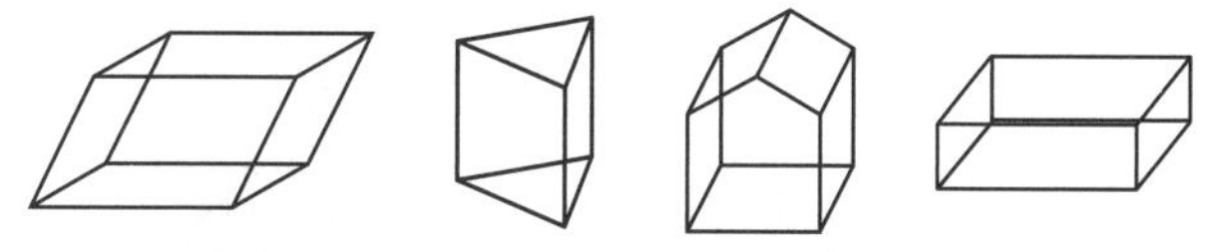

Les polygones : figure plane qui a plusieurs angles et plusieurs côtés.

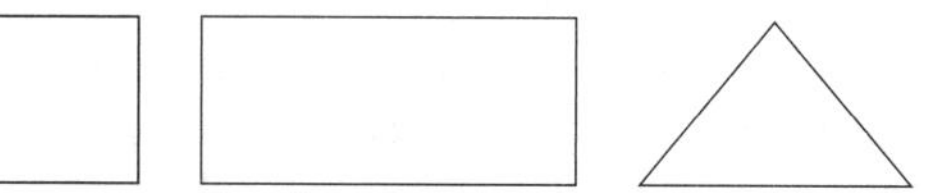

Le cube : polyèdre convexe qui possède 6 faces carrées, 12 arêtes et 8 sommets.

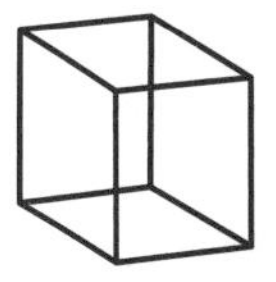

Le prisme à base carrée : polyèdre convexe dont les 2 bases sont carrées, dont les 4 faces latérales sont des parallélogrammes et qui possède12 arêtes et 8 sommets.

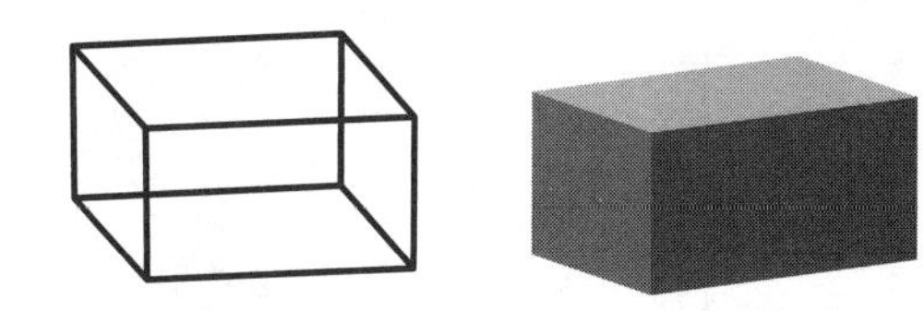

Le prisme à base rectangulaire : polyèdre convexe dont les 2 bases sont des rectangles, dont les 4 faces latérales sont des parallélogrammes et qui possède 12 arêtes et 8 sommets.

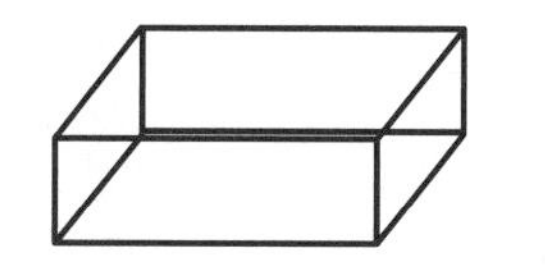
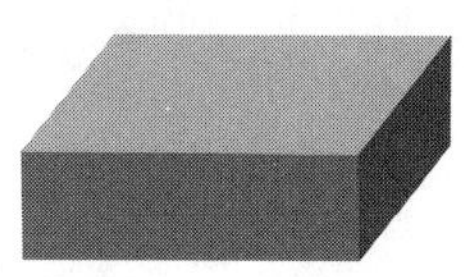

Le prisme à base triangulaire : polyèdre convexe dont les 2 bases sont des triangles, dont les 3 faces latérales sont des parallélogrammes et qui possède 9 arêtes et 6 sommets.

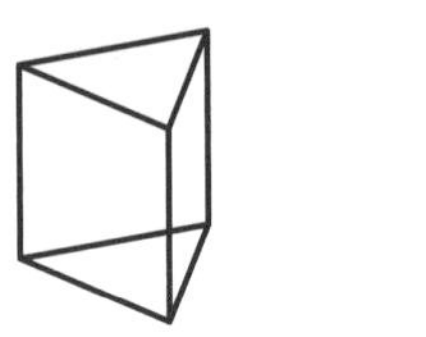 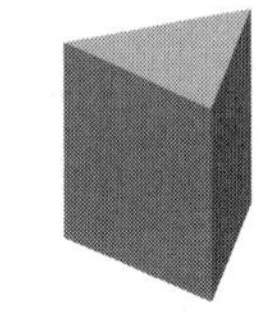

La pyramide à base carrée : polyèdre convexe dont la base est un carré, dont les 4 faces latérales sont des triangles et qui possède 8 arêtes et 5 sommets.

La pyramide à base rectangulaire : polyèdre convexe dont la base est un rectangle, dont les 4 faces latérales sont des triangles et qui possède 8 arêtes et 5 sommets.

La pyramide à base triangulaire : polyèdre convexe dont la base est un triangle, dont les 3 faces latérales sont des triangles et qui possède 6 arêtes et 4 sommets.

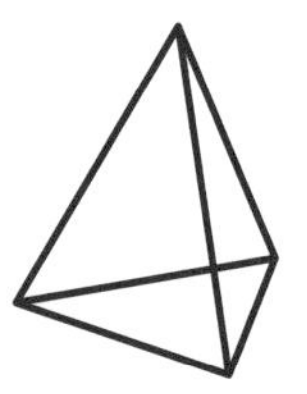 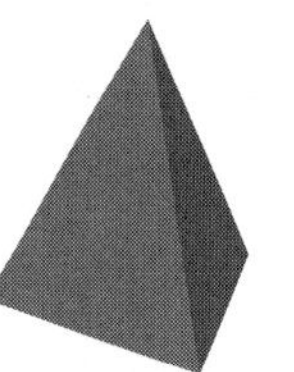

Le cylindre : solide en forme de rouleau (un rectangle qui a été recourbé sur lui-même) dont les 2 bases sont des cercles et qui possède 2 arêtes, mais aucun sommet.

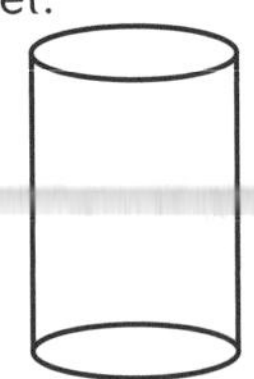 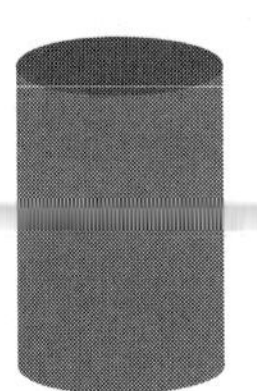

Le cône : solide délimité par une surface conique et dont la base est un cercle. Le cône possède une arête, mais le bout du cône n'est pas un sommet. On le nomme l'apex.

La sphère ou la boule : solide qui est délimité par une seule surface sphérique. La sphère ne possède ni arête ni sommet.

Page 89
1 : a) pyramide à base triangulaire b) pyramide à base carrée c) cube) d) prisme à base rectangulaire e) prisme à base triangulaire f) pyramide à base rectangulaire
2 : a) 3 faces, aucune arête b) 6 faces, 12 arêtes
3 : boule ou sphère, cône, cylindre
4 : cube, pyramide à base carrée, pyramide à base rectangulaire, pyramide à base triangulaire, prisme à base carrée, prisme à base rectangulaire, cône, cylindre.
Page 90
1 : a) glisse seulement b) glisse et roule c) glisse seulement
2 : a) 6 sommets et 9 arêtes b) 5 sommets et 8 arêtes c) 8 sommets et 12 arêtes d) 8 sommets et 12 arêtes e) 4 sommets et 6 arêtes f) 8 sommets et 12 arêtes
Page 91
3 : a) 2 triangles et 3 rectangles b) tout sauf le triangle c) tout saut le carré d) tout sauf le carré e) 2 carrés et 4 rectangles f) tout sauf le triangle g) le carré et 4 triangles
Page 92
4 : a) 4 b) 6 c) 5 d) 1 e) 3 f) 8 g) 2 h) 7

TEST 11.1
Page 93
1 : a) 1 face courbe b) 5 faces planes c) 5 faces planes d) 1 face courbe, 2 faces planes e) 5 faces planes f) 6 faces planes
2 : a) cylindre b) pyramide à base rectangulaire
3 : d
Page 94
1 : a) peut glisser b) peut glisser et rouler c) peut glisser d) peut glisser e) peut glisser et rouler f) peut glisser g) peut glisser h) peut rouler i) peut glisser
Page 95
2 : a) faces planes b) faces planes et courbes c) faces planes d) faces planes e) faces planes et courbes f) faces planes g) faces planes h) faces courbes i) faces planes
Page 96
3 : a) 6 carrés b) 1 triangle, 1 cercle c) 4 triangles, 1 carré d) 4 triangles e) 2 cercles, 1 rectangle f) 2 triangles, 4 rectangles g) 4 triangles, 1 rectangle h) 1 cercle i) 2 carrés, 4 rectangles

TEST 12

Les frises

Les figures isométriques sont des représentations qui ont les mêmes dimensions. On peut produire une frise ou un dallage en répétant des figures isométriques.

La symétrie

Reproduction d'un motif ou d'une partie de motif de l'autre côté d'un axe de réflexion par effet miroir.

Plan cartésien

Système de repérage composé de 2 droites perpendiculaires qui permettent de situer des points précis.

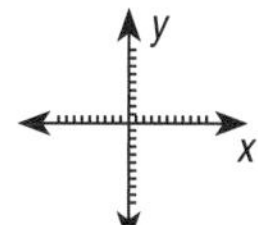

L'axe des abscisses, ou l'axe des x, est l'axe horizontal d'un plan cartésien, tandis que l'axe des ordonnées ou l'axe des y est l'axe vertical d'un plan cartésien. Les coordonnées sont des couples formés par la rencontre d'un point de l'axe des ordonnées. Les quadrants sont les parties formées par le croisement des axes d'un plan cartésien.

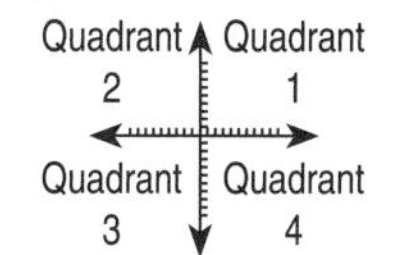

Page 97

2:

a) b)

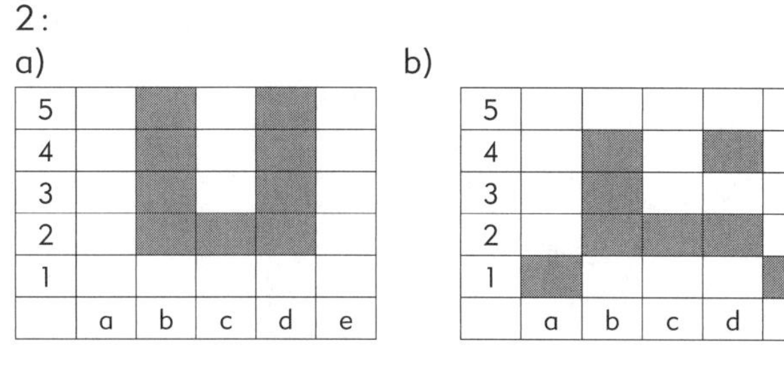

Page 99

2:

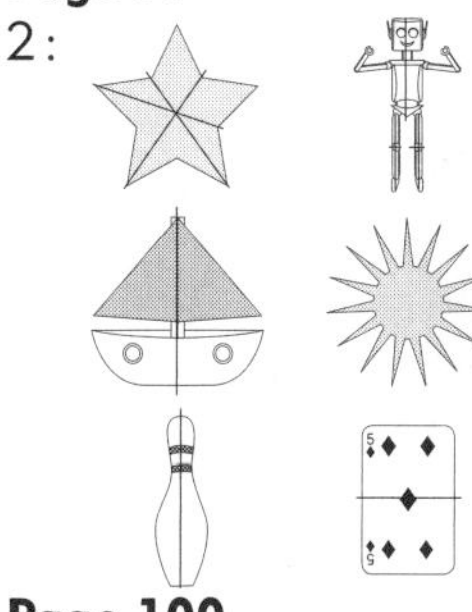

Page 100

3: Poisson: D-13 Île: J-17 Palmier: K-10 Trésor: Q-4 Crochet: R-18 Drapeau: C-9 Sirène: C-4

TEST 12.1

Page 101

1:

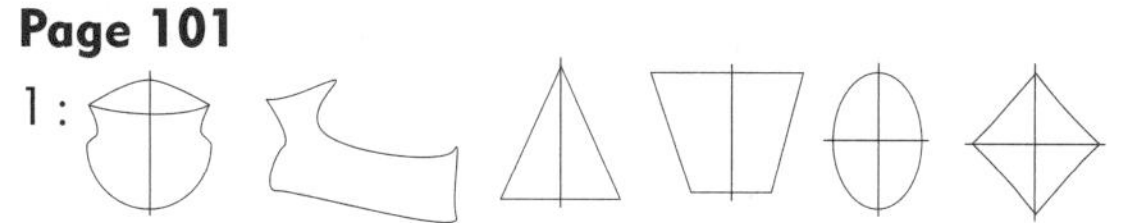

3:

	1	2	3	4	5
a				J	
b					
c					R
d	V				
e					
f			B		

Page 104

3:

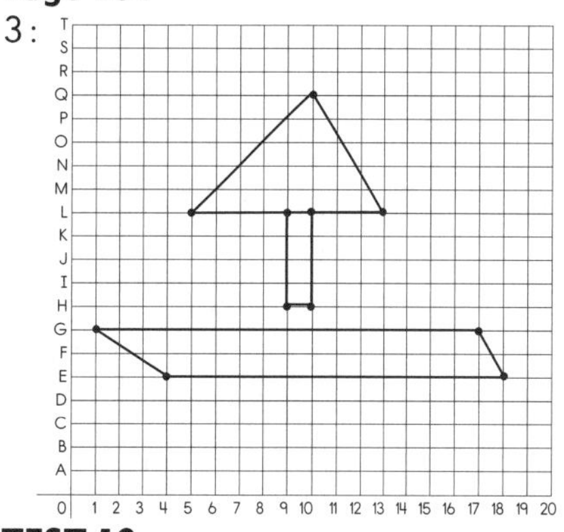

TEST 13

Les unités de mesure

L'unité de base est le mètre (m) qui, lorsque divisé par 10 donne le décimètre (dm), lorsque divisé par 100 donne le centimètre (cm), lorsque divisé par 1000 donne le millimètre (mm), et lorsqu'il est multiplié par 1000 donne le kilomètre (km).

La mesure du périmètre

Les unités non conventionnelles

Le périmètre d'une figure est la longueur du contour d'une figure géométrique plane et fermée. Il se mesure avec des carrés, des rectangles, des cases, etc.

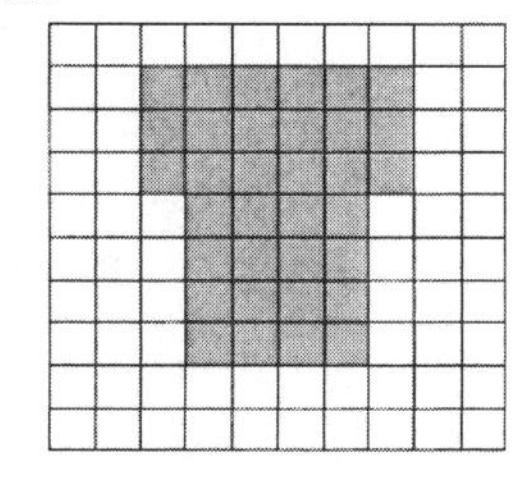

Le périmètre de cette figure est de 26 cases.

Les unités conventionnelles

Le périmètre d'une figure se calcule en additionnant la mesure de chaque côté d'une figure géométrique plane et fermée.

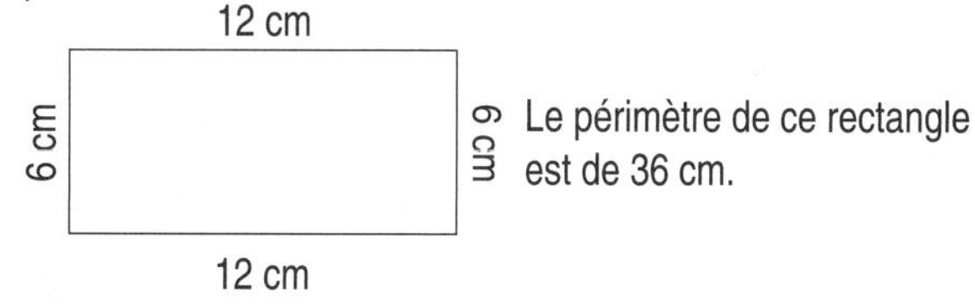

Le périmètre de ce rectangle est de 36 cm.

Exemple: Le périmètre d'un rectangle mesure 36 cm.
12 cm + 6 cm + 12 cm + 6 cm = 36 cm.

Comment mesurer la surface (l'aire) ?

Les unités non conventionnelles

L'aire ou la superficie d'une surface peut se calculer avec des carrés, des triangles, des cases, des hexagones, etc. On l'obtient en comptant le nombre de composantes de la figure.

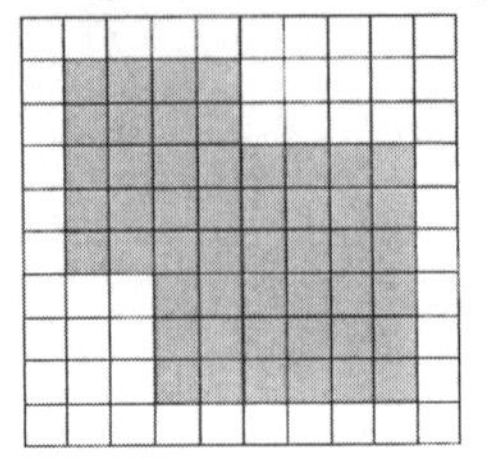

L'aire de la surface de cette figure est de 50 cases.

Les unités conventionnelles

Le périmètre d'une figure se calcule en additionnant la mesure de chaque côté d'une figure géométrique plane et fermée.

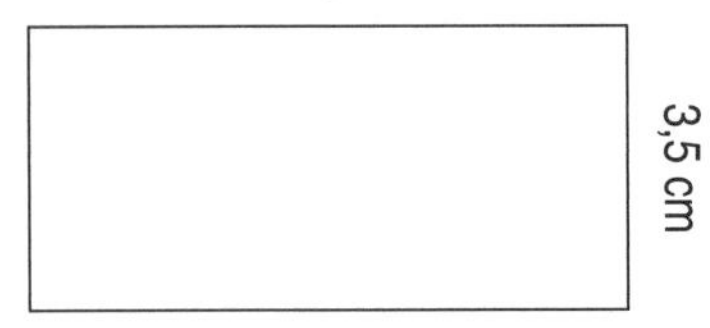

L'aire de ce rectangle est de 24,5 cm².

La mesure des volumes

Les unités non conventionnelles

Le volume est la mesure de l'espace à trois dimensions occupé par un solide. On peut le calculer en comptant le nombre de cubes ou de prismes qui le composent.

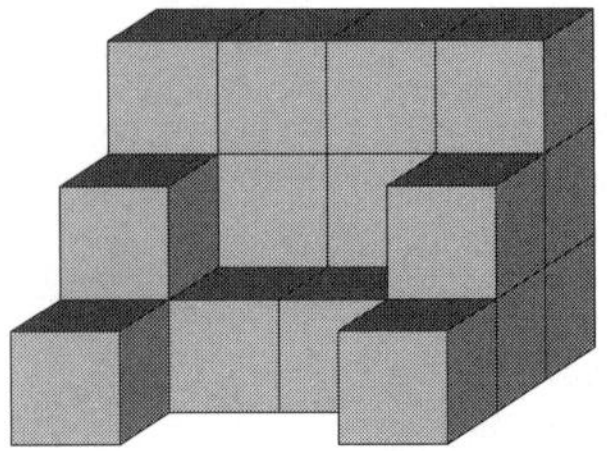

Le volume de ce prisme est de 264 cm³.

Les unités conventionnelles

Le volume d'un cube, d'un prisme à base carrée ou d'un prisme à base rectangulaire se calcule en mm3, en cm3, en dm3, en m3 ou en km3. On l'obtient en multipliant la longueur par la largeur et par la profondeur.

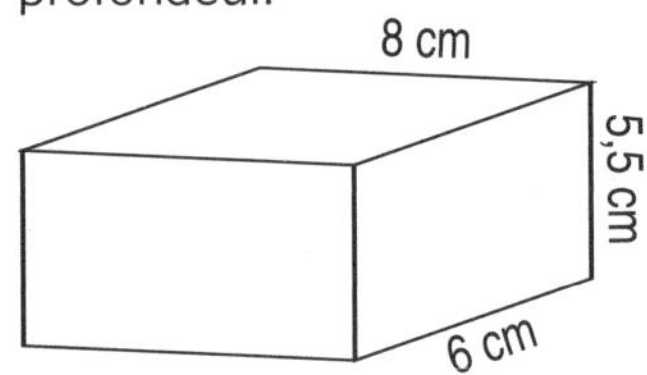

Le volume de ce prisme est de 264 cm³.

Page 105

1: a) [illegible] cm b) [illegible] cm c) [illegible] cm d) [illegible] cm
2: a) aire: 5 périmètre: 10 b) aire: 5 périmètre: 12
3: a) 27 b) 8 c) 19

Page 106

1: a) mètre b) décimètre c) centimètre d) mètre e) centimètre
2: Les lignes b et d sont de la même longueur.
3: a) 5 m b) 20 cm c) 6 m

Page 107

4: a) Aire: 4 Périmètre: 10 b) Aire: 8 Périmètre: 12 c) Aire: 4 Périmètre: 8 d) Aire: 4 Périmètre: 10 e) Aire: 5 Périmètre: 12 f) Aire: 7 Périmètre: 16 g) Aire: 1 Périmètre: 4 h) Aire: 4 Périmètre: 14

Page 108

5: a) 3 b) 15 c) 10 d) 24 e) 9 f) 12

TEST 13.1

Page 109

1: a) 80 cm b) 50 cm c) 10 cm d) 100 cm e) 10 dm f) 5 m
3: a) Aire: 10 Périmètre: 14 b) Aire: 5 Périmètre: 12
4: a) 27 b) 9 c) 20

Page 110

1: auto: 5 cm chenille: 3 cm vélo: 3 cm voilier: 6 cm serpent: 12 cm avion: 6 cm
2: a) faux b) faux c) vrai

Page 111

3: a) Aire: 4 Périmètre: 14 b) Aire: 3 Périmètre: 8 c) Aire: 24 Périmètre: 20 d) Aire: 8 Périmètre: 18 e) Aire: 4 Périmètre: 8 f) Aire: 4 Périmètre: 10 g) Aire: 21 Périmètre: 20 h) Aire: 6 Périmètre: 22

Page 112

4: a) 23 b) 11 c) 8 d) 16 e) 25 f) 9

TEST 14

Page 113

1: a) matin b) soir c) midi
2: a) 1 h b) 2 h c) 10 h
3: a) 12 b) 7 c) 365 d) 60 e) 24 f) 4 g) 60 h) 100 i) 4

Page 114

1: a) b) c) d) e) f) g) h) i) j) k) l) m) n) o)

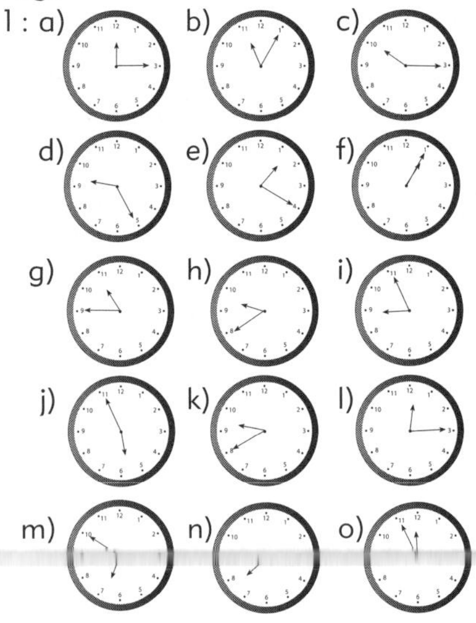

Page 115

2: a) 16 h b) 18 h c) 22 h d) 21 h e) 23 h f) 15 h
3: a) 60 b) 90 c) 120
4: a) matin b) soir

Page 116

5: a) fin: 2 h ou 14 h b) début: 5 h 30 ou 17 h 30 c) fin: 7 h 05 ou 19 h 05

6 : a) semaine b) jour c) mois d) seconde e) minute
7 : a) 6 b) 1 c) 5 d) 2 e) 3 f) 4

TEST 14.1
Page 117
1 : a) 2 heures b) 7 heures c) 13 h 45
2 : a) 3 h ou 15 h b) 5 h ou 17 h c) 10 h ou 22 h
d) 9 h ou 21 h e) 8 h ou 20 h f) 11 h ou 23 h
Page 118
1 : a) 7 x 1 = 7 b) 5 x 1 = 5 c) 1 x 52 = 52
d) 4 x 2 = 8 e) 5 x 7 = 35 f) 365 x 1 = 365
Page 119
2 : a) 2e horloge b) 1re horloge c) 2e horloge
d) 1re horloge
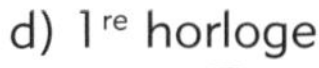
3 : a) b) c) d) e) f)
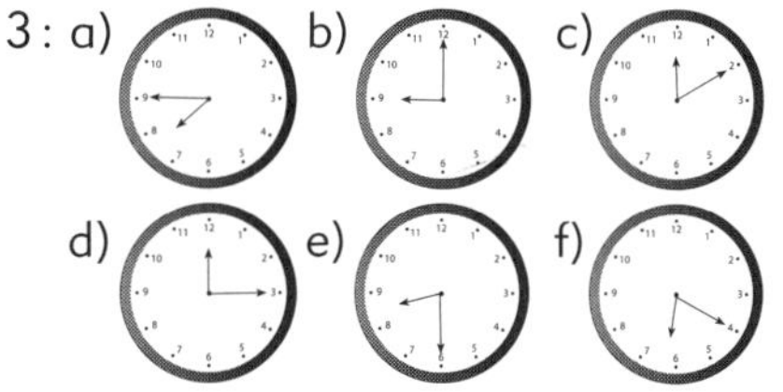

Page 120
4 : a) mardi b) 12 c) 13
d)

Dimanche	Lundi	Mardi	Mercredi	Jeudi	Vendredi	Samedi
1	2	3	4	5	6	7
8	9	10	11	12	13	14
15	16	17	18	19	20	21
22	23	24	25	26	27	28
29	30	31				

e)

Dimanche	Lundi	Mardi	Mercredi	Jeudi	Vendredi	Samedi
			1	2	3	4
5	6	7	8	9	10	11
12	13	14	15	16	17	18
19	20	21	22	23	24	25
26	27	28				

TEST 15
Les statistiques
Le tableau : représentation graphique dans laquelle on exprime des données quantitatives selon des catégories réparties sur les lignes ou les colonnes.
Le diagramme à bandes : représentation graphique dans laquelle on exprime des données quantitatives à l'aide de segments ou de rubans verticaux ou horizontaux.
Page 121
1 : a) 45 b) 60 c) 35 d) 25 e) 10 f) bandes dessinées, science-fiction, horreur, aventures, amour
Page 123
1 : a) juin b) avril c) 495 d) 65 e) 65 f) 5 g) avril, février, mai, juillet, janvier, mars, août, juin
Page 124
2 : a) 10 b) 20 c) 25 d) 5 e) 15 f) Parce qu'elle vend plus de gâteaux au chocolat.

TEST 15.1
Page 125
1 : Voici quelques exemples de questions : Quelle variété de fleurs a été le plus vendue (ou plantée) ? Quel est l'écart entre les impatiens et la monarde ? Quel est le total de toutes les variétés de fleurs ?
Page 126
1 : a) Paris b) Londres c) Choisir la destination qui plaira au plus grand nombre d'élèves. d) 30 e) Paris, New York, Venise, Tokyo, Londres

TEST 16
Activités liées au hasard
Les probabilités : rapport entre le nombre de fois qu'un événement déterminé se produit et le nombre de résultats possibles.
Exemple : sur 3 portes, la probabilité qu'au moins 2 d'entre elles soient fermées est de 4 chances sur 8.
Les combinaisons possibles sont :
ouverte-ouverte-ouverte, ouverte-ouverte-fermée, ouverte-fermée-fermée, fermée-fermée-fermée, fermée-fermée-ouverte, fermée-ouverte-ouverte, fermée-ouverte-fermée, ouverte-fermée-fermée.
Prédire un résultat
Certain : un événement est certain lorsqu'il se produit à coup sûr.
Exemple : il est certain que la Terre prend 365 $\frac{1}{4}$ jours pour effectuer un tour complet du Soleil.
Possible : un événement est possible lorsqu'il a autant de chance de se produire que de ne pas se produire.
Exemple : Il est possible qu'une météorite traverse le ciel ce soir.
Impossible : un événement est impossible lorsqu'il ne peut pas se produire.
Exemple : Il est impossible pour un humain de respirer sous l'eau sans scaphandre ni masque de plongée.
Page 129
1 : a) certain b) impossible c) possible d) certain e) certain
2 : Elle a plus de chances de gagner dans le groupe 1 parce qu'il y a moins de participants.
Page 130
1 : roi-valet, roi-as, roi-7, valet-as, valet-7, as-7
Page 131
2 : réponses possibles : votre enfant devrait remarquer que certaines combinaisons ont tendances à revenir.
3 : a et c
Page 132
4 : a) 24 b) Il y a plus de chances de trouver le chiffre trois dans le rectangle 6 et le moins de chances dans le rectangle 1. c) 5 d) 3

TEST 16.1
Page 133
1 : Différentes combinaisons sont possibles.
2 : a) impossible b) certain c) impossible d) certain e) possible
Page 134
1 : réponses au choix.
2 : c, parce que le centre est plus grand.

Page 135
3 : a) Voici quelques combinaisons possibles : 54, 51, 71, 75, 14, 57, 47, 41, 74, 17, 15 etc. b) Voici quelques combinaisons possibles : 1745, 5714, 5174, 4715, 4751, 7145, 7154, 1547, 1574, 1457, 1475, etc. c) Voici quelques combinaisons possibles : 547, 475, 754, 457, 714, 715, 175, 174, 147, 571 etc.
4 : a) Voici quelques combinaisons possibles : 63, 62, 64, 32, 34, 24, 23, 26, 42, 43, 46, 36 etc. b) Voici quelques combinaisons possibles : 6234, 6243, 6423, 6432, 4236, 2364, 3246, 3264, 2634, 2643, 2346 etc.

RÉVISION

Page 137
1 :a) $<$ b) $<$ c) $>$ d) $>$ e) $>$ f) $>$
2 :a) 3949 b) 6599 c) 7821
3 :a) 8 dizaines b) 7 milliers c) 8 unités d) 874 unités e) 97 unités f) 97 centaines
4 :a) 4300 b) 5200 c) 3600 d) 3500 e) 3700 f) 7400
5 :a) 2148 b) 36 c) 9 d) 3
Page 138
6 :Trouve la somme de chaque addition.
a) 462 b) 564 c) 1213 d) 1343 e) 2412 f) 2180 g) 3272 h) 4592 i) 5028 j) 4394 k) 6677 l) 7885 m) 9872 n) 7507 o) 5797 p) 7175 q) 8825 r) 8570 s) 9584 t) 8964 u) 6247 v) 6261 w) 6322 x) 9479
Page 139
7 :a) 373 b) 205 c) 173 d) 319 e) 551 f) 296 g) 359 h) 314
Page 140
8 :a) 624 + 595 = 1219
b) 876 – 358 = 518
c) 349 + 374 = 723
d) 753 – 466 = 287
e) 567 + 326 = 893
f) 908 – 671 = 237
g) 482 + 467 = 949
h) 619 – 288 = 331
i) 749 + 572 = 1321
j) 652 – 486 = 166
k) 299 + 347 = 646
l) 450 – 195 = 255
m) 435 + 564 = 999
n) 543 – 276 = 267
o) 678 + 592 = 1270
p) 947 – 786 = 161
q) 528 + 888 = 1416
r) 827 – 651 = 176
s) 455 + 863 = 1318
t) 783 – 258 = 525
u) 325 + 497 + 684 = 1506
v) 5942 – 2864 = 3078
w) 739 + 284 + 357 = 1380
x) 8006 – 4792 = 3214

Page 141
9 :a) 240 b) 477 c) 426 d) 352 e) 410 f) 117 g) 182 h) 36
10 :a) 41 b) 12 c) 13 d) 213 e) 43 f) 89 g) 72 h) 56
Page 142
11 :

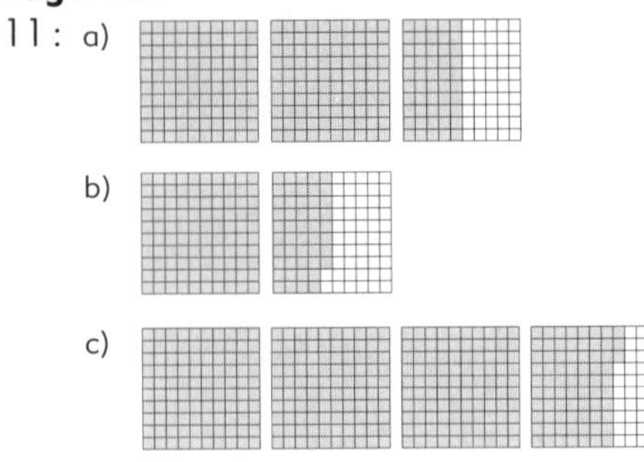

12 :a) $\frac{1}{4}$ b) $\frac{3}{6}$ c) $\frac{5}{8}$ d) $\frac{3}{5}$ e) $\frac{2}{3}$ f) $\frac{4}{7}$ g) $\frac{7}{8}$ h) $\frac{3}{10}$ i) $\frac{9}{12}$
Page 143
13 :

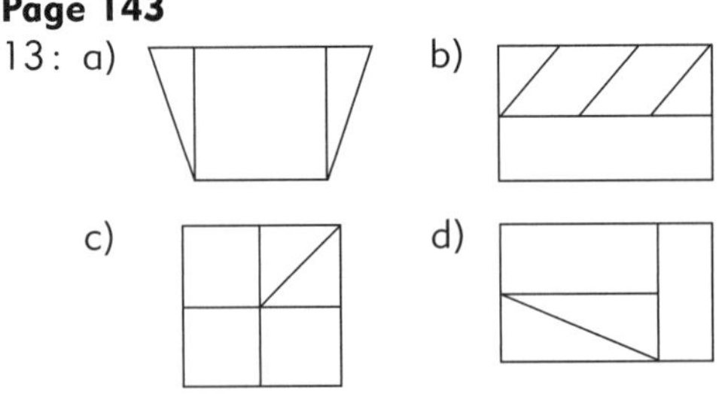

14 : Légende : V = vert ; R = rouge

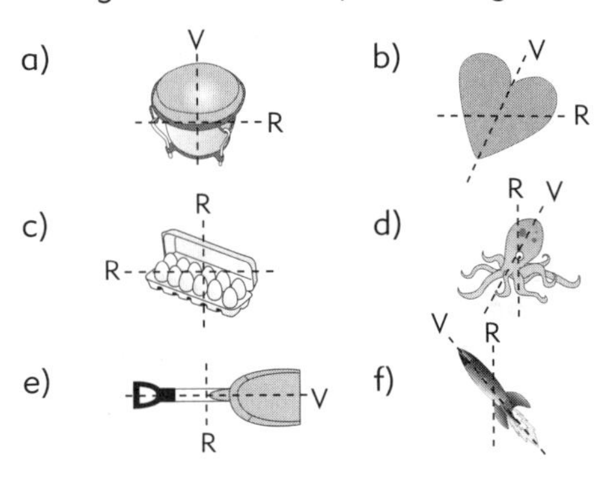

Page 144
15 :a) 24 cases b) 22 cases c) 16 cases d) 32 cases e) 32 cases f) 28 cases
16 :a) 24 cases b) 64 cases c) 44 cases d) 32 cases e) 44 cases f) 46 cases